文春文庫

極夜行前

角幡唯介

文藝春秋

極夜行前

地図製作　シーマップ
初出「オール讀物」２０１３年８月号～11月号
２０１４年12月号～２０１５年２月号
２０１６年４月号～８月号
＊本書収録にあたり大幅に加筆修正を施しています。
単行本　２０１９年２月　文藝春秋刊
ＤＴＰ制作　エヴリ・シンク

第一部　天測放浪

第一部　旅のルート

2012年12月18日〜2013年1月18日

北極海
シオラパルク
ケンブリッジベイ
グリーンランド
カナダ
アイスランド
アメリカ合衆国
北大西洋

1

目が覚めたのはいつもと同じ時刻だった。何も変わらない暗く、のしかかってくるような朝だ。

太陽が昇らない冬の北極の朝は、朝ではあるが、同時に漆黒の闇に閉ざされた夜でもある。

視界は闇夜でうばわれているため、朝はまず耳の聴覚と皮膚の触覚が刺激されることで始まる。まぶたを開け、闇を見つめ、私は、風がテントを揺さぶる音と、氷のように冷たい空気が顔面に突き刺さる痛みを感知し、新しい日の到来を知った。

闇に轟(とどろ)く風の音と顔に突き刺さる凍てつく外気は、いずれも人間にとっては不快信号だ。闇のなかで吹く風の音は、昼間の太陽に照らされた明るい世界で聞く風の音とは、次元の異なる威圧感を人間に与える。

風とは何か？　闇の世界にいるとその答えが分かる。すなわち風とは音である。それを知るには視覚は余計な情報だ。太陽の光で風景が見わたせてしまうと、風が本来持っている風の音的な本質は、見えている視覚情報に分散されて不分明になるからだ。視覚が奪われた夜においてこそ、風は音としてたちあらわれる。闇のなかで聞く風の音はとても恐ろしい。風の轟きの怖さに理由などない。それはとても人間の動物的な感情を揺さぶる根源的恐怖である。それはただ恐ろしいから恐ろしいのである。

極夜(きょくや)の朝、目を開けたときに私の前にたちあらわれる風は、そういう風だった。風の音に沈鬱になり、ヘッドランプをつける。白いＬＥＤの照明にテントの内側の生地が照らされる。テントは全体的に冷凍庫のように白く凍結している。普段は目に見えない息と汗がテントに結露し、霜となって凍ることで、そこに含まれた水分の全てが目に見えるかたちで目の前にあらわれている。慣れてくると、その霜の総量を見るだけで、その日の気温はおおむね察しがつく。真っ白な霜がこびりついたテントの生地を見つめ、そして顔の肌に突き刺さる外気の冷たさを感じながら、私は今日も寒い、しかもとんでもなく寒いという極めて当たり前の事実を突きつけられる。

私はしばらく闇の宙を見つめた。ぼーっと見つめた。魂のない抜け殻のように見つめた。そして意を決し、寝袋のなかでごそごそと腕を動かして、ヘッデン（ヘッドランプ）で時計を見た。表示は八時十五分、くそ、もう起きなければならない時刻だ、と思う。しかし起きなければならないにもかかわらず、私はしばらく葛藤した。

闇のなかで吹き荒れる怖気(おぞけ)をもよおす風の音と、ヘッデンの光の先で凍りついたテントの分厚い霜は、寒いだけでなく今日もとても憂鬱だという事実をも私にあらわにする。冬の北極が冬の北極たるその本質が、闇の恐ろしさと寒さというかたちで、まぶたを開けたばかりの私の眼前で現象している。極夜の凝縮された恐ろしさと不安が、全体重をもって目を開けた私を圧迫しており、私は威圧的なその極夜の重みに必死に抗(あらが)った。

寒い。暗い。寝袋から出たくない。でも今、この瞬間、寝袋から出て準備を始めないと、最終的に時間が足りなくなって、もしかしたら村にたどり着けないまま野垂れ死にするかもしれない。その可能性は決してゼロではない。その可能性を今よりもっとゼロに近づけるには、今日もしっかり歩き距離を稼いで村に近づいておくことが必要なのだ。そこまで確認しないと、私は寝袋を出て準備を始めるという決心をすることができなかった。

極夜の闇が私に与えるのは、いつだってこうした死への威圧感だった。極夜の朝は死と直面することから始まった。

その時点で私はもう一カ月も太陽を見ていなかった。

カナダ北極圏の北緯七十度付近では十一月三十日から太陽が昇らない季節をむかえる。極夜と呼ばれる現象だ。

極夜の北極に行ってみたいと考えるようになったのは、それほど最近のことではなかった。そもそもこの旅を始めるもう二年以上も前にさかのぼる。理由は単純だ。太陽が昇る世界で暮らす私たちにとって、太陽が昇らない世界には想像もつかない未知が広がっている気がする。だから行ってみたい。それだけのことである。

今では大抵のことが想像できるようになった。様々な行為が既存のカテゴリーに分類され、ジャンル化されて、行為そのものから未知の要素が失われている。アマゾンの奥地に行くとしても、ヒマラヤの高峰に登るとしても、過去の情報がフィードバックされてしまうため、そこに何があって、どのようなことが起きるのかは何となく想像がついてしまう。旅の手法はマニュアル化されており、どうやったら行けるかは少し調べただけで誰にでも分かるようになった。われわれはどこからともなく与えられる情報に満足し、それがすべてであると、特に理由もなくみなしている。あらゆる場所、あらゆる手法が、あたかも私たちの常識の枠内に吸収されているように感じられ、常識からはみ出した本当の未知など、この世に存在しないかのように思われている。

しかし果たして本当にそうだろうか、と一方では思う。そんなものはもしかしたら、グーグルやウィキペディアなどといったネットメディアが図らずも作り出した単なる幻想なのではないか。あらゆることに想像が及ぶというのは所詮幻想だ。むしろそれは逆に情報が過多になったことによる現代人の想像力の貧困を示す証拠に他ならない。たとえば極夜の世界について私たちはいったい何を知っているというのだろう。そこはまったく想像がつかない世界ではないか。太陽がない？　万物を規定し、私たちの生命を律動させる太陽がないというのは、いったいどういう世界なのだろう。長期間そこに身を置くと何を思い、身体と精神はどのような反応を見せるのか？　誰かそれを私に詳細に説明してくれる人がいるのだろうか？　間違いなく昔のイヌイットはそのことを知っていたはずだ。百年前の探検家もおそらく知っていただろう。しかし今のこの世の中に極夜の闇の世界を本当の意味で知っている人間が、どれぐらいいるというのか。

しかも太陽の昇らない極夜世界は意外と広大だ。一年のうちに一日でも太陽が昇らない日、あるいは沈まない日のある地域を私たちは北極圏とか南極圏と呼んでいるが、その面積は両極圏合わせて四千二百六十万平方キロメートルに達し、実に地球の表面積の約八パーセントを占めている。その広大な極夜の地域を奥深く旅できたら、われわれの社会に根を張る時代の常識やら体制的な科学やら認識の範囲を狭めるばかりの工業製品等からなるシステムから飛び出し、秩序とは無縁な混沌とした真の未知を経験できるにちがいない。そんな無秩序な世界に飛び出したいと私は思った。

しかし、単に身を置いたからといってその場のことが分かるというわけでもない。たとえば極夜の時期のカナダに飛行機で行ってホテルに数泊滞在して、高い金を出して旨い食事を食べても、ただ暗かったという以外に分かることなど何もないだろう。だから、最初は越冬ということを考えた。昔の極地探検家みたいに石作りの小屋を作り、カリブーの毛皮で屋根をおおって、石でできた海豹（あざらし）の獣脂ランプを頼りに越冬する。暗黒の世界で一冬じっくりと耐え、そして最初に昇る太陽を見れば、太陽を神と崇めた古代エジプト人やインカ人の気持ちが少しは分かるかもしれない。一九〇九年に北極点に初到達したとされる米国の探検家ロバート・ピアリーも〈古代の太陽崇拝者を理解しようとする人は北極で一冬過ごすべきだ〉（中田修訳『北極点』）と書いているではないか。

小屋を作って越冬するという着想はノルウェーの探検家フリチョフ・ナンセンの本から得たものだ。ナンセンは一八九三年から九六年にかけておこなった有名なフラム号による北極海横断漂流探検の最後で、ロシア北方のフランツヨゼフ諸島にたどり着き、強力な相棒ヨハンセンと二人で石小屋を築き冬を越した。二人は目の前にあらわれる白熊と海象を次々と射殺し、肉と脂を貯蔵してそれを食べ、暗黒の闇の奥に引きこもり、ひたすら太陽の昇るのを待ちわびた。だが、それから百二十年経ち、時代の常識も当時からは随分と変わっている。現代では外国人が白熊を撃ち殺すことは違法だし、それ以上に時代のモラルから考えてもあまり褒められたことではない。サバイバルのためだからといって、彼らみたいに気軽に白熊を撃ち殺していたら、地元警察に即刻拘束されてしまうだろう。となると、もし本当に越冬するとしたら、近くの村の食料品店で買い込んだ食べ物を小屋に運び込み、ヘッドランプで本を読みながら一冬過ごす――といったあたりが現実的な線になるだろうが、それではなにか違わないだろうか。

何はともあれ一度極夜の北極圏に行ってみるほかあるまい。私はそう考えた。極夜がどういう世界なのかまったく想像もつかないし、大昔の探検記を読んでも分かることなどたかが知れている。身も蓋もない言い方をすれば、極夜など単に暗いだけの世界である。だから極夜の本質は、外界の自然状況より経験する人間の内面に表れる。つまり極夜は客観的事象ではなく主観的経験なのだ。そうであるなら、極夜が何かを知るためには、まずは自分で経験し、おのれのなかにたちあらわれる極夜と向き合うほかあるまい。私は本格的な極夜探検の偵察として、まずはカナダ北極圏を歩いて旅してみることに決め、日本を出発した。

旅の行先もはっきり決まっていなかったいい加減な出発ではあったが、ただ、ひとつだけ決まっていることがあった。それは天測で旅することだ。闇のなかで六分儀で星を観測し、星を眺め、星に導かれ、星と直接つながりながら、私は極夜世界を彷徨しようと考えた。

だが、その思惑は果たして成功したと言えるのだろうか。

テントで朝食を作りながら、私は換気口を開けて外の様子を確かめた。風は強いが、いつのまにか朝の暗闇は底を抜け、南の空を中心に昼間の明るさがわずかに広がっている。極夜が明けるのはもう少し先のことだが、昼間の明るい時間は徐々に伸び、冬至を境に太陽がゆっくりと地平線に近づいてきているのが手に取るように実感できる。接近する太陽の光が闇の力を削ぎ、日中になると空には薄紫の曙光が広がり、夜明け前の光がやわらかく風景全体をつつむようになった。極夜はまもなく明ける。だが、そのことに私は変な焦りを感じてもいた。

自分は本当に極夜の世界を体感することができているのだろうか。極夜の何が分かったというのだろう。

2

話は三カ月前にさかのぼる。

極夜探検のために天測の準備を始めたのは、すでに出発が一カ月半後に迫った二〇一二年九月下旬のことだった。まだ夏の暑さを引きずっていたその日、私は西武池袋線沿線の自宅を出発し、自転車で家から十分ほどのところにある池袋の大型書店に向かっていた。

天測というのは簡単に説明すると、天体を利用しておこなうナビゲーション技術である。もう少し具体的に、天体の高度を測ることと言いかえることもできるだろう。六分儀などで太陽や星の高度を観測し、その観測値をもとに所定の計算をおこない、自分のいる地球上の緯度や経度を求める一連の作業のことだ。天測で探検すると決めたのはいいが、準備を始めた時点で私はこの技術について何も知らなかった。今説明したような内容はもちろん後から調べて分かったことで、最初は天測が天体の高度を測ることだという基本的知識さえなかった。そこで、出発が近づいたその日、まずは本屋に行って手ごろな教科書がないか物色することにしたわけだ。

地下駐輪場に自転車を止め、エスカレーターで七階の理工書コーナーに上がると、〈海事〉という書棚に様々な船舶関係の本がならんでいた。一冊一冊背表紙のタイトルを確認し、関係のありそうな本をパラパラとめくるうち、『天文航法』という、紙の箱に入った赤い布張りの、古本屋で見かけるような立派な装丁の本を見つけた。天測で海を航海する方法を天文航法と呼ぶのでタイトル的にはぴったりだ。

頁をめくって内容を確認してみると、天球の説明といった基本事項から始まり、時間と経度の関係や、緯度と経度を求めるための理論と計算方法で中身は埋め尽くされている。よし、これだ、これを読みさえすれば天測をマスターできると、私はひそかに心で拳を握りしめた。だが現実に横文字の記号や複雑そうな計算式、しばしば登場する三角関数の記号を見ていると、正直、赤く燃えあがっていたやる気の炎が急激に鎮静化してゆく。何しろ数学は高校二年生の途中で断念して以来、テストで二十点以上とった記憶はなかったし、今では六桁以上の数字を扱うこともめったにない。眩暈(めまい)をおぼえた私は本を閉じ、もっと別の、『小学生でも分かる天測入門』的なフレンドリーな本を探した。しかし結局そういう本は見つからず、最後は覚悟を決めて『天文航法』という本を携えてレジに向かった。

案の定、読み始めてからわずか三日で私は音を上げそうになった。そもそも机の前で居住まいを正して勉強したのが何年ぶりのことだったのか、もはや思い出すことさえできない。『天文航法』を読み始めて最初に分かったのは、天測の方法ではなく、自分の学習能力の憂慮すべき現状だった。系統立てて知識を頭に刻み込むという作業をこの二十年ばかり怠っていたせいで、私の脳内の神経細胞の結合は相当弱まり、読んで理解したと思っても、次の日にはその内容を全部忘れているのだ。それにこの本には数式だけではなく、〈出没方位角算法〉〈子午線高度緯度法〉〈北極星緯度法〉等々といった、甲冑(かっちゅう)をきた鎧(よろい)武者のようないかめしい字面の専門用語がつぎつぎとあらわれる。頁をめくって次に何が書かれているのか確認するたび、私は登山で巨大な岩壁があらわれたときのような威圧感をおぼえた。だが、出発まで時間がない。毎日めげずに勉強するうち、基本原理と計算方法は何とか習得することができた。

天測の歴史は古くて長い。十五世紀の大航海時代にはすでに専用道具が開発されており、コロンブスやマゼランやバスコ・ダ・ガマらが大西洋の外に進出できたのは、天測道具の技術革新という結果を受けてのことだった。極地でも探検家たちは天測で位置を決定し、極点に向かって前進しつづけた。北極点に初到達したロバート・ピアリーも、南極点に初到達したロアール・アムンセンも、地図のない時代になぜそこが極点だと分かったかといえば、天測で地球上の位置を求めたからだ。ピアリーやアムンセンのような大昔の話ではなく、わずか四十年前に植村直己が北極点に到達したときも天測することで北極点に近づきつつあることを確認していた。大航海時代から二十世紀後半まで五百年以上にわたり、人類は天体の高度を測って地球上のどこにいるのかを把握していたわけだ。

今回、GPSではなく、その天測を位置決定の手段として選んだのにはちょっとした経緯があった。前年の二〇一一年に初めてカナダで極地の長い旅を経験したのだが、その旅での違和感が、今度の天測で旅をするという発想につながっている。

この二〇一一年の旅は色々な意味で大変意義のある旅だった。

初めて極地に向かうことにした私は、いきなり条件の厳しい冬の極夜ではなく、まずは比較的行動しやすい季節に、かつ現在オーソドックスとされる通常のやり方で旅をすることにし、友人である北極冒険家の荻田泰永君を誘ってカナダ北極圏に向かった。〈極地の旅に都合のいい季節〉というのは具体的にいえば太陽が昇ってもう十分に明るくなり、かつ海の結氷も申し分ない三月下旬から五月であり、〈現在オーソドックスとされる普通の方法〉というのはGPSとか衛星携帯電話を使い、軽量で頑丈なプラスチックの橇（そり）を引いて歩くということだ。

もちろんオーソドックスな手法でも三月〜五月の北極は十分に厳しい世界で、氷点下四十度にまで冷え込む寒さのなか、われわれは白熊がうろうろする乱氷帯を越え、百キロ近い重さの橇を引いて連日のように三十キロ近く歩きつづけた。六十日後に出発地から千五十キロ南にあるジョアヘブンという集落に到着したが、旅がそこで終わったわけではなかった。五月半ばにこの集落を再出発し、今度は雪解け期でずぶずぶとなったツンドラの大湿地帯の縦断に取りかかった。氷の割れた大河をボートでわたり、泥まみれになった湿地を練り歩き、ようやく最終目的地であるベイカーレイクにたどり着いたときには、季節はすでに初夏を迎え、無数の蚊にぶんぶんとたかられて身体中をぼりぼりとかきむしっていた。

このように旅は期間にして百三日間、総延長で千六百キロもの長きにおよんだ。空間的な距離の移動という観点からみると、たしかにひとつの達成ではあったし、肉体的な疲労という点でも苛酷な旅だった。

しかし率直にいうと、私は旅をしているときからずっと、なにか届くことができていない……という虚しさを払拭できずにいた。白熊の出現におののき、寒さに痛めつけられ、傷つき、疲労し、飢えたことは間違いない。そのことを一冊の本にもまとめたが、北極が持つ茫漠さや泥沼のような深みを体感できたかというと、そこまでは至らなかった気がしたのだ。

「今回は死ぬかもしれないと思ったことはありましたか？」

帰国後に何人かの知り合いから、そのような質問を受けたが、そのたびに私はもごもごと口ごもり、当惑した表情を浮かべた。私は別に死ぬかもしれない瞬間を求めて旅をしているわけではない。しかし過去に本当に自然と向き合えたと思えた旅では、終始、逃れようのない死の不安におびえていたことも事実だった。その意味でいえば、このときの北極の旅で本当に自然と向き合うことができていたのかと訊かれると、完全に首を縦に振れないところがあった。

自分は長期間にわたり北極の表面を引っ掻き続けただけだったのではないか、表層の奥にある北極を北極たらしめる何かに触れることはできなかったのではないか……。

帰国してからも、そういうもやもやした思いが強まり、件の質問を受けるたびに「実はなかったんですよ、今回は……」と、何だか申し訳ないことをしたみたいに答えている自分がいたのである。

届くことができていない……と感じた一番の原因は、明らかにGPSと衛星携帯電話という二つの現代機器を使用したことにあった。GPSや衛星電話を持っていくと、私と北極との間に見えない壁ができてしまう。GPSというのは人工衛星からデータを受信する機械であり、また衛星電話は最終的には他人による救助を前提にしている。いずれも自分以外の力をあてにした装備だという点で共通している。自分と自然との間に、第三者たる機械が介在することで自然への没入感がどうしても弱まってしまうのだ。

とりわけGPSを使用すると北極という旅の対象への関わり方が薄くなる。GPSではなく、たとえば地図とコンパスで位置を決める場合、まわりの山や谷に目をやり、次に地図のほうに目を落とし、その山や谷が地図上のどこにあるか確認する。このとき周囲の山や谷といったランドマークは、私という身体的な実体を空間のなかに位置付けるためのリアルな支点としての機能を果たしている。風景を見わたし、何か目印になる山の頂上や尾根筋、谷の向きなどを見つけ、それを地図のなかに見出して自分の位置を求めるというプロセスを経ることで、周囲の風景への志向性が高まり、私と周囲の地形との間にある種の抜き差しならない関係性が生じるのである。

　こうした作業を常時繰り返していると、私という実体は周囲のあらゆる地形と目に見えない糸で結ばれ、風景と調和し、空間のなかでがっちりと安定して存在しているという感覚を得ることができる。地図を読みながら旅をすると、このように風景を自分の世界に取り込むことができるわけだ。

　ところがＧＰＳを使うとこうしたプロセスが全部、完全に抜け落ちる。別に自分で何か作業しなくても、テントのなかでぽちっとボタンを押すだけで地図上の位置が分かるので、周囲の地形を確認する必要もない。風景に対する志向性はなくなり、何らの関係性も生じない。風景はただ私と関わりのないものとして素通りし、無意味なものとして私の世界から抜け落ちる。その結果、私は風景とのつながりを失い、北極にいるのに北極を感じることができていない、北極の北極たる本質に届くことができていないという遊離感を感じていたのだ。

　衛星携帯電話とＧＰＳを装備のなかからはずすと決めたとき、同時に六分儀を装備リストのなかに加えることも必然的に決まった。極夜という闇の世界では地形は見えず地図読みはできないだろうから、位置を求めるには天測に頼るしかない。それに天測という言葉にはどこか私を惹きつける響きがあった。天を測る。星を頼りに氷と闇の世界を旅する。天測という言葉が発するある種のロマンティシズムに私は酔い、心が大きく弾むのを感じた。

『天文航法』と格闘し、独学で天測のやり方を学ぶ一方で、私は肝心の六分儀を入手した。六分儀というと日本ではタマヤという計測機器の老舗メーカーが戦前から精度の高い製品を製造している。タマヤのは耐蝕性の軽合金と青銅でできた高級感漂うもので値段もかなり張るが、それに比べると私が購入したのはプラスチックでできた外国製の二万円少々で買える安物だった。価格面をのぞいた唯一のメリットはプラスチック製なので軽く、観測中も腕が疲れないという点である。強度と精度への不安はあったが、梱包された箱には髭の凍りついた男が氷のなかで使用する写真があり、〈赤道で実証済み……北極点でも!〉と自信満々に謳われていたので、その宣伝文句を信じることにした。

六分儀とは天体の高度を測るための道具だ。六分儀の原理と使い方を言葉で説明するのは至難の業だが、基本的には望遠鏡のついた大きな調節式の分度器みたいなものを想像してもらえばいい。天体の高度とは、より具体的にいえば水平線と天体との間の角度のことである。本体には、高度を測る目盛のついた半円形の本弧があり、本弧には角度を調節できるつまみがついている。望遠鏡をのぞきながら、そのつまみを動かすことで、天体と水平線の角度を測ることができる仕組みになっている。

それでは何のことやらさっぱり分からないだろうから、もう少し具体的に説明してみよう。

　六分儀には二つの鏡がついており、その鏡に天体の光を反射させることで角度を測定する仕組みになっている。たとえば海の見える場所で太陽の高度を観測する場合、まず観測者は望遠鏡で太陽をのぞく。すると望遠鏡の先には、左半分がガラス、右半分が鏡となった水平鏡という鏡がついているので、最初に太陽をのぞいたときはガラスの部分の向こうに太陽が透けて見え、また鏡の部分にも同じように太陽が映っている。そしてこのとき、この二つの太陽はぴたりと重なっている。その状態で本弧についたつまみを前方に動かしていくと、鏡に映った方の太陽が下にずれていく。その太陽の動きに合わせて六分儀を下に傾けると、ガラス部分を通して見えていたもう一つの太陽は上に姿を消し、やがて海の水平線が見えてくる。その水平線と鏡に映った太陽を一致させた瞬間に、本弧に刻まれた角度を読み取る。その角度がその時刻の太陽の高度ということになる。このように六分儀は水平線と天体との角度を測る道具なので、基本的には海の上でなければ使えない。

　北極への出発が一カ月後に迫った十月半ば、私は六分儀の使い方をおぼえるため、結婚したばかりの妻とともに神奈川県の三浦半島に向かうことにした。色の褪せたデイパックに六分儀と、海上保安庁が発行する『天測暦』『天測計算表』、それに教科書である『天文航法』をつめ込んで家を出た。

『天測暦』と『天測計算表』はいずれも天測結果を計算するときに必要となる書誌で、『天測暦』には太陽や月、惑星、恒星の日々の位置要素が、『天測計算表』には縦横何列にも並んだ乱数表のような数字の羅列が百三十頁にわたりぎっしりと書きこまれている。

池袋でJR線に乗り、横浜で京浜急行に乗り換え、三浦海岸に着くと、あと一、二時間ほどで日が暮れてしまいそうな時刻になっていた。予約していた宿の部屋に荷物を置き支度をすませ、私と妻は港で太陽を観測するため外に出た。だが岸壁の上で観測に適した場所を探すうちに太陽は西の水平線に沈み、結局機会を逃してしまった。夜の港には寂しげな街灯だけがぼんやりと白く灯っており、人影はまばらだった。

三浦海岸で確認したいことは三つあった。六分儀の使い方を確認することと、夜でも月明かりで水平線が見えるのか確認すること、あとは夜空で輝く星の名前を覚えることである。

すでに説明した通り、通常、天測では太陽を使うのが一番容易で、計算にも誤りが少ないとされている。ところが極夜の北極には太陽が存在せず、最も簡単な天測の対象が最初から奪われている。となると太陽のかわりに月か惑星か恒星で観測するしかないわけだが、いずれにしても暗いなかでの観測は避けられない。すると今度は水平線が見えるのかどうかという問題が出てくる。先ほど説明したように、六分儀は天体の高度を測るための道具なので、水平線が見えないと観測できないのだ。そのような問題があったので、三浦半島の初練習では、はたして暗闇のなかで水平線が見えるのかどうか、そこを一番確認したかった。

私はザックのなかから六分儀と『天測暦』を取り出した。まずは『天測暦』についている恒星略図という天体の位置を示した図を参考にしながら、頭上で輝く星の名前を覚えていく。水平線が見えるかどうかも重要なことだが、極夜では星を天測するのだから、星の名前と位置を覚えることも同じぐらいに大切なことだ。私は、生まれてこの方、天体観測を趣味としたことは一度もなく、知っている星座といえばせいぜいオリオン座と北斗七星とカシオペア座ぐらいしかない。北極星でさえ、どれがそれかと訊かれれば答えることはできない。それぐらい何も知らなかったので、最初、夜空に散らばる星は私にとって意味をなさず、無秩序な光の散在にすぎなかった。

だが、星空を眺めているうちに、やがて比較的明るい星が横長に連なっているのが分かった。恒星略図で確認すると、その光の連なりは有名なアンドロメダ座のようである。その他にもいくつかの星を特定することができた。

「あれはベガかな……。ベガとデネブとアルタイルというのが夏の大三角形っていうみたいだな」

私が嬉しそうにそう言うと、妻は地面にしゃがみ込み、寒いねと一言だけいって肩を小さく震わせた。

結果からいうと、私にとっての生まれて初めての天測は、天測をすることさえできずに終わった。その日に見えた一番明るい星ベガに六分儀を向けたが、肉眼で見えていても、六分儀でのぞいた途端に見失ってしまう。町の灯りが星の光の力を弱めてしまうのだ。やはりもう少し町灯りの届かないところに行かないと、夜空の星で天測をすることは難しいらしい。

仕方がないので翌日、帰宅途中に少しでも星空の勉強をするため池袋のプラネタリウムに立ち寄った。プラネタリウムではたまたま秋の催し物として〈コブクロ　流れ星に願いを〉という企画物の上映をしていた。内容はまったく素晴しいのひと言で、とりわけ国際宇宙ステーションから撮影された、いわゆる〝宇宙の渚〟の映像は感動的だった。地球を包み込む大気のベールにいくつもの星屑が青い尾を引き、それらが一瞬きらめき、そして緑のオーロラが大きくゆらめく。地球と宇宙の境界線で都市がまばゆい光をはなち、宇宙と人間の営みが見事なまでに調和する。とどめにコブクロの歌が館内いっぱいに流れたときには涙が出そうになり、隣に座った妻の顔を見ると実際に涙をぼろぼろ流していた。だが極夜の天測には残念ながら、まったく役立つ内容ではなかった。

これではいけないと焦った私は、それからわずか三日後、今度はレンタカーを借りて有料道路を飛ばし、伊豆半島に向かった。星だけ見るなら山のほうがよさそうだが、何しろ水平線が見えなければならないので、街灯のない海に出る必要があったのだ。出発まで一カ月を切っていたが、私にはまだ天測の経験が一度もなく、もはや天気がよくて時間さえあれば金に糸目をつけず訓練をおこなわなければならないという心理状態に追い込まれていた。

夜に東伊豆に到着し海岸沿いの駐車場に車を停めると、それまで上空を覆っていた雲が動き始め、東の空から徐々に星々が姿をあらわした。鞄から恒星略図を取り出して空の星を確認してみると、すぐに大きな窓のようなかたちの四つの星があるのが分かった。この前、プラネタリウムで言っていたペガススの大四辺形というやつだ。恒星略図を見ると、大四辺形の一角を形成する二等星アルフェラッツから、アンドロメダ座が延びている。その先にはぎょしゃ座の主星カペラがあるようだが……あった！　何度も空と恒星略図を交互に確認して、ようやく私はカペラがどの星なのか見分けることに成功した。夜が更けると東の水平線からオリオン座が悠然と、力強くのぼり始めた。オリオン座の一角では爆発寸前の超巨星ベテルギウスが赤く燃え、ベテルギウスとカペラとの間に、その日の夜空のなかで最も明るく輝いている星がある。他のあらゆる一等星をしのぐ圧倒的に明るい星だ。だが不思議なことに、恒星略図を何度見ても、そんなに明るい星はその位置に示されていなかった。

あの明るい星はいったい何だろう。人工衛星か何かなのか……？

波の寄せる海岸で、私はしばらく頭を悩ませた。星空と恒星略図を交互に眺めるうち、次第にその星がどうやら黄道上にあるらしいことが分かってきた。

黄道とは太陽や惑星がたどる天球上の道のことである。よく、宇宙図鑑などで太陽系の図が描かれているが、だいたいそういう図では太陽、水星、金星、地球……そして海王星まで、すべての惑星は同じ平面上にならんで描かれる。このように太陽系の惑星は宇宙空間のほぼ同じ平面上を公転しており、惑星のならぶその平面は、地球から夜空を眺めた場合、一本の線となって夜空を横断している。黄道とは、その惑星があらわれる仮想的な夜空のラインのことである。私が見た夜空で圧倒的に明るいその星は、どうやら黄道上にあるようだった。

もしかして、あの明るい星は惑星なのだろうか？『天測暦』をめくると巻末に惑星位置図という付録がついており、それで確認すると、やはりそうだった。その明るい星は太陽系最大の惑星、木星だったのだ。

木星以外にも私は次々と夜空の星を恒星略図で特定していった。きわめて基礎的な知識を習得しているにすぎないのだが、その作業には生々しい充実感がともなった。充実感をもたらすのは、知識が自分の確実な血肉となっているという手応えだ。今、身につけている星の知識は直接、極夜の旅の実践に役立つだろう。星の位置を知ることで天測は可能となり、天測が可能となることで私は極夜で自分の位置を割り出すことができ、それにより死なずに旅をすることができるだろう。獲得した知識が即、旅とか、もっといえば生きるための活動に反映される喜びを、私は長い間忘れてしまっていた。というか初めての感覚だったかもしれない。夜の東伊豆の人気（ひとけ）のない海岸で、ひとりで星の位置を特定しながら、私は異常な興奮で鼻息を荒くしていた。

だが、高揚してばかりもいられない。星の名前を覚えることの他に、私にはもうひとつ確認しなければならない重要な課題があった。そう、それは夜間に六分儀で水平線が見えるのかという、例の問題だ。

私はまず木星に六分儀の望遠鏡を向けた。安物のせいか、三浦海岸のときと同様、六分儀をのぞくとほとんどの星が見えなくなるのだが、木星だけは圧倒的に明るいので見失うことはなかった。私は望遠鏡の向こうに木星の光を捉え、ぎこちない動作で本弧のつまみを動かし、鏡に反射する木星の光を慎重に水平線のほうに下ろしていった。だが真下に陸地があり、木星はどうしても陸地の陰に隠れてしまう。

やむなく木星はあきらめ、今度はシリウスで試すことにした。恒星で最も明るく、星の王との異名をとるシリウスであるが、木星に比べるとその輝きはいくぶん弱く、明るさを示す視等級は木星が最大マイナス二・九なのに対し、シリウスはマイナス一・四七にすぎない（この数値はマイナス値が大きくなるほど明るいことを示している）。私は何とか六分儀の向こうにシリウスの光を捉えると、つまみを動かし水平線に向けて下ろしていった。星を見失わないように、ゆっくり、慎重に下ろす。だが、どんなに星を下ろしても水平線は一向に見えてこない。そのかわり暗闇の奥で点滅する灯台の光が見えてきた。いちど六分儀から目を離し、灯台の位置を確認してみると、当たり前だが水平線はその灯台の明かりのすぐ下に広がっていた。私は水平線の位置を忘れないように再び六分儀に目を戻した。望遠鏡の視野のなかでシリウスが先ほど同様、弱々しい光を放ち、その光を水平線に向けて下ろしていくと、視野のなかに灯台の明滅が入ってきた。水平線はその灯台のすぐ下にあるはずだ。だがどんなに目を凝らしても、そこにあるはずの水平線は識別できない。何度試しても水平線だけは暗くて分からないのだ。

駄目だった。やはり夜中に六分儀で水平線を見ることはできない。このままでは極夜で天測できないのだ。

出発が間近に迫った十一月上旬、私は国立極地研究所の元所長で名誉教授である渡辺興亜（おきつぐ）さんに相談にのってもらった。渡辺さんは北海道大学山岳部の出身で、四度の南極観測隊に参加し、越冬隊長をつとめたこともある南極探検の世界では知らぬ者のいない大御所だ。水道橋駅の近くの小さな雑居ビルにある〈南極OB会〉の事務所に向かうと、渡辺さんのほかに、吉村愛一郎さんという国土地理院OBの測量のプロも同席していた。

「僕は測量の専門じゃないけど、この人はプロ中のプロだから。南極でも六分儀を使っている」と渡辺さんが吉村さんのことを紹介した。渡辺さんによると、吉村さんはただの測量のプロではなく、極地における測量のプロだということである。二度の南極観測隊に測地担当として参加し、地図製作のための基準点づくりの測量をおこなった実績があるのだ。もちろん天測で。

「ところで六分儀は持ってきた？」

私はザックのなかからプラスチック製の六分儀を手渡した。南極での地理的探検の実績が豊富な二人に見せるのは、少し恥ずかしいおもちゃみたいな安物だ。

「これは軽いなあ」

渡辺さんがもの珍しそうに何度も動かす。私は今回の旅を実行するにあたり、現在直面している最大の問題について相談した。

「冬だと極夜なので水平線が見えるのかどうか、それが分からないんですよね。昔は皿に水銀を入れて人工水平儀を作ったと聞いたことがあるんですが……」

人工水平儀というのは、陸上などで水平線が見えない場合に人工的に水平線を作り出すための道具である。極地探検の世界では昔から皿に水銀を入れて、それに太陽を反射させ、その反射させた太陽を六分儀で観測するという手法が用いられていた。

「だけど、そんなのはもう手に入らないんじゃないか」と渡辺さんが言った。「それに水銀は重いよ。水平線を出したいんなら、竹竿か何かを持っていけばいいじゃない」

「竹竿ですか？」

「竹竿のほうがいいだろう、その辺で手に入るし、軽いし、丈夫だし」

「竹竿でどうやって水平を出すんですか」

「竹竿を三、四メートル先に立てるだろ。水平器かクリノメーターで竹竿を見て、どこが目の高さか調べる。そこに六分儀で天体を下ろせばいい」

「それなら大丈夫かも」。隣で話を聞いていた吉村さんが頷いた。

「竹竿に数字を書きこんでおけばいいんじゃないかな。そしたらどこが水平なのか分かる。竹竿を見るにはクリノメーターよりもハンドレベルがいいかもしれない」

「ハンドレベルって何ですか？」

「そういう測量道具があるんだよ。小さな望遠鏡で、なかをのぞくと液体のなかに気泡が入っている。その気泡を中心線に合わせると、ちょうど見えているところが水平位置になる。斜面に露出した岩盤の調査なんかで使うんだ。ハンドレベルで竹竿をのぞいて水平位置か確かめて、そこに印をつけて天体の角度を測ればいい」

要するに……と渡辺さんは話を続けた。

「天測なんて水平と星の角度を測るだけなんだから理屈は単純なんだよ。代々木に測量道具屋があるから、そこに行けばハンドレベルは手に入る」

話を聞いているうちに私は自分の世界が一気に広がったような開放感に満たされていた。前述したように基本的に六分儀だけを持っていても海の水平線が見えなければ天測はできない。つまり行ける場所は海の上にかぎられる。しかし渡辺さんによると、六分儀に竹竿とハンドレベルとやらが加わるだけで、海以外のあらゆる場所で天測ができるようになるというのだ。それは極地に限らず、地球上のあらゆる場所で、GPSに頼らずに自力で旅ができるようになることを意味している。私は反射的に、竹竿を持って広大な砂漠やジャングルをうろつく自分の姿を頭のなかで思い描いた。

「それはいいかもしれないですね」

「竹竿だと大した荷物にならない。一人で橇を引くんだろ。水銀だと重くて大変だ」

「あとは星の位置をしっかりと把握することですね」。吉村さんが経験者ならではの具体的なアドバイスをしてくれた。「一等星は明るすぎるから現実的には二等星、三等星を観測することになるでしょうね。北半球は星がたくさんあるし、見慣れている星座も多いから南半球よりは楽だろうけど」

「天測に使うのはやはり恒星がいいですか。月とか惑星とかは……」

「やはり恒星がいいでしょうねえ。惑星は大きいから上辺とか下辺とかを気にしなくてはいけないいし、月は満ち欠けがあるから計算の際の修正がややこしくなる。あとは六分儀の望遠鏡が曇るので、それは気をつけたほうがいい。どんなに観測のときに息を止めても、曇るのは避けられない。曇ったら凍って、そして取れなくなってしまう。曇りを取るのに僕は鉛筆の先端の消しゴムを使いました。指じゃ取れないし、ガーゼだとくっついちゃう。いろいろ試したけど消しゴムが一番よかった」

「これを餞別(せんべつ)に持っていけばいい」。渡辺さんが冗談めかして消しゴム付きの鉛筆を机の上にころがした。「それからストップウオッチは持っていった方がいいだろうな。六分儀で観測してから時計を見るまでに時間がかかる。観測した瞬間の時間を測定しないといけないから。昔はタイムキーパーがいたけど、一人だと時間の測定は大変だろ」

「それはあったほうがいい」。吉村さんも同じ意見だった。「それに時計の癖を把握しておくのも必要でしょうね。村にいる間に自分の時計が一日に何秒ずれるか必ずチェックする。南極にいる間は時計が止まったらどうしようというのが心配でした。実際にはそんなことにはならなかったけど。緯度は天体の南中高度をおさえれば出せるが、経度だけは時計がないとどうしようもないですから」

「とにかく一つ一つの作業の精度を高めた方がいい。六分儀の観測だっていい加減なのに、全部いい加減にやったら結果として出てくる誤差が大きくなる。それぞれの作業の正確さを高めることが重要だろうね」

渡辺さんの言葉に吉村さんも頷いた。

それから数日以内に私は二人から助言してもらった小道具をすべて用意した。まず池袋の東急ハンズに行き、長さ二メートルの竹竿に布製の巻き尺、梱包用の幅の広いセロハンテープを購入し、竹竿に巻き尺をテープでしっかりと巻きつけた。この素朴な道具が北極で水平を出すための切り札となるはずだ。それから代々木の測量道具屋に行き、倍率五倍のハンドレベルを一万七千円で手に入れた。六分儀、竹竿の水平棒、ハンドレベル。この三つの道具と天測の技術と知識さえあれば、理屈としては地球のどこにいても自分の居場所を把握できる。

天測の準備を進めるのと並行して、旅の舞台をどこにするかについても決める必要があった。広大な北極圏ではあるが、そのなかから条件に適した地域を選ぶとなると案外行く場所は限られてくる。

まず、あまり南の地域を選ぶと、これは問題だった。太陽の昇らない北極圏といえども、どこでも等しく二十四時間真っ暗になるというわけではない。南の地域に行けば行くほど極夜の期間は短くなり、北に行くほど長くなる。最も南の北緯六十六度三十三分の北極線上だと極夜になるのは一日にすぎないが、最も北にあたる北緯九十度の北極点では極夜の期間は半年におよぶ。つまり北極点では極夜という冬の夜が半年つづき、年に一度の日の出があり、次の日から逆に太陽の沈まない白夜が半年つづくわけだ。さらに、極夜の期間中でも南のほうが太陽が地平線のすぐ近くまで昇ってくるので、昼間は比較的明るくなる。あまり明るい地域を選んでしまうと極夜の暗闇で旅をするという目的が果たせなくなるだろう。

レゾリュートベイはどうだろうか、と私は考えた。レゾリュートベイはカナダ北極圏の北緯七十四度四十分付近にある小さな村で、二〇一一年の荻田君との旅で出発地としたところだ。レゾリュートベイなら馴染みがあるので行きやすいし、地域的にもかなり北に位置するため暗い時間も長いにちがいない。しかしレゾリュートベイには別の問題があった。極夜となる十二月や一月頃だと、まだ周辺の海氷が凍っておらず旅ができない可能性が高いのである。同様に高緯度にあるグリーンランドやバフィン島のあたりも暖流の影響が強く、結氷時期が遅いらしい。極夜世界を探検しようと意気込んでみても、意外と適当な場所が見つからないのだ。

色々悩んだ末に私はカナダ北極圏のケンブリッジベイの村を訪れることにした。今回の目的は極夜で自分が考えるような旅ができるのか、あくまでその実験と位置づけ、もし可能だと判断すれば翌年以降に本番となる大きな旅をする。その点、ケンブリッジベイなら偵察旅行には適している。四百キロから五百キロ程度離れたところに別の村がいくつかあり、海の結氷状態や白熊の出没状況などを見極めたうえで目的地を決めることができるからだ。ケンブリッジベイに行って天測の練習をしつつ、旅に必要なサバイバル技術を磨いて、条件が整ったらどこか別の村を目指す。それがいい。

荻田君に相談したところ、彼はダグ・スターンという人物を紹介してくれた。彼はこれまで何度かケンブリッジベイを訪れたことがあり、知人も多いが、そのなかで一番力になってくれそうなのがダグだという。荻田君からのEメールには〈白人だけどイヌイットみたいな生活をしているとにかく面白い男〉と書いてあった。早速ダグに連絡をとってみるとすぐに返事が来た。今年の冬はバンクーバーに滞在してスキーをするので村を留守にするが、家は勝手に使ってもらって構わないという。私の他に滞在している客がいるはずだから、その彼と連絡を取り合うように、とのことである。宿泊料金は格安だった。村にあるホテルに泊まると一泊二百ドル以上するが、ダグはたった三十五ドルでいいという。

滞在先も決まり、出発の日が近づいてきた。私は新しく買ったテントや靴、それにその他諸々の装備や食料を、近所で見つけることのできた最も大きな段ボール箱のなかに詰めこみ、郵便局の国際スピード郵便でカナダに送った。

3

ケンブリッジベイに到着したのは十一月二十四日のことだった。大量の荷物をカートに載せて空港から外に出ると、すでに村は暗闇に閉ざされていた。オレンジ色の街灯だけが寂しげに煌々と光り、空気は凍てつき、やすりをかけたようにざらざらしている。物憂げな眼差しで煙草を吸っていたイヌイットの女性とタクシーに相乗りし、町中に向かった。ビールで少し顔を赤くした白人の運転手はひどく上機嫌で、どこに行くんだ、何をするんだと無数の質問を浴びせかけ、そして最後におれはお前みたいな一風変わった旅が好きなんだと言って、ダグ・スターンの家の前で私をおろしてくれた。一階の屋上にはカリブーの頭骨がずらりと並び、家のなかにも北極狐の毛皮やクズリの頭骨が飾り物として陳列され、キヴィアックと呼ばれる高価な麝香牛の下毛がスズメバチの巣のように丸めて天井から吊るされていた。

動物たちの毛皮や骨の他に、羽毛服で着ぶくれした私を迎えてくれたのはグレン・ソレンソンという白人のカナダ人だった。眼鏡をかけ、髪を短く刈り込み、柔和な表情を浮かべ、早口の英語でたたみかけてくる気持ちのいい性格の四十五歳の男である。

先住民族イヌイットが居住する極北カナダの広大なエリアには、現在ヌナブト準州という自治政府が置かれている。行政職員であるグレンは鉱山や天然資源の発掘調査のためにヌナブト準州内を飛びまわり、一カ月前にイエローナイフからケンブリッジベイのダグの家に移ってきたばかりだという。私を家に迎えてくれた後、グレンは自分の家族のこと、仕事のこと、ヌナブト準州内のことなどについて物凄い速さの英語で説明してくれた。英語が必ずしも得意ではない私は彼の話を二割ぐらいしか理解できなかったが、それによると彼は旅が大好きで、冒険が大好きで、以前は犬橇で各地を旅したものだが、今はカイトスキーにはまっており、アラスカに近いユーコン準州の山奥に暮らしていたときには氷点下六十三度という極低温も体験したことがあるという。

「しかし氷点下六十三度といっても、向こうは針葉樹林の森に囲まれ風がないから……。こっちは氷点下二十度台とはいえ、風は強いし、海がまだ凍っていないから湿度も高い。気象条件は厳しいよ」

そう言ってグレンはテリブル……と肩をすくめた。挨拶を終え夕食を二人で食べた後、グレンはカメラのモニターで、その日に家の窓から撮影した太陽の映像を見せてくれた。太陽は姿をあらわすと地平線の上を転がるように移動し、そしてすぐに沈んだという。

「君が見たいのではないかと思って撮影しておいたんだ」

今の時期はまだ太陽が残っている。だがまもなく極夜の時期が訪れ、この集落は一カ月半近く太陽とお別れすることになる。極夜に入るのは十一月二十八日頃ではないかとグレンは言った。私が持参していた本にはそれは二十九日のことだと書いてあった。

ケンブリッジベイは極北カナダの北緯六十九度、西経百五度にある小さな集落だ。

の島々が広がり、網の目みたいに張り巡らされた海峡によって分断されている。ケンブリッジベイのあるビクトリア島もそうした島のひとつだ。もともとこれらの島々ではイヌイット民族が海豹や鯨やカリブーを獲り、動物の皮の衣服を着て、雪のブロックを積み上げた雪の家をつくり、独自の文化を育んできたわけだが、それが歴史の文書の中に記されるようになったのは、近代に入って西洋の探検家がこの地域に進出してくるようになってからのことである。

極北カナダの白人による探検の歴史は、欧州からアジアへと抜ける航路を開拓するために始まった。航路になりそうな可能性のあるルートは二つあり、そのうちのひとつが欧州から極北カナダを北側からまわりこみ、太平洋へと抜ける北西航路と呼ばれるものだ。

十九世紀以降、英国が国策として北西航路探検を推し進めた結果、このカナダの群島部には巨大な軍艦に乗った探検隊が次々と押し寄せ、彼らの後にはハドソン湾会社という毛皮交易をおこなうための英国の国策会社が続いた。ハドソン湾会社の交易所ができると、イヌイットは動物の毛皮を売って銃や弾丸や鉄製の道具を手に入れるようになり、白人社会との結びつきを強めていった。そして一九五〇年代から六〇年代にかけて、それまで移住生活を続けていたイヌイットはカナダ政府の方針もあって交易所の周りに定住するようになった。ケンブリッジベイもそのようにして形成された村である。

北極の集落はどこもそうだが、ケンブリッジベイもまたビクトリア島という島の南岸にひどく寂し気に存在している。ビクトリア島は巨大な島で、極北カナダのジグソーパズルのピースのなかではバフィン島に次ぎ二番目の広さを誇っている。その面積は二十一万七千三百平方キロメートルにおよび、北海道の二・六倍に相当する。この島に当時の英国ビクトリア女王にちなんだ名を付けたのは、一八三九年にボートで立ち寄ったハドソン湾会社の探検隊で、それから十三年後の一八五二年に同じ英国のリチャード・コリンソンの探検隊がケンブリッジ湾で越冬したことが、のちにこの土地に人間が定住するきっかけをつくった。そして一九二一年にハドソン湾会社の交易所ができたことから、徐々に集落としてのかたちが整えられていく。

現在でも人口は恐ろしく少ない。ビクトリア島にはケンブリッジベイの他に、直線距離で五百二十キロ離れた島の西端にウルカクトゥクという集落があるが、北海道よりはるかに広いこの島に、人間が住んでいるところはその二カ所しかない。ケンブリッジベイの人口は約千七百人、ウルカクトゥクは五百人に満たず、島の人口密度は一平方キロメートルあたりわずか〇・〇一人で、北海道の六千数百分の一にすぎない。二つの集落以外の土地には集落どころか道路も何もなく、ただコリンソンがやって来たときと変わらない広漠とした未踏の荒野がつづくだけだ。つまり現在でもここには、集落から一歩足を踏み出しただけで冒険の対象となるような世界が広がっている。

到着の翌日、私は航空便で届けた荷物を受け取りに行くため空港に出かけた。日曜日だったせいもあるが、町のなかはひどく閑散としており活気がなかった。冬は暗くて寒いので、めったなことで人々は外に出ないのかもしれない。カナダでは現在、昔ながらのイヌイット文化はその大部分が生活から失われている。今でも家に遊びに行くとカリブーの切断された頭がごろんと転がっていたりすることは珍しくないが、それでも移動はほぼ百パーセント、スノーモービルかバギーだし、犬橇を見かけることもなければ、夕食に海豹の生肉を食べることもほとんどない。若い奴に狩りには行かないのかと話しかけても、手をピコピコ動かしながら僕は家でテレビゲームをするほうさ、などと平気な顔で言ったりする。過去の文化が失われたことを嘆くのは外から来た人間の身勝手なロマンティシズムであることは重々分かっているつもりだが、正直面白味には欠ける。

集落ではやらなければならない準備作業がたくさんあった。旅に出るまでに天測を完璧にしなければならないし、足りない食料を用意しなければならない。一週間程度の訓練キャンプをして身体を寒さに慣らす必要もあれば、白熊や海氷の結氷状況の情報収集もしなければならない。

到着した翌々日から早速私は天測の練習を開始した。ケンブリッジベイに来てすぐに分かったことだが、やはり夜は暗すぎて海の水平線を使って天測するのは無理だった。雪と氷しかないので月明かりで水平線が見えるかもしれないと期待していたが、そううまくはいかないらしい。東急ハンズで竹竿を買っておいたのは正解だった。

竹竿を使った渡辺式天測は次のようにおこなう。まず雪の上に竹竿を突き刺し、三メートルぐらい離れたところからハンドレベルで竹竿をのぞく。ハンドレベルをのぞくと視野の横で気泡が液体のなかに浮かんでおり、その気泡を真ん中で固定すれば、その角度が水平となる。ハンドレベルを水平に保ちながら竹竿の目盛を読み取り、その目盛のところに洗濯バサミをはさみ目印にする。つまりその洗濯バサミが海の水平線のかわりになる人工水平線だ。そして最後に六分儀で天体と洗濯バサミとの間の角度を測る。

私は夕食を食べた後、上下ぶ厚い羽毛服で身を覆い、暖かい防寒ブーツを履いて外に出た。ダグの家の前の海はがっちりとコンクリートのように凍りつき、雪の吹き溜まったところを探して竹竿を深く突き刺した。三メートルほど離れたところからハンドレベルをのぞくと、なんとか竹竿に貼りつけた巻き尺の数字を読み取ることはできた。しかしどういうわけか非常に見えづらい。つづけて六分儀のスコープで竹竿をのぞくが、像が全体的にぼやけてしまい数字を読み取ることはできなかった。六分儀から目を離しヘッドランプで辺りを照らすと、空気がキラキラと反射した。どうやら大気中の霧が凍って反射しているようだった。闇の向こうの空を見上げると、この凍結した霧のせいで星の輝きもひどくにぶかった。もしかしたら、これがアイスクリスタルというものだろうか……。

現地に到着するまで私は毎日のようにインターネットでケンブリッジベイの気象情報を調べていた。その結果分かったことは、十二月や一月に一番多い天気は晴れや曇りや雪ではなくアイスクリスタルという天気だということだった。バンクーバーの知人にアイスクリスタルとはどんな天気か訊いたことがあったが、向こうではあまり馴染みのある天気ではないらしく、それが何なのか彼は知らなかった。しかしどことなくきれいな名前だということもあり、晴れの日に雪の結晶が大気を漂っている程度だろうと私は高をくくっていた。しかし現地に来てみるとアイスクリスタルは非常に天測の障害となる厄介な気象状況だった。まだ海が完全に結氷していないせいだと思うが、冬のカナダ北極圏は湿度が高く六十パーセントに達することもめずらしくない。気温は氷点下三十度以下の日が続くので、当然そうした大気中の水蒸気は凍結し、白い氷の霧となり漂っている。そのせいか星はあまり明るく見えない。予想に反して、冬の北極は星がさほどきれいではないのだ。今回の天測には水平線が分からないことに加え、星が見えないという悪条件が重なることになった。

だが困ってばかりもいられない。その日から夕食の後は天測の練習の時間となった。到着してから五日目、三度目の天測でようやく私はベガ、カペラ、アルデバランという三つの星の高度を六分儀で読み取ることに成功した。星が見えにくいため、たった三つの星の観測に一時間半も要したが、それでも一気に旅の展望が開けたような気がして、飛び上がりたいほどうれしかった。これで旅は可能になったのだ。

しかし観測結果を計算してみると、その喜びは無惨にも打ち砕かれた。まずカペラは角度にして約三十五分のズレがあることが分かった。この観測誤差は単純に距離におき直すと六十五キロほどに相当する。誤差があまりにも大きすぎるので、おそらく目盛の読み間違いなどの初歩的なミスがあったのだろう。やむなくカペラの観測値は計算から除外し、残りのベガとアルデバランの高度で位置を求めてみたが、出てきたのはケンブリッジベイから約十七キロも南にいるという結果だった。

通常の航海における天測では一海里（一・八五二キロ）程度の誤差が出るのはやむを得ないとされている。今度の旅でも百メートルとか二百メートルとかという厳密な精度を求めているわけではなく、五キロ程度の誤差ならなんとか実用に耐え得ると考えていたのだが、しかし十七キロは大きすぎる。それからしばらくの間は、何度天測してもこの大きな誤差を縮めることができなかった。

十一月二十九日、午前十一時半ごろから最後の太陽が昇った。到着してから曇りの日が多く、太陽が見えたのは初めてだったので、それがケンブリッジベイで見る最初で最後の太陽だった。太陽は地平線の上に頭の端っこだけを申し訳なさそうに出して、四十分後には逃げるように沈んでいった。その短い間、太陽は雪原をわずかに明るく染め、地平線の上に棚引く雲を真っ赤ににじませた。これから一カ月以上極夜がつづくわけだが、太陽が昇らないことの本当の意味をまだ分かっていなかった私は、そのことに対して特に深い感慨を抱くというわけでもなかった。太陽が消えたといっても、翌日からいきなり真っ暗になるわけではない。太陽は地平線のすぐ下まで昇ってくるので、昼間の三、四時間は明るい時間が訪れる。ケンブリッジベイに来て一番驚いたのは、極夜なのに昼間は十分視界がきくぐらい明るくなることだった。極夜といってももっと北に行かないと、完全に真っ暗になることはないらしい。

最後の太陽が沈んだ日の夕方、私は野生動物の出没状況を聞くため自然保護官の事務所を訪れた。準備が整い次第、ケンブリッジベイから四、五百キロ離れた別の集落に向かうつもりだったので、白熊や灰色熊がどのぐらい生息しているのかを訊ねてみようと思ったのだ。事務所のドアを開けると、髭を生やした親切そうな担当官が奥からあらわれた。彼は私の質問に、灰色熊は冬眠中なので問題ないだろう、白熊はこの辺りはほとんど生息していないと教えてくれた。

「今年十月に村の南の半島と、北にあるファーガソン湖で白熊の足跡が見つかった。たぶん同一個体じゃないかな」

「結構最近の話だね」

「もう十二月になるし、たぶんどこかに消えただろう」。そう言った後、保護官は地図を見て、ビクトリア島の東側の海峡のあたりを指さした。「この辺やもっと西の海峡にはたくさんいるけど、ケンブリッジベイの周辺は心配ないんじゃないかな」

「ウルカクトゥクの周辺はどうだろう」

「何頭かいるはずだ」

「地元のイヌイットの人たちはどの辺まで狩りに出るの？」

「ケント半島全体さ」

ケンブリッジベイを南に向かうとディース海峡という大きな海峡があり、そこをわたると北米大陸本土に出る。北米大陸からは北に大きな半島が突き出しており、その半島が保護官の言うケント半島である。彼は話を続けた。

「でもこの冬はまだ、ケント半島にわたった人がいるとは聞いていない。ディース海峡が凍結しているか分からないからね。誰か一人がわたって氷が張っていることが確認されれば、みんな次から次へと続く」

その後しばらく別の話をした後、彼はところで……と話を変えた。

「GPSは持っていくのか?」

「いや……」と私は言った。面倒くさい話題になったなと思った。「持っていかないけど……」

「針路はどうやって確認するんだ」。特に咎めているというわけではなく、ただ興味があるから訊いているという風だった。

「コンパスが使えるし、位置は六分儀で確認するつもりだ。気象条件が悪いから、できるか分からないけど……。とりあえずこの周辺でキャンプをして、訓練したり装備のチェックをしたり、燃料の消費量などを調べるつもりです。旅はそれからかな」

「六分儀ねえ。太陽が出ないから星を使うしかないだろうね。いつ出発するんだ」

「二週間ぐらい後かな」

「その頃にはもっと寒くなっているだろう。その訓練キャンプとやらのときよりもね。燃料の消費量も増えるかもしれない。ところで、なんでそんなことをするんだ？ "Because it is there" か？」

保護官は一九二四年にエベレストの頂上付近で消息を絶った登山家マロリーの言葉――そこに山があるから――をひいて、ニヤッと笑った。私はうまく答えられず適当に質問をはぐらかした。

「去年レゾリュートベイからベイカーレイクまで歩いたので、今度は冬の北極を体験したいんだ。太陽の出ない世界をね」

「通信手段は持っていくのか」

「いや……」。二つ目の面倒くさい質問が飛び出した。個人的なこだわりだけに、この手の質問に答えるのは日本語でも難しい。保護官は事務所の奥から小さな四角い道具を持ってきて、私の目の前に置いた。衛星電話とは違う、緊急時に位置を知らせる無線機器だ。

「これはいいぞ」と彼は言った。「ボタンが三つあって、決まったメッセージを指定されたアドレスに発信できる。一つ目は『順調に進んでいる』、二つ目は『トラブルが発生して助けを求めている』、三つ目は『今すぐ助けろ！』だ。十分ごとに電波が衛星に発信されて、あんたの帰りを待つ家族がグーグルマップで位置を確認することもできる。通信手段もないのに何かあったらどうするんだ？」

「さあね。……死ぬしかないんじゃないかな」。英語で答えを探すのが面倒になり、私は捨て鉢気味にそう言った。「そうならないように気をつけるよ」

「死ぬしかないか……。おれには理解できないな。おれは安全なほうがいい。衛星携帯電話に無線発信機、それにGPS。安全のためなら何でも持っていくさ」

その翌日、知り合いになったイヌイットの家に行く途中のことだった。パトカーが突然、私の横で速度を落としたかと思うと、目の前でドアが開いた。

「あんた日本人か？」

紺色の防寒服に身を包んだ若い警官が、車から身を乗り出して私を呼び止めた。後からちょっと署のほうに来てもらいたいという。昨日の自然保護官から、頭のおかしい日本人が来てGPSも衛星電話も持たずに旅に出ると言っていると連絡があったのかもしれない。警察に話を通す義理は別にないが、避けるのも変な話なので、知り合いの家から戻る途中に署に顔を出した。警察署のなかには若い男の警官が三人いて、「やあ、よく来てくれた」と笑顔で迎えてくれた。

「ウルカクトゥクまで行くのか？」

「そのつもりだけど、まだ最終的には決めていない。海の結氷状況が分かってから行き先を決めようと思っている」

「海はまだ完全に凍っていないらしいよ。今年、大陸の方にわたった人がいるという話はまだ聞いていない。ところで銃器は？」

「探しているけど、まだ入手できていない。銃器を所持するには許可がいるんだろ？

どれくらいで取れるのかな」

「三カ月から半年かかる。しかし……町を離れるととても危険だ。灰色熊はいるし狼だってうろうろしている」

「灰色熊は冬眠中だと聞いたけど……」

「冬眠しているのもいるけど、うろついているのもいるさ」

「とても腹を空かせているよ」と別の警官が言った。

狼は前回の旅で何度も出会っていたので特に恐ろしいとは思わなかった。飢えて群れていない限り人間を襲ってくることは考えにくい。野生動物に関する限り、心配なのは冬眠せずにうろついている灰色熊がいるかどうかだった。私はそれまで町で誰かと知り合いになると、必ず熊と氷の状態に関して質問するようにしていた。白熊はほとんどいないということで答えは一致していたが、灰色熊に関しては人によってばらばらだった。要するにいるかもしれないし、いないかもしれない。

「GPSは持っているのか?」。答えにくいところに質問が移った。彼らが一番訊きたいのもたぶんそのことなのだろう。

「GPSは持っていかない。六分儀で天測するつもりだ」

「六分儀（sextant）?」

「第六感（sixth sense）?」と隣の警官が言った。

私は思わず吹き出した。第六感で旅の針路が分かるなら苦労しない。

「シックスセンスじゃなくてセクスタント。何て説明したらいいのかな……。簡単にいうと天体を使って位置を観測する道具さ」

「OK、OK」。それがあるなら大丈夫だといった感じで彼らは納得した。ありがたいことに六分儀で位置を出すのがどれほど難しいことか、まったく理解していないようだった。

「連絡手段はどうするんだ？　衛星携帯電話とか、緊急時に位置を知らせる無線もある」

「そういうのは持っていかない」

「何かあったときはどうするんだ？　助けは必要ないのか？」

「……必要ないね」

そう言ったものの、自分の考えを理解してもらえるとは到底思えなかった。

衛星電話を持っていかないことにしている以上、私は万が一何かあったときに誰かに救助してもらうことを基本的には期待していない。もし途中で強風にテントが壊されたら、氷の割れ目で海に落ちたら、コンロが故障して水を得られなくなったら、乱氷帯に足がはまって骨折したら、いずれの場合も生きて帰ることは難しいだろう。連絡が取れない以上、救助の要請のしようがないからだ。しかし北極を旅するということはそういうことなのだと私は思っていた。自分の力で北極を歩くことを選んだ以上、最後に誰かの救助をあてにするのは整合性に欠けているし、単独行である以上、私には旅をどこまでも自分のものとして完結させたいという気持ちがあった。

したがって計画書を作ることに関しても意味があるのか疑問に思っていた。今回も一応、簡単な計画書を作って家族や少数の関係者には配っておいた。所属している山岳会を通じて上部の山岳団体に計画書を提出し、万が一のときの遭難救助費用が出るように計らってもらってもいる。学生時代に在籍していた探検部のOBに連絡人をお願いし、遭難時の救助対策などを要請してもいた。

　しかし結局のところ、それらには社会的な体裁を整えるため、という以上の意味はない。連絡手段を持たず遭難発生時の救助が不可能な以上、本当に何かあった場合は自力で村までたどり着くしか生き残る術はないからだ。ここは広大な北極圏で、国内で二泊三日の山登りをするのとは状況がまったく違う。計画書通りのルートで旅をするか分からないし、期間も何十日間に及ぶ。指定した期日までに帰還せず、時間が経った後に捜索をしてもらったところで、生きている私を発見する可能性はゼロに近いだろう。つまり計画書を作り、救助体制を整えたところで、衛星電話などの通信手段を持っていない以上、計画書に実効性は存在しない。計画書や連絡体制はちゃんとやってますよと周囲を納得させるために取り繕ったものであり、社会人のマナー以上の意味合いはないわけだ。

　しかしマナーはマナーとして尊重してはいる。

「連絡先を書いた紙はないのか？　奥さんがいるんだろ？」

　警官が私の左手の指輪を指差してそう訊くので、今度連絡先を持ってくるよと私は答えた。恐らく計画書に指定した期日を過ぎて連絡がない場合、ここの警官たちは私が向かった場所を捜索してくれるに違いない。それが彼らの仕事なのだろうし、そのことを私は拒否しようとまでは思わない。しかしそれによって自分が助かるとは考えていない。旅を遂行できるだけの知識と技術と自信を身につけることによってしか、自分の身は守れない。

その後、彼らは食料や装備や私の職業などについて細かな質問を繰り返した。しかしその印象は決して悪いものではなかった。一人の人間がその信念にもとづき何かをおこなうということに対して他人は最終的に口出しすることはできないし、たとえ警官であってもその原則を侵すことはできない、という潜在的了解が、彼らのなかにはあるようだった。本来なら私のような者の行動は警察としてははた迷惑なだけに決まっているのだが、彼らは別に止める風でもなく、すごいな、面白そうだな、頑張れよ、応援しているぞ、といった口のきき方で応対してくれるものだから、私としても悪い気はしなかった。

彼らが最終的に気にかけていたのは、どうやら銃器の携帯の問題のようだった。

「いずれにしても銃器は持っていったほうがいい」

「でも許可が下りるのに三カ月以上かかるんだろ?」

「許可は無理だ。許可がないことはしょうがない。だけど銃は絶対に持っていったほうがいい。村の人にお願いしたら誰か貸してくれるはずだよ」

極北カナダの警官は建前と現実をきちんと使いわけていた。ここでは建前をおしとおすと死んでしまう人間が出ることを、彼らは経験的に知っているのだ。

天測の訓練や情報収集に加えて、イグルー作りにも熟達しておく必要があった。イグルーというのはイヌイットがかつて利用していたドーム状の雪の家のことだ。雪面から堅い雪のブロックを切りだし、それを積み上げる。万が一、強風でテントが飛ばされたりポールが折れたりした場合に備え、短時間でイグルーを作れる技術は身につけておいたほうがいい。救助を呼べない私が周囲何百キロと人間が住むことのない北極圏の真ん中でテントが使えなくなると、それはかなりの確率で死を意味する。しかし自分の手でテントに代わるものを作ることができれば、その確率を少し減らすことができる。昔のイヌイットは雪の家を作ることでこの極寒の地を旅していたのだから、その技術を使わない手はない。

イグルーは以前にも作ったことがあったが、経験豊かなイヌイットに教えてもらうのも悪くはないと思い、私はダグに誰か紹介してくれないかと出発前にメールでお願いしていた。彼が紹介してくれたのは、しかしイヌイットではなくブレント・ボディという実績豊富な白人探検家だった。ブレントとはケンブリッジベイに到着した翌日には顔を合わせていたが、なかなか予定が合わずイグルー作りは延び延びになっていた。実際に出かけたのは十一月三十日の朝のことだ。彼は町から直線距離で七キロほど南に離れたところに小屋を持っていた。私たちは彼のスノーモービルでその小屋まで疾走した。そして十分に積雪のある場所を選ぶとブレントは大きな声でイグルー作りの基本を説明してくれた。

「まずスノーソー（雪ノコギリ）を突き刺し雪質を調べなければならない。雪が堅すぎるとブロックが重くなるし、逆に軟らかいと崩れてしまい積み上げることができない。なかに層ができているのもよくない」

ブレントはスノーソーでいくつかブロックを切り出した。ブロックは雪に深く切り込みを入れ、縦に平板が並ぶように切っていくのがポイントだ。サイズは縦五十センチ、横七十センチ、厚さ二十センチほどである。ブロックをある程度切り出すと、今度はそれを円形に積み重ねていく。最終的にドーム状にしなければいけないので、それを計算して内側に傾斜させなくてはならず、そこが難しい。

「ブロックを置く前は必ずスノーソーで雪面をたたく。そうしないと両者はしっかりと接着しない」

「重要なことはブロックの上部がしっかりとくっつき安定していることだ。下部は隙間が空いていても問題ない」

気温は氷点下三十二度、風も強く体感温度は氷点下四十七度にまで冷え込んだ。作る最中は羽毛服を着込んでいたがそれでも身体は凍え、目出帽をしないと頬がヒリヒリと痛くて仕方がない。ブロックを二段目まで積み上げたところでブレントは自分の小屋のなかに引っ込んだ。あとは自分で作れということなのだろうが、難しいのはそこからである。ブロックを内側に傾斜させていくと、最後は真横に近い状態となり、そのまま置いても落っこちてしまう。そうならないようブロックを削ることでうまく角度をつけ、隣のブロックと力学的に安定するように設置していかなければならない。いかに素早く角度をつけて削れるかが技術の見せどころだ……といっても私に技術はないのだが。

何とかブロックを積み上げていくと、最後、天頂部にブロック半分ほどの大きさの穴が残された。うまく積み上げればきれいな五角形か六角形になったはずだが、下手くそなので歪んだ三角形になっている。本来なら天頂部のブロックはイグルー全体の力を支える一番大切な要の部分であるが、切り方が悪くてただ上に乗っかっているといった出来栄えになってしまった。それでもブレントは外で「べリーグーッ、べリーグーッ」と褒めてくれた。辺りはすでに薄暗く、完成までに三時間かかった。小屋でお茶を飲んだ後、私たちは村に戻った。

ブレントは一九八六年に北極点に立ったこともあるベテラン極地探検家だ。この隊は女性一人を含む八人で構成され、一九〇九年のピアリーの遠征以来、初めて途中で物資の補給を受けることなく犬橇で北極点に到達したことで世界的にも話題になった。米国の雑誌「ナショナルジオグラフィック」が三十六ページにわたる特集を組んだ際はブレントが表紙を飾り、毛皮のフードをかぶり氷だらけになった彼の顔が世界中の書店にならんだ。この隊はわずか二十六年前の遠征だが、まだGPSが登場する前だったので極点には天測で到達している。

「ナショナルジオグラフィック」には六分儀で観測する隊員の写真がのり、隊長のウィル・スティーガーは〈われわれはすでに緯度の最終段階に入っている。われわれの希望、夢、何年にもわたる計画と準備は日増しに、六分儀とクロノメーター、それにそれらを扱う技術の正確さにかかってきている〉(筆者訳)と記した。ブレントが私の今度の旅の内容に理解を示したのは、あるいはそういうことが関係していたのかもしれない。GPSを使わずに極夜の北極を旅したいと伝えると、彼は自分も北極点に行ったときは天測でやっていたと肯定的な反応を示してくれたからだ。

彼からは印象深い話をひとつ聞いた。それはケンブリッジベイから長い旅をしたドイツ人の話だった。そのドイツ人はたった一人で町にやって来て、二台の橇を引いて海をわたり、途方もなく長い時間をかけて北米大陸のケント半島に向かったという。カヤックを載せた橇はあまりにも重く、一人で二台同時に引くことはできなかった。一台を引き、もう一台を取りに戻り……といった調子で移動したので、ケンブリッジベイからわずか四十キロほどしか離れていないケント半島まで三週間もかかったという。

「その後、彼はどういうルートで旅をしたんだろう」

「よし、地図のところに行こう」

ダグの家のリビングにはカナダ北極圏全体を収めた巨大な白地図が壁に掲示してある。ブレントは地図の上を指でなぞりながら、そのドイツ人の旅のルートを教えてくれた。

それは途方もなく長い旅だった。ケント半島からバサースト入り江を下り、不毛地帯を東に向かい、バック川に出て、そこで持ってきたカヤックで川を下る。そして再び旅の舞台を陸上に移し、広大な丘陵地帯を越えて最後はクガールックまで旅を続けたという。総延長で千五百キロ近くにまで達する雪と氷とツンドラの荒野を、どこの村にも寄らず、たった一人で放浪するはるかな旅だった。

「クガールックまで四カ月かかったらしい」

「四カ月……！」

「四カ月もたった一人で……」。ブレントもため息をつくようにそう言った。「スポンサーもつけず、本を書くわけでもなく、彼はただやりたいからそれをやっただけなのさ」

そのドイツ人の旅のルートには何ら他者に誇るような態度はみられなかった。北極点に到達するとか、エベレストに登るとか、そういう社会に対して価値を主張するような側面は微塵も感じられなかった。そこには何もない。彼だけの旅。彼のたどった途には荒野しかなく、荒野と向かい合うこと以外、彼が求めたものは何もなさそうだった。四カ月間、たった一人で、ただ極地の自然を移動するだけ。しかし何もないところにこそ、すべては存在する。私には彼がなぜそのような旅をおこなったのか分かった気がした。なぜそんなことをするのか、何で我々は冒険などするのか。旅に出るのか。それに対する答えのすべてが、そのルートのなかに表現されている気がした。

「彼はなぜそんなルートを選んだのだろう」と私は訊ねてみた。

「さあね」とブレントが言った。「ただ、僕は面白いと思うな。こんなルートはね、面白いと思うんだ」

4

窓を眺めると昼食を食べたばかりなのに、外はすでに重たい夜の闇に閉ざされつつあった。太陽が昇らなくなってから日中の明るい時間は日一日と短くなっていた。午前十時を過ぎると空には少しずつ淡い青色が広がり、正午を境に一面白くきらめく雪氷の世界を見わたせるようになるが、すぐにまた北の空から濃い紫色が滲みていき、午後三時を回ると頭上には青黒い空に星の光が輝き始める。夜があまりにも早く訪れるせいで時間の感覚は少しずつおかしくなっていった。そろそろ夕食でも食べようかなと思って時計を見てみると、まだ午後四時を回ったばかりで、これから寝るまでの七、八時間、いったい何をして過ごせばいいのかと、しばしば私は途方に暮れた。

十二月四日から村の近くで一週間の訓練キャンプを実施した。旅に出るためには寒さに体を慣らしておかなければならないし、テントやコンロ、それにスキーやビンディングなど、今回用意した新しい装備が期待通りに機能するかも調べなければならない。一日当たりの灯油の消費量も計算する必要がある。また太陽がない状態で衣類や寝袋がどの程度湿っていくのかも知っておきたいし、イグルーももっと早く作れるようになっておきたい。何より町の光の届かないところで天測の訓練を積まなければならなかった。

ブレントの小屋の近くで過ごすつもりで、私は南南東に向かって陸地を迂回した。それから西北西に針路を変える。一週間分の食料しかないので橇は軽いし、積雪も少なく、氷はスケートリンクみたいにカリカリで歩くのは快適だった。

暗いなかを歩いていると前方に橙色の星が姿をあらわした。牛飼い座のアークツルスである。地球から三十七光年離れた、太陽より二十五倍も大きな巨星だ。そしてその右手には北斗七星が白い光を放っていた。ブレントの小屋は二百九十五度、つまりほぼ西北西の方角にあり、それはちょうどアークツルスより約三十度北側、北斗七星の柄杓（ひしゃく）の柄にある二等星ミザールの真下辺りにあたっていた。その日は風もなく大気も珍しく乾燥しており、アイスクリスタルもさほど強くなかった。明るく煌（きら）めくアークツルスと北斗七星を頼りに私は小屋を目指してひたすら歩いた。

星明かりを頼りに暗闇の世界を歩いたその晩は、初めて経験する感動で心が震えた。頭上ではアークツルスと北斗七星とその他無数の星々が輝いている。その下を、ギュッ、ギュッと足元で雪を踏みしめる音を聞きながら、一歩一歩を嚙みしめるように歩いている自分がいる。私と星と、そして雪の大地と化した地球との間には、静寂と暗闇しか存在しない。街灯もなければ、不安を煽り立てる風の鳴動もない。他に何も存在しないことで、私は地球それ自体と向き合い、上空の星と直接つながっているという感覚を得ている。時間はゆったりと流れ、凍てつく空気の痛みが私の感覚を研ぎ澄ます。闇と星と凍気のなかで運動することで、私は自分の身体をひとつの実体的な塊としてとらえている。そしてその実体的な身体がひとつの大きな知覚器官と化すことによって、今おれはたしかにこの闇のなかを星に導かれ歩いているのだという感覚をもつことができている。それは自分は地球という惑星の一角を歩いているのだという、おそろしいほどリアルな身体的実感だった。

もっと星を見ながら歩きたいと私は思った。もっと長い時間、星明かりだけを頼りに暗闇のなかを歩いていたい。私は太陽の存在を疎ましく感じた。地平線の下から届く太陽の光の影響さえなければ、この世界は二十四時間暗闇に閉ざされ、星明かりだけを頼りに旅をすることができるのに。

残念ながら二時間ほど星空の下を歩いた時点でアイスクリスタルが頭上を覆い、星は見えなくなった。ブレントの小屋の近くでテントを張り、それから一週間キャンプを続けた。久しぶりに氷点下三十度以下の極寒の環境の下で過ごすと、そこで生活するだけでもひと苦労だった。フリースや羽毛服で着ぶくれした体でコンロに火をつけ食事を作るだけで、どっと疲労が溜まる。キャンプ中は時間があったので新たにイグルーを三つ作った。三つ目ともなると要領が分かってきて、ブロックを面白いほど安定して積み上げる方法を見つけたが、肝心の天測のほうはうまくいかず、低気圧が通過したせいで天気が悪化して一日しか練習できなかった。

村には十二月十日に戻って来た。それからも毎晩のように練習を繰り返し、天測のやり方を見直した。何度も観測するうちに人工水平線の割り出しに問題があることに気がついた。今回のシステムでは六分儀で観測する前に竹竿を立てて、そこから距離をとってハンドレベルで人工水平線を出すのだが、どうやらその距離が近すぎることが分かってきたのだ。

具体的には次のようなことだ。

人工水平線を出すときは、竹竿から三メートルほど離れてハンドレベルをのぞき、竹竿の目盛のどこが水平線にあたるのかを調べる。仮に二百三十センチの目盛のところが水平線だとすると、竹竿のところに行き二百三十センチの目盛に洗濯バサミをはさむ。この洗濯バサミが人工水平線であり、洗濯バサミと天体との角度を六分儀で測るわけだが、当然ながらこの水平線は必ずしも完璧ではなく、真の水平線から数ミリほどずれている可能性が高い。たとえばハンドレベルの作業ひとつとっても、なかの気泡は手の震えの影響を受けてプルプルと動いており、その細動する気泡を見ながら、さらにその先にある水平棒の目盛を読まなくてはならないので正確とはいいがたい。それに寒さの影響で手はかじかみ、足の感覚は失われ、目も疲労でかすむ。こうした悪条件が重なるため完全な水平線を求めることは難しく、それに加えて移動するたびに足元の雪を踏みこんだり、膝や腰が曲がったりして、それで目の高さも変わる。この目の高さの変化もズレにつながるはずだ。

こうしたいくつもの悪条件で生じた人工水平線の数ミリのズレは、結果的に観測の際に微妙な角度を作る。かりに人工水平線のズレが二ミリだとする。観測地点と竹竿までの距離を三メートルとすると、三メートルの水平距離における二ミリのズレは、角度に直すと二分強に相当する。この二分強の角度のズレがその次の六分儀観測にそのまま反映されると、それは天体の高度を求めたときに二分強の誤差となる。そして最終的に地図上に線を引くとき、この二分強という誤差は四キロという距離の誤差となってあらわれる。一番最初の人工水平線を出す作業で姿勢が悪かったり踵で雪を踏み込んだりしただけで、結果は実際から四キロもずれてしまうのだ。

もし竹竿までの距離をもっと取ることができて、たとえば十メートル離れることができれば、この誤差は小さくなる。十メートル離れて、水平線の割り出しのときのズレが先ほどと同じ二ミリだった場合、この二ミリのズレは角度にして四十秒程度に相当する。しかし暗いなかで作業をするため、竹竿から三メートル以上離れると目盛が見えなくなるので、竹竿との距離が三メートルだった場合にくらべて三分の一以下になるわけだ。どうしても三メートル以内で人工水平線を出さなくてはならない。

このことに気がついてから私はさらに水平線を厳密に出すように努力した。ハンドレベルで水平線を決めて洗濯バサミをはさんだ後、何度もチェックしてズレが出ていないかたしかめる。ズレが出ているようなら竹竿にもどり、ふたたび洗濯バサミを正しい位置にずらし、またハンドレベルで確認する。そうやって納得いくまで観測場所と竹竿の間を往復することで水平線の精度は高まった。その一方で六分儀の観測精度を高めるため、天体を連続観測することも始めた。一つの天体を一回だけ観測しても、その観測に誤差があったら終わりだが、連続で観測してその平均値を出せば誤差を小さくすることができる。

そのように水平線の割り出しと六分儀観測の両面で手間と時間をかけることで、私は集落では五キロ以内の誤差で位置を割り出せるという自信を持てるようになった。五キロの誤差だとなんとか実用に耐えられるはずだ。船乗りの基準でも一海里以内の誤差は前提とされていたのだ。

ついに極夜の世界を天測で旅をする資格を手に入れたのだ、とこのときはそう思っていた。

一週間の訓練キャンプを終え、天測にも自信を得た私は、十二月十八日にケンブリッジベイを出発し、ビクトリア島を北西に縦断して約五百二十キロ離れたウルカクトゥクの集落を目指すことにした。氷の張った固い道路の上を歩いているだけなのに、四十日分の物資を積んだ橇がやたらと重く感じる。道路から雪原に足を踏み出すと橇はさらに重くなった。橇のランナーが雪に沈み、足を踏ん張らないと動かない。思ったより雪は軟らかく、積雪量が十分ではないため、雪の下のツンドラの草がクッションの役割を果たして橇が沈んでしまう。

背後を振り返ると、極夜の闇のなかで町の黄色い灯りがすでに遠のいていた。鉄塔の光が明滅し、デューラインという冷戦時代の名残の軍事用レーダー施設が周囲の雪面を橙色に照らす。上弦の月が浮かび、南の空は地平線下に接近する太陽の光のせいでわずかに青く染まっていた。

午後二時半、気がつくと木星がすでに輝き始めていた。あまりにも早い夜の始まりだった。伊豆半島で見たあの夜空と同様、冬の北極でも月をのぞいて最も明るい光を放つ天体は木星だった。それからまもなく北東の空にカペラ、南西にベガが順にあらわれ、午後三時頃にようやく、進行方向の二十度ほど南にアークツルスが弱々しく光を放ち始めた。

暗くなってからしばらくはアークツルスが進行方向を示す目印となった。地平線から高すぎず、低すぎず、高さもちょうどいい。しかし、星は北極星を中心に反時計回りに日周運動しているので、アークツルスの位置も歩いているうちに徐々に北のほうにずれていく。星を見ながら歩くときは、その動きも計算に入れながら微妙に方向を修正しなければならない。天体の動きに引きずられて一緒に針路がずれてしまわないよう、時折立ち止まって首にかけたコンパスで方角を確認した。時間が経つとアークツルスは北の空に移動し、今度は南からベガがちょうどいい角度に入ってきた。

私は何度も後ろをふりかえり暗闇のなかに浮かぶ町の光の方角を確認した。どれぐらいの距離を進んだのだろう……。さっき確認したときよりも町は遠ざかり、ゆっくりとだが着実に進んでいることは分かる。しかし、地形的にもとくに目印となるような場所がないので、どれぐらい進んだのか皆目見当がつかない。GPSがないので自分が地図上のどの位置にいるのか厳密には分からないのだ。目立った山や谷が存在しない北極圏のツンドラ地帯では、視界のきく明るい時期でも地形をたよりに位置を出すのは難しい。それが太陽の昇らない極夜ともなるとほぼ不可能になる。私はテントのなかで推測位置を「北緯六十九度〇九分五」と日記に記したが、これは自分の歩く速さの感覚で推測しただけの、要するに当てずっぽうだった。

翌日以降も同じ状態がつづいた。相変わらず雪は深く、湖と丘のアップダウンが続き、しかも自分がどこにいるのかよく分からない。気温は氷点下三十度前後の日が続き、三日目から風は真向かいから吹く西風となった。

村を出発してから私はコンパス角度で二百九十二度、つまりほぼ西北西に進んでいた。私は丘の上から町の灯りが見えるたびに、何度も後ろを振り向き、正しい方角で進んでいるか確認した。というのも、この二百九十二度という角度は、私にとっては厳密に守られなければならないものだったからである。

出発する前、私は地図を参考に何カ所かある細長い、大きな湖を経由してウルカクトゥクに行くつもりでいた。湖のほうが陸地の上を歩くより、足元が固くてはるかに楽だからだ。しかしもし進む方角が数度でもずれてしまうと、予定の湖を外してしまうことになる。実際に歩き始めて分かったことは、湖を外すと大変な事態に陥る可能性が高いということだった。冬のツンドラには山や谷などの顕著な地形的特徴がないので、湖の大きさや形から現在位置を推測するしかない。そのため湖を外すと自分がどこにいるのか完全に分からなくなってしまうのだ。

そして位置が分からなくなることほど私を不安にさせるものはなかった。午前十一時から三時間ほど続く明るい間に、私は全神経を集中させて周囲の地形から何とか自分がどこにいるか手がかりをつかもうとした。しかしほとんどの場合でその試みは水泡に帰し、すぐに暗い夜が訪れる。暗くなったらあとは闇雲に星が示す方角に歩くしかない。時折、大きな湖にぶつかり、そのときにだけ位置を推測することが許される。暗いなかを歩いていて足元が固くなり、ストックで突いて、コツッという氷の反応があると、私はしめた！　と興奮した。位置を確認できるチャンスがやって来たのだ。すぐに地図を取り出し、もしかしたら自分がいるのはこの比較的大きな湖だろうか、などといろいろ推測する。そしてしばらく歩いても湖が終わらず、ある程度の規模があると分かったとき、やはりこの湖は先ほど地図で確認した比較的大きな湖であるにちがいないと判断し、蓋然性の高い推測位置が得られたことに心底ホッとするのだ。位置さえ分かればこっちのものだ。気分は明るくなって、旅は成功間違いなし！　と楽観的にもなり、自然と鼻歌まで飛び出してくる。

位置を知りたい、位置を知りたい、位置を知りたい……。暗闇のなかを歩きながら考えていたのはそのことばかりだった。位置が分からなくなるほど地形が曖昧なことは、北極という自然環境がもつ大きな地理的特徴のひとつである。そして実際に歩いてみなければその本当の怖さは分からない。北極で旅することは現在位置に絶対的な確信を持てないまま移動することと同義であり、位置に迷うことは寒さに震えることや風に弄ばれることよりもはるかに深刻なことだった。

思わぬトラブルが起きたのは五日目の朝のことだった。

そのとき私はケンブリッジベイから四日間で三十八キロ進んでいた。計画では最初の四日間で四十五キロほど進むつもりだったので大幅に遅れてはいたが、荷物が減って大きな湖にうまくルートをつなぐことができれば、足元が固くなって自然と速くなるはずだ。さほど悲観はしていなかった。ところがつまらぬトラブルが発生し、旅は一旦中止に追い込まれることとなった。灯油コンロの調子が突然おかしくなったのだ。

前日の晩からコンロは炎が全開にならず不安定だった。朝食を作るときも不調は解消されなかったので、火を一度止めて、もう一台あった予備コンロに替えてみたのだが、予備のほうもうまく炎がつかず、ブスブス……と景気の悪い音を立てて消えてしまう。

理由は分からないが両方とも炎が上がらない。

焦った私はその日の行動を中止し、本格的に修理をおこなう態勢をととのえた。今回用意したコンロは二台ともボトルとバーナーを分離できる、ガソリンも灯油も使えるマルチフューエル式の新品だった。まず六角レンチで燃料が噴出するニップルをバーナーから取り外した。ニップルの下には噴射口を掃除するための可動式の針がついており、その針で噴射口の煤をとりのぞく。通常ならこれで問題ないはずだが、ふたたび点火してみると、またブス、ブス……と不景気な音をあげてフッと消えてしまう。火がなくなった途端、テントのなかは一気に寒くなった。外には氷点下三十五度の凍てつく世界が広がっており、テントのなかも氷点下十五度ぐらいにまで気温は下がっている。私はかじかんだ手でコンロを分解し、掃除して点火するという作業を何度も続けたが、どうしても火は安定しない。そしてついに決定的な破損が起きた。噴出口を掃除する針が折れてしまったのだ。

テントのなかで私は呆然とした。これ以上、旅を続けることができないのは明らかだった。極地の旅ではコンロは命にかかわる最も重要な装備である。コンロが故障して困るのは、調理ができなくなるからでも、テントが寒くなるからでもなく、水が作れなくなるからだ。氷点下四十度の世界では雪も発泡スチロールみたいに固く乾ききっており、そのまま口に入れても、おそらく溶かすのに口に入れた以上の水分が必要になる。つまりコンロで雪を解かさないと水分補給ができず、私は死ぬしかない。

気づくと夕方まで作業を続けていたようで、外はすでに暗くなっていた。どんなに手を施してもコンロは直らなかったので、最後はボトルのなかの灯油をすべて交換してみることにした。気づかないうちに灯油のなかに雪が混じり、ボトルの底にたまった水分を吸い込んでいるのかもしれないと思ったからだ。ダメもとでやった処置だったが、燃料を交換すると、どういうわけかきれいな青い炎が上がった。テントの霜が解け、久しぶりの温もりが戻り、私は熱いコーヒーを飲んでホッと一息ついた。だが、火がついたところで、掃除用の可動針はないし、こんないつ壊れるか分からない不安定なコンロで旅を続けることは怖くてできない。である以上、一度村にもどって誰かにコンロを借りるほかないが、その後はどうするか。ふたたびウルカクトゥクを目指すには、すでに食料が乏しいし、それにこの時期の陸地の行進は橇が砂利や石の摩擦で進まず、思ったよりきつい。出発し直すなら海氷中心のルートの方がいいだろう。だとすればどこに行くか。ケント半島でもぶらぶらしようか……。

何とはなしに思いついたアイデアであったが、決して悪い考えではないような気がした。天測をしながらケント半島を放浪する——。ケント半島なら村からさほど離れていない。移動範囲を村から半径百五十キロ以内に限定すれば、万が一コンロが壊れても、非常用のメタを使って空身で四日ぐらいで帰れるはずだ。

なるほど、たしかにケント半島に行ったところで別に目指さなければならない何かがあるわけでもない。だがそもそも私がこの極夜の探検でやりたかったことは、どこかを目指し、そこに到達するということではなかったはずだ。ウルカクトゥクという目的地を便宜的には設定したが、しかし本当の目的はウルカクトゥクにあるわけではなく、極夜世界を深く身体で理解し、極夜とは何か、闇とは何か、そして闇の世界が過ぎ去った後に訪れる光とは何か、そのことを洞察することにあった。天測はその極夜そのものを洞察するためのひとつの手段だ。だから目的地はウルカクトゥクでもクグルクトゥクでも、どこでもよかったのである。

従来の冒険や探検はA地点からB地点を目指すという地理的な移動行為の観点から実行されてきた。二〇一一年の三月から七月に私が荻田泰永君と行った千六百キロの徒歩探検などは、さしずめその最たるものだったが、主だった空白部にあらかた人類の足跡が刻まれた今、どこかに到達するということにほとんど意味はない。北極という土地を到達的な横軸の視点ではなく縦軸の視点でとらえれば、新しい探検のスタイルを獲得することにつながるかもしれない。それが今度の極夜探検を発想したそもそもの着眼点であり、そのために私は天測という自然に従属的な方法で旅をすることにした。だったら時間の許す限り、ただぶらぶらと極夜の世界を放浪するというやり方が、実は今度の探検には一番合っているのかもしれない。

5

　それから村に戻るまで五日間かかった。寒さはそれまでよりも急激に厳しくなり、十二月二十三日には氷点下三十八度まで冷え込んだ。この日は大きな湖にテントを張ったのだが、寒さのせいで氷の厚みが一気に増したらしく、その圧力で氷の比較的薄い部分が至るところで次々と割れた。一晩中、ドカーン、ドカーンとダイナマイトの爆発音みたいな派手な音が鳴り響き、テントが落ちやしないかと恐ろしくて気が気ではなかった。村に着くまで何日か天測も試みた。最初におこなったのは湖に割れ目が入った二十三日だ。このときは気温が低かったうえ、途中で風が強まったため中断したが、出発してから移動のさなかにおこなう初めての天測だったので基本的な課題が次々と見つかった。

　当たり前のことだが、旅の途中でおこなう天測は、暖かく快適な家のなかで準備や計算のできる集落での天測とちがい、条件がはるかに悪くなる。まず防寒を十分にして観測しなければ話にならない。観測中はじっと止まっていることが多いので、手袋や靴下が濡れているだけで手足が冷えて観測は難しくなる。またヘッドランプの電池が十分でなければ光量が弱くて竹竿の目盛が読み取れないこと、さらに六分儀の鏡やスコープがアイスクリスタルや吐息で凍ってすぐに見えなくなることも分かった。二回目は翌日の二十四日におこなった。前日は六分儀の鏡が凍って使い物にならなかったので、テントを出る前に試しに灯油を塗っておいた。その成果があり三十分間ほどは鏡が曇らずに観測することができた。しかしこの日も風が強く、竹竿で水平線を出すのに苦労しているうちに足の指と左手の小指が冷えて中途半端に終わった。

実地で試して分かったことは、天測を試みるチャンスはそう多くなさそうだということだった。天測を試したこの二日間の風は、強かったといってもせいぜい秒速四、五メートルにすぎない。極地でなかったら爽やかなそよ風だ。しかしそよ風でも天測には大きな障害となる。風があると体感温度は氷点下四十度を下回り、身体はあっという間に冷えてしまう。そうなると手足はかじかみ正確な観測は難しくなり、六分儀の鏡も凍ってしまう。何よりも向かい風のなかで観測しなければならないことが一番の難題だった。なかでもベガの観測は苦痛以外の何物でもなかった。ベガは午後三時頃から南西の空で輝き始め、天測をおこなう午後六時頃には西の空に移動している。冬のカナダ北極圏では、ほぼ例外なく西から卓越風(たくえつふう)が吹いているため、私が天測する時間にこの星はちょうど風上に位置することになる。そのためベガの観測は常に寒さに耐えての作業となった。あっという間に鼻や頬の感覚はなくなり、手足の指がかじかんで痛みだす。向かい風に耐えて必死で目を凝らすので疲労で視界がかすんでくる。七夕の織姫星として知られるベガだが、私にとってこの星はそんな奥ゆかしくて楚々とした存在ではなく、口から氷の風を吹きつけてくる冷酷でサディスティックな冬の女王だった。できれば他の星を観測したかったが、そういうわけにもいかない。恒星で天測をおこなう場合、できるだけ数多くの星を使って観測しないと誤差が大きくなるのだが、冬のこの時期はアイスクリスタルの影響で星は見えにくく、天測で使えるのは事実上、木星とカペラとベガという明るい三つの星に限られていたからだ。

とにかく天測をするには風の弱いことが最低条件だった。風が弱く、しかもアイスクリスタルのない星のきれいな日であることが理想だが、そういう天測日和は十日に一度あるかないかだ。その少ないチャンスできっちりと正確な観測結果を得ないと、極夜という闇空間で位置を決定することはできないらしい。

ケンブリッジベイに一度もどった私は、壊れる心配のない、百年前の大探検時代から使われている真鍮（しんちゅう）製の灯油コンロを知人のイヌイットから借りて、翌日すぐに出発した。今度は前回出発したときとは逆、南のケント半島方面である。村からしばらくは南南東の方角にスノーモービルの跡が続いていた。はじめのうちは何台分もの跡が重なり道といったほうがいいぐらいだったが、そのうち跡は一台分ずつばらばらに離れていき、暗闇のなかで見失った。

冬至をやや過ぎた頃で一年で一番暗い時期だ。午後二時を過ぎると空には濃紺の帳（とばり）が下りてきて、同時に星が煌めき出し、そして二十時間以上にわたる夜の時間が訪れる。暗くなると地形を手がかりに方角を決めることはできないので、私は空に浮かぶ雲の模様と、わずかに橙色に染まった部分の位置を目印に進行方向を定めた。そして時折立ち止まってコンパスで方角を修正した。

地図を見ると、村から南南東に五キロ進むと西から張り出した小さな岬があり、それを南に回り込むと湾が少し開けていくようだ。その湾を岬から南西に十七キロ進むと、今度はコルボルネ岬という別の岬が東から突き出している。村を再出発して二日目に私はコルボルネ岬を越えた。岬の周辺には割れた氷が押し寄せ、小さな乱氷帯を形成していた。コルボルネ岬でビクトリア島にしばしの別れを告げ、島と北米大陸を隔てるディース海峡に足を踏み入れた。少し前まで村のイヌイットが今年はなかなか凍結しないと気をもんでいた海峡だったが、さすがに一月も迫ったこの時期になると、まっ平らな新氷帯がどこまでも続いている。私は西南西に針路をとって海峡の横断を開始し、約二十二キロ先にある北米大陸のケント半島を目指して橇を引いた。

極夜世界における月の偉大さを初めて知ったのは、その日のことだ。

そのとき私は曇り空のなか、前方に見える夏の大三角形の一等星アルタイルの光を頼りに歩いていた。月明かりのない闇夜のなか、水平線は黒く曖昧な夜空に溶け、アルタイルは水平線のやや上と思われるあたりに浮かび、一等星のわりには弱々しい光を放っていた。アルタイル、光弱いなぁと思いながら私は歩いていた。そのときだ。突如、背後から黄色く明るい光が差し込み、一瞬であたりを全面的に明るく照らした。暗闇のなかで明瞭ではなかった足元の雪面や氷の塊が瞬時に白く、ぼわっと浮かび上がる。突然の変化に私は何があらわれたのかと不意をつかれ、反射的に背後をふりかえった。それまで頭上を覆っていたぶ厚い雲がいつのまにか切れ、陸地の山影の上に黄色く堂々とした満月が姿をあらわしていた。

見事な満月。圧倒的な光のパワーと存在感だった。その明るさと神々しさに私はしばらく声を失い、その場にたたずんだ。そして「おおおおおお」と感嘆の声を漏らした。月の出現により世界は一変した。それまでは足元の様子さえ分からず、雪の吹き溜まりや氷の割れ目も見えず、その結果、ヘッデンをつけないと目の前に高さ一メートルの乱氷があっても気づかずに乗り上げてしまうような有様だったのに、月が出た瞬間、闇のなかに溶けていた雪塊や氷や地面の岩などがすべて明るみに出され、形状が与えられ、存在するものとして姿をあらわしたのだ。見えなかったものが見えるようになっただけではなかった。頭上を見上げると、それまで雲に隠れていた木星やカペラも、あたかも月に活性化されたかのように激しく煌めいている。夜空の帳が剝ぎ取られ、星たちは命を吹きこまれたかのようにギラギラと突然ざわめき出した。

月が出たことで、進行方向もそれまでと比較にならないぐらい分かりやすくなった。月光が反射して雪面全体が自発的に薄い光を放っているような感じになり、それまで目印にしていた視等級〇・七七の一等星アルタイルは、地平線のすぐ上にあったぶん、かすんで見えなくなってしまったのだが、そのかわり月光により照らされた私自身の影が前方に細長く伸び、アルタイルよりはるかに分かりやすい目印となったのだ。視界がよくなったことで気分も急激に上向いた。月が出るまでの本当の暗闇では周囲の景色がまったく見えないので、たとえば風が強まるとその轟音（ごうおん）が異様に臨場感を増して、恐怖心や不安感が増幅され、これ以上行動しないほうが身のためではないかと前進を躊躇う気持ちにさせられるのだが、それがひとたび月が出て明るくなっただけで、そうした負の感情はあっという間に吹き飛ばされ、どこまでも歩いてやろうという気持ちになってくる。

月の光に背中を押されるようにその日は一気に前進し、翌日にはケント半島の間近にまで迫った。半島に到着すると風が強まり、一日中テントのなかで停滞したが、昼前にはすっかり穏やかな空模様にかわったので、久しぶりに天測してみることにした。

この日は幸いにもアイスクリスタルも弱く、星の輝きもまずまずだった。停滞して休息も十分とったので身体のコンディションもこの上ない。観測に失敗するほうが難しい気さえしてくる。午後六時頃、私は六分儀の鏡に灯油をしっかりと塗り、羽毛服を着込み、目出帽をかぶり、毛の手袋をつけて防寒にも万全を期して外に出た。数キロ先のケント半島の陸影はすでに闇に沈み、夜空には霧で光がにじんだ無数の星々が煌めき、消える直前のオーロラが残骸のような弱い光を放っている。氷点下三十五度と平常通りの気温で、風はほとんど吹いていなかった。私はまずカペラの観測から始めることにし、観測地点から三メートル先に竹竿を突き刺した。

観測は午後六時と午後九時の二度おこなった。午後六時の観測ではカペラを三回、ベガを三回、木星を三回、ポルックスを一回測り、さらに午後九時の観測ではベガを三回、カペラを三回、木星を四回観測した。同じ時刻に何度観測しても、それは結果を平均して誤差を小さくすることが目的なので、要するに一度観測したのと変わらない。しかし時間をおいて観測すれば、その間に天体は移動して位置を変えるため、同一の星でも別の星を測ったのと同じ結果が得られる。この日は木星、カペラ、ベガをそれぞれ二回、ポルックス一回の計七つの観測データを得たことになるわけだ。

私が採用していた天測方法は〈位置の圏航法〉と呼ばれるもので、経度を出すための最も一般的な方法だ。〈位置の圏〉というのは、観測する天体を仮想的に地球上におろした地点を中心にして、観測者との間の距離を半径にした円のことである。つまり位置の圏が分かれば、観測者すなわち自分は、その円周上のどこかにいることになる。

六分儀で天体の高度を求めると、観測値（天体の高度）と『天測暦』に記された天体の位置要素から、一つの位置の圏を求めることができる。しかし位置の圏が一つだけ分かっても、自分がその円周上のどこにいるかは分からない。円周上のどこにいるかを知るには、天体を二つ観測し、位置の圏を二つ求める必要がある。なぜなら位置の圏が二つ分かれば、その二つの円はどこか二カ所で交差するため、観測者はその二つの交点のどちらかに自分の位置を絞ることができるからだ。そして位置の圏というのは地球レベルの巨大な円であるため、二つの交点は、例えば極北カナダと南米のどこかといった具合に、途方もない距離で離れていることになる。観測者は、たとえ自分の位置を正確に把握していないとしても、さすがにカナダと南米のどちらにいるかぐらいは分かるわけだから、自分が位置する交点を事実上一つに絞ることができるというわけだ。

これが三つになるとさらに絞られる。位置の圏が二つから三つに増えると、三本の位置の圏が交わる点は一カ所なので、その一点が観測者の位置ということになるためである。だが、実際の観測には誤差が伴う。誤差が出ると位置の圏もそれぞれ少しずつずれて、三本の線が交わる点にもズレが生じ、その結果、そこには交点ではなく小さな三角形ができあがる。位置の圏航法には観測誤差に伴うこの三角形が必ずできることになっており、〈誤差三角形〉と呼ばれる。観測の精度が高まるほど誤差三角形は小さくなり位置を正確に絞ることができるが、逆に誤差が大きいと誤差三角形も大きくなり位置を絞りにくくなる。簡単にいうと小さな誤差三角形ができないと、その観測は失敗だったことになる。

この日は、一日でこれだけの数を観測したのは初めてだったし、連続観測して誤差を小さくしたうえ、ハンドレベルによる水平線の割り出しにもかなり気を遣ったので、結果にはかなりの自信があった。六分儀の観測が終了した後、私はテントのなかで『天測暦』と『天測計算表』を広げ、灯油コンロを弱火で焚きながら計算に明け暮れた。観測により得たデータは七天体分なので、位置の圏を七本出すことができる。計算は午前一時に終了した。観測誤差が許容範囲内に収まっていれば、私の五十万分の一の地図の上には一辺が一センチから一・五センチほどの誤差七角形が描かれるはずだ。そしてその中心に私の現在位置が示されることになる。

ところが……結果は悲しいことに、七本の位置の圏は互いに接することなく大きくすれ違っていた。仮に何本か交わっていたとしても、それはそのとき持っていた地図から外れたどこか遠いところの話で、現実に私が今いる場所からは全然かけ離れてしまっていたのだ。

「なぜだ！」

闇の真ん中にポツンと立つテントのなかで、私は思わず大声で叫んでいた。

年が明けて二〇一三年一月一日になった。その日から私はケント半島の海岸線を西に向かった。西風が止むことなく吹き続け、風を正面から受ける非常につらい行進となった。気温が低くても、動いていれば寒さはさほど感じないが、それでも風が強まると事情は一変する。またたく間に鼻や頬は凍傷で固くなり、少し立ち止まっただけで手足の指先が冷たくなる。鬱陶しいのは大気中の水分がまつ毛に付着してできる小さな氷の塊で、視界が遮られるのでいちいち立ち止まっては取り除かなければならない。

季節は冬の底を迎え、午後三時には暗くなった。月も昼間は姿を見せなくなり、日中のわずかな時間をのぞき真っ暗な闇が続いた。暗いなかを歩いていると、気がつかないうちに氷脈や大きな雪の吹き溜まりに乗っかってしまい、そのたびにつんのめる。私は暗くても行動中は極力ヘッドランプを使わないようにしていた。ヘッドランプをつけると足元は明るくなるが、逆に照明の当たる部分以外は見えなくなり、全体的な地形の雰囲気がつかめず、かえって歩きにくくなるからだ。星明かりだけでも、目が慣れれば周囲の陸地や海の感じは何となく分かる。ただしはっきりとは見えないので、足元の雰囲気に変化や危険を感じ取ったときだけヘッドランプで確認することにしていた。時々氷の割れ目が見つかることもあり、ぱっくりと氷の開いた危険個所がないともかぎらない。

翌日になると風は一旦止んだが、今度は東風に変わり、みるみる強まった。風が強まると休憩が一番苦痛な時間となる。地吹雪が吹き荒れるなかを、風を避けるために橇の陰に身をひそめ、こそこそと魔法瓶のお茶を飲み、行動食を食べた。目出帽の口のまわりは吐息が凍りつき大きな氷が付着している。ぶ厚いミトンをはめた手で口の氷をどかしてナッツやチョコレートやカロリーメイトを口に運ぶのは、意外と苦労する作業だった。そしてあっという間に指先は冷えるので、すぐに出発しなければならない。

しばらく歩くとアレキサンダー岬に近づいたが、岬の周りには氷が割れ、それらが積み重なった激しい乱氷帯ができていた。苦労して突破を試みたが、橇が氷に乗り上げてはひっくり返り、なかなか進まなかった。乱氷帯はその先もしばらく続いていた。明るければ強引に突破することも可能だろうが、もうすぐ暗闇が訪れる。闇のなかでこの激しい乱氷帯を越えることを思うと、あまりいい気持ちはしなかった。周りが何も見えないまま、突破口がどこにあるのかも分からず、テトラポッドがごろごろ転がったような乱氷帯を突き進むのは、どう控えめに考えても危険な行為だ。

私は一度来た道を引き返して陸地にもどることにした。闇に覆われ視界が奪われたせいで、陸地に着くまで一時間かかった。海岸線をなぞるように歩いていると、東風がさらに強まっていき、気温も氷点下二十八度にまで上昇した。気圧も下がっており、明らかにブリザードの兆候を示している。風は追い風だが、これ以上風が強まるとテントを立てられなくなるかもしれない。海岸を歩いていると幕営に適当なところがあったので、すぐにテントの設営に取りかかった。

極夜の闇で風が吹き荒れているなかでテントを設営するときは、困難な氷壁を登っているときと似たような緊張感を味わうことになる。手順を間違えるとテントは瞬時に飛ばされ、状況は絶望的となるからだ。ひとつひとつの作業に集中し、手ぬかりなく、しかも迅速にこなさなくてはならない。私はまずペグを堅雪（けんせつ）に突き刺し、テントの風上側を固定し、テントの周囲に雪をのせて風が下に入りこまないようにした。次にポールを差し込んでいくのだが、袋からポールを出した瞬間、私は思わず、くそったれと舌打ちした。ポールのなかのゴムひもが伸びてしまっていたのだ。

登山などで一般的なドーム型テントのポールは通常、使わないときに短く折りたたためるように、何本ものアルミの細長い筒を連結して、それが内側のゴム紐の張力により引っ張られて一本の長い棒になる仕組みになっている。しかし今回のような極寒の地の旅だと、折りたたんだときにゴムが伸びてしまい、戻らなくなることがよくある。こうなると厄介だ。ゴムが伸びた状態でテントを立てると、連結したポールがテントのスリーブのなかで外れ、うまく立てられない。だから伸びたゴムを切断して短くしなければならないのだが、このゴム処理作業には①ポールの端の金属のキャップを外し②ゴムをナイフで切断した後③なかから少し引っ張り出して結び目を作り④先ほど外した金属のキャップをつけなおす、という細かい作業が必要で、温かいミトンを外して手袋一枚でおこなわなければならない。風が強い日などはすぐに指が凍傷になる危険がある。指が凍傷になってしまえば、テントを立てるのも苦戦して、嵐のなかであたふたし、そのうち身体も冷えて動けなくなり窮地に陥るかもしれない。気温が氷点下三十度以下で風が強ければ、こちら側の意図を超えて事態は一気に悪化する可能性がある。少なくとも闇のせいで心理的重圧が倍増しているので、そのような恐怖を感じるのだ。

　地吹雪が吹き荒れ、眼前ではヘッドランプに照らされた雪の粒子が凄まじい勢いで流れていた。私はウエストポーチからナイフを取り出し、ポールの内側からゴムひもを引っ張り、伸びた部分を切断して結び目を作った。危機感で集中力が一気に高くなるのを感じる。三本あるポールのゴムの処置をすべて終えると、今度はポールをテントに差し込み、底が持ちあがらないように慎重に立てていく。風が底に入り込んだ途端、テントは風圧で吹き飛んでしまうので注意が必要だ。緊張する瞬間だ。ポールを二本押し込んだところで、テントは風に対して安定した。すぐに三本目のポールを入れて、テントをしっかりと立てて、ようやく安堵することができた。

　テントの設営以外でも、暗黒極寒の極夜の旅には、前年経験した明るい時期の通常の極地探検とは異なる独特の難しさと怖さがあった。たとえば装備のメンテナンスだ。何しろ太陽が昇らないうえに気温も低く湿度も高いので、テントのなかで着る羽毛服や寝袋がまったく乾かない。羽毛服は乾いた状態なら軽くて温かいが、濡れると膨張力がなくなり空気の層が失われるため保温力が極端に落ちる。極夜世界では日光にさらして乾かすことができないため、羽毛服はひたすら湿り、保温力を失い、重くなる一方なのだ。濡れた羽毛服を着るたびに、極夜では羽毛服はダメだ、とつくづく実感した。

寝袋のほうはさらに悲惨だった。歩き始めてから一週間ほど経った頃、私は寝袋の内側に数センチの氷の粒が何個かできていることに気づいた。それ以降、その氷の粒は日々大きくなり、数センチが五センチぐらいになり、やがて拳大の塊に成長した。原因は寝汗だ。寝ている間にかいた汗が体温で放散して外側に向かい、綿のなかの凍てつく外気と触れるあたりで凍結して粒になり、その粒にまた寝汗が付着し、みるみる大きくなっていくのだ。寝袋は一晩寝ただけで寝汗や吐息で想像以上に濡れるので、北極での徒歩旅行のような長期の行動では羽毛ではなく濡れても保温力の落ちない化学繊維の寝袋を使う場合が多い。私も氷点下四十度対応を謳う化繊の寝袋を使っていたため、氷ができても寒くはないのだが、しかし濡れると重くなるし、それ以上に心理的にストレスを感じる。

次の日は吹雪が止まず停滞となった。私は午後の時間を使ってコンロで寝袋を乾かしてみることにした。旅を始めてから十七日が経ち、寝袋の綿には拳大の氷の塊がたくさんできていた。テントの天井に張り巡らせた乾かし物用のショックコードに巨大な寝袋を固定し、三時間かけて下からじっくりコンロの火で温め、氷を解かしていく。やがて氷は解けて寝袋はずぶ濡れになり、下のほうに水がたまった。試しにギュウッと手で絞ってみると、牛の搾乳みたいに水がぼたぼた滴り落ちる。これはいいと思い、何度も繰りかえしたが、結局、完全に乾かすことは不可能で、温めるのをやめると下に溜まった水がそのまま凍り、別の場所に新たな氷の塊を作り出しただけだった。今回のように一カ月程度の短い旅なら我慢すれば済むことだが、もし二カ月にも三カ月にもおよぶより本格的な長期の極夜探検を実施するのなら、装備の問題は解決しなければならない切実な課題になるだろう。

しかし装備より厄介なのは、なんといっても闇そのものがもたらす圧迫感だ。闇のなかで風が強まると、どうしてもさらに風が強くなることへの恐怖感が生まれ、行動を続けることが躊躇われたり、また暗いなかで乱氷帯があらわれるとなかに突っ込む気になれず遠回りしてしまったりする。それに寝ている間も暗闇の恐怖から逃れることはできない。闇夜で風が強まると、風は他の余計な視覚情報にまぎれず、純粋に、音として独立して聴覚に働きかけてくるため、明るいときより強く恐怖感を煽りたてる。寝袋のなかで、強風が轟々と唸(うな)り声をあげてテントを絶え間なく揺さぶる音に耳を傾けていると、風の音に紛れて正体の分からない奇妙な雑音が聞こえてくる。

ゴーゴー、ザザ……ザザザ……、ゴーゴー。

あれは何の音だろう……。おそらく風でテントと雪がこすれた擦過音なのだろうが、しかしなぜ定期的に聞こえるのだろうか……。

ゴー、ゴー、ブオーン、ゴー、ゴー……。

今の豚の鳴き声みたいのはなんだ？

別のところからはビニールがばたばたと揺れるような音が聞こえ、入口からはカタンカタンと固いものがぶつかる金属音が定期的に響く。缶などあるわけないのに、なぜそんな音が聞こえるのか？　わけが分からないまま私の心理は不安と恐れで暗闇に支配されていき、風の音に対する疑心暗鬼は高まっていく。もちろん実際はただ暗闇のなかで強風が吹き荒れているにすぎないのだが、その風の音は、極夜というものに対して抱いていた私の畏怖を煽り、増幅させる。

やがて、その畏怖心はひとつの現実的なリスクとなって私の心理の内部に立ち上がってくる。風の音に集中するうち、もしかしたら空腹で冬眠できなかった灰色熊が来たのではないか？　という錯覚が生じる。

またすぐそこで音がした。

ガサガサ、ガサガサ……。

錯覚が大きくなり、どう楽観的に解釈しても、何らかの動物がテントのすぐ脇で蠢いていることは、もはや疑いようもないと思えてくる。昂じる不安を抑えきれなくなった私は、濡れて凍りついた巨大な寝袋から出て、護身用に脇に置いてあるショットガンに弾を込め、いきなり熊に頭を食われませんようにと念じながら慎重に入口から顔を出す。ヘッドランプの明かりが暗闇の向こうを照らし出す。ところが吹き荒れる地吹雪と風でたわんだテント、そして白い雪の広がり以外に見えるものは何もない。テントのまわりを丹念に調べたが、キツネの足跡ひとつ見つからない。

「何もねえ……」

冷たく吹きつける風のなか、私は一人でつぶやき、ごそごそとテントにもどるのだった。

6

海岸沿いを西南西に十キロほど進み、そこから南南東に針路を変えケント半島を縦断することにした。半島に上陸してからはコンパスの角度で百三十度、南南東に向けて直進した。この方角でいけばやがて大きな湖があらわれ、そこで百十五度に変えればそのうち半島の内海に到着するはずだ。それが事前に想定したケント半島の縦断ルートだった。上陸地点から湖までは約十キロしかなく、そのうえ湖の横幅が二キロもあるので、よほどのヘマをしない限り、普通に歩けば湖にぶつかることは確実である。

ケント半島の縦断を開始して二日目に小さな湖を越えた。真っ白な雪に覆われたツンドラには基本的に位置を判断できるような地形は何もないが、その唯一の例外が湖である。湖だけは足元がカチカチに固くなるので歩くと分かる。地図を見ると上陸地点から五キロ進んだところに米粒のような小さな湖があったので、このときに越えた湖はおそらくそれだと思われた。その湖から同じ方角で進めば、目標にしている大きな湖にたどり着くので、とりあえず順調に来ているようだった。

幸運なことに風向きも追い風に変わった。雪原には目標物が何もないので、ストックにつけたビニールが風に流される方向を参考に、進むべき方角を探り出す。顕著な地形や氷山、大きな浮氷等が前方に見えれば進行の目印になるが、そうしたものがない場合、このように風向きや、あるいは足元の雪面に刻まれた風紋で進行方向を決めなければならない。

白い大地には何もなかったが、しかしその光景は感動的なものだった。地平線の下に昇っている、ここからは見えない太陽の光の影響で、雪原はどこまでも内部からうすい光を放っているかのように青く色づき、太陽系から遠く離れた氷の惑星を旅しているような気持ちにさせられた。しかしその美しい世界も長続きはしない。まもなく氷の霧があっという間に立ち込め、あまりにも早い夜が訪れた。

月は相変わらず姿をあらわさなかった。日が経つにつれ月の出ない夜を歩くのは次第に苦痛になっていった。足元のスキーとストック以外に見えるものは何もないし、上っているのか下っているのかさえ足元の感覚で判断しなければならない。風の強さも明るいときよりはるかに強く感じられるし、周りがどうなっているのか必死で見極めようとするので目の疲労も並々ならぬものがあった。何より自分がどこにいるのか分からないという不安が精神的なストレスを増大させた。

目標にしていた大きな湖はなかなか姿をあらわさなかった。暗闇のなかを歩いているといくつかの湖があらわれ、そのたびに、ようやく着いた！　と私は喜びを爆発させそうになったが、いずれの湖でもすぐに陸上に乗り上げてしまい、目標の大きな湖でないことが明らかとなった。おかしいと思って地図を見ると、大きな湖の手前には前衛湖とでも呼ぶべき小さな湖がいくつか点在しており、今越えたのはそのうちの一部らしかった。だとすると、前衛湖から大きな湖は目と鼻の先なので、すぐにでもその大きな湖があらわれるはずだ。もうすぐ着く。着いたら位置を確認できる。そう思いながら三十分ほど歩くと、再び足元が固くなった。ストックで突くとコチンと氷の感触があった。ようやく目標の湖に達したことを知り、よっしゃあと私は思わず歓喜の雄叫びをあげた。自分がどこにいるのか分からない、というか、分かっているのか分かっていないのかさえよく分からないという不安から、ついに解放されたのだ。しかし喜びを爆発させるのはまだ早かった。あろうことか十五分ぐらい歩いただけでその湖は終わってしまい、気がつくと私は再び雪原の上に乗り上がっていたのだ。つまり、そこも目標の大きな湖ではなかったのである。

いったいどういうことか。湖はいったいどこにあるというのだ。もしかしたら少し方角を外しただけかもしれない。そう思い、同じ方角のまま十五分ほど歩き続けたが、やはり湖はあらわれなかった。湖以外には位置を知る地形的手がかりは皆無なので、その大きな湖を外すと次にどこで位置を確定できるのか分からなくなる。厄介なことになったと思った。位置が分からない不安は、そのまま村に帰れなくなるのではないかというより大きな不安に直結しているため、ある種のパニックを引き起こす。天測をしたいが、風が吹き止む気配はなかったし、それにいまだに誤差三角形を作れる精度さえ獲得できていない。だから何とか地形を読み取り、位置を突き止めなければならない。

歩いているうちに風は一段と強まり、すでに吹雪に近い様相を呈してきた。ヘッドランプで辺りを照らすと、完全な闇のなか、飛び散る雪の向こうに右から左に向かって下る斜面が見えた。何度も地図を確認するのと同時に、この日に通り過ぎた湖の個数や距離を思い返し、今見えた地形をその記憶に当てはめ自分がどこにいるか必死で考えた。地図には大きな湖の西側に小さな湖が三つ連続し、そこから登りになっている場所があったので、あるいはそこにいるのかもしれない。そう推測し、方角をやや東に修正してしばらく進んだ。だが歩いても歩いても湖はあらわれなかった。やがて暗闇と吹雪に視界が完全に奪われ行動できる状況ではなくなっていた。

その晩はそこでテントを立て、翌朝、準備を終えて外に出た。いつも通り明るくなったら周囲の地形で位置を把握できるのではないかと甘い期待をかけて朝を迎えたが、明るくなっても自分がどこにいるのかさっぱり分からなかった。目の前には昨日までと同じく何もない無辺の白い荒野が広がり、雪が風に乗って川のように流れているだけだった。

その日は氷点下三十九度と冷え込みが一段と厳しくなったうえ、風もいっそう強まった。だが、風向は追い風で、天気自体は晴れていたので羽毛服を着たまま迷わず出発することにした。自分がどこにいるのか早く確定させたいという焦りが、私にはあった。しばらく雪原を登ると突然、周囲の地形全体が緩やかな下り坂に変わった。そこからは追い風に乗ってぐんぐんと下った。最初は一時的に下りになっているだけだと思ったが、その下り坂はいくら下っても終わるということがなかった。追い風に乗り、スキー場の初心者コースぐらいはありそうな坂を、私は駆けるように勢いよく下り続けた。あまりにも下りが続くので、途中でふと、半島に上陸してから自分はこんなに登ってきただろうか。もしかしたら南北を間違えているのではないか？　と不安になり、慌ててコンパスを取り出して、針の南の向きが赤く染まった空を示していることにホッとひと安心するぐらい、その下り坂は続いた。

これだけ下りが続くと、もはや半島の分水嶺を越えたと判断せざるを得なかった。地図を見ると、昨日まで目標にしていた大きな湖のあたりが分水嶺にあたるので、いつの間にか私は湖を通り越していたらしい。湖の大きさを考慮すると、ちょっとそれは考えにくいことではあったが、しかし地形的な現実はすでに分水嶺を越えたことを示している。どこを進んできたのかまるで分からなかったが、しかしこのまま下れば内海に届くことは確実だった。

　昼過ぎから風は再び強まった。感覚的な風速は秒速十二メートル。氷点下四十度近くで風速が十メートルを超えると、何かあったときの対応を常に頭のなかで考えておかなければならない。最低限のこととして風の強さがテントを立てられる限界を超える前に、行動の停止を判断する必要がある。途中で二度ほど橇の陰に隠れて風を避けて休憩した。地吹雪がうなり声をあげながら自分の周りを吹き飛んでいくなか、死にもの狂いでお茶を飲み、ジップロックに入った行動食を少し食べる。だが風はさらに強まり風上に向かって歩けないほどになったので、暗くなる前にテントを立てることにした。

　翌日はテントのなかでまる一日停滞し、その次の朝にようやく風は弱まった。日付は一月九日になっていた。しかし風が弱まったのはいいものの、外に出てみると想像とは異なる光景が前方に広がっていた。目の前に大きな丘があり、その手前を小さな谷が東に向かって下っている。前日の停滞中、私はテントのなかで何度も地図を出しては、自分はここにいるのではないかと色々推測を巡らせ、翌日見ることになる風景を想像していたが、実際に目の前にあらわれたのは想像していた場所とは全然異なる光景だった。出発の準備を整え何度も地図と地形を見比べたものの、よく分からないうちに寒さで手足がかじかんできたので、ひとまず谷間を下ってみることにした。

　午前十一時二十五分、不意に丘の向こうからぎらぎらとした太陽が顔をのぞかせた。

オレンジ色の火柱を立てながら、太陽はそこだけ青い空を真っ赤に染め上げた。四十一日ぶりに見る太陽だった。ケンブリッジベイに太陽が昇るのは一月十二日だが、私は少し南にいたので考えていたよりも数日早い再会となった。

私は十分ぐらい立ち止まり感傷に浸った。いや感傷に浸ろうと努力したといったほうが正確かもしれない。何しろ四十一日ぶりの太陽だ。その太陽を見て、何かを感じるために私は極夜の北極に来たと言っても過言ではなかった。しかし正直に言って、このときはそれほど大きな感動をおぼえなかった。そして大した感動が生まれなかったことに私は軽い失望を感じ、極夜明けの太陽はこんなもんかという虚しさをおぼえた。

自分は極夜というものを少し過大に捉えていたのだろうか。出発前、私は冬の北極を一日中光の射さない暗黒の世界だと思い込んでいた。極夜という字面が醸し出す限界っぽいイメージが究極の闇夜を想像させるのか、どうしても一日中続く漆黒の闇を思い浮かべてしまう。だが実際に来てみると、ケンブリッジベイ程度の緯度だと、太陽が出ていなくても昼間の三時間ぐらいは周囲を十分識別できる程度に明るくなる。それはよく考えてみると当たり前で、日本でも日の出前や日の入り後のしばらくは太陽がなくても明るいものだ。しかも北極の場合は表面が雪と氷ばかりで真っ白なので、光が反射してより明るくなるのだろう。また、よく考えたらこれも当たり前なのだが、極夜明けの最初の太陽は先端を少しのぞかせただけで、すぐに地平線に沈んでしまった。真っ暗闇のなかに突如、赤い太陽が火の玉のようにまるまると昇ってきたら桁違いの感動に包まれるのだろうが、もともと昼間のように明るい時間に先っぽだけ顔を出されても、久しぶりだな……という程度の感慨しかわかないのだ。太陽が昇ったからといって、それまで見えなかったものがいきなり見えるようになるわけではないし、明るい時間が急に伸びるわけでもない。羽毛服も寝袋も乾かせないし、天測にも使えない。太陽はまだ残念ながら私にとって何か役に立つものではなかった。それよりも位置が分からないことのほうが、そのときの私には重大な関心事であり、切実な問題だった。あってもなくても変わらない太陽に感傷的になっている余裕などなかった。

感傷もそこそこに歩行を再開し、谷間を下って行くと太陽はすぐに見えなくなった。谷はしばらく進むと氷の川となり、両側を険しい崖に挟まれた峡谷となった。三台のスノーモービルの跡があらわれ、海が近づいていることへの期待感が高まった。テントを出るときは今日中に海まで行ければ満足だと考えていたが、案外早く着くかもしれない。海に出れば海岸線や岬の方向で位置を決定できる。どこにいるのか分からない状態から抜け出すことができるのだ。途中で一度休憩し、さらに三十分ほど歩くと、川の氷は峡谷を抜けて不意に大きく広がり、そして気づくと広大なグリーンの氷に吸い込まれていた。

海に到着したのだ。嬉しさのあまり思わず雄叫びをあげた。この数日間の不安からついに解放されたのだ。

とはいえ完全に不安がなくなったわけではなかった。時計を見るとまだ午後二時だ。

海に着くには少し早すぎる気がする。私は最終的な位置確認のため周囲の地形を地図と照合することにした。氷霧の向こうにごつごつとした岩山をかろうじて視認することができる。地図を取り出すと、海の向こうにウヴァオジュウグ・ヒルという丘の名前が書き記されていたので、どうやら今見えている岩山がそのウヴァオジュウグ・ヒルとやらであるにちがいなかった。地図上のウヴァオジュウグ・ヒルは、私がいるであろう場所から概(おおむ)ね南西の方角に位置していた。だから実際に見えている岩山も南西の方角に位置しているはずだ。ところがコンパスで確かめると、その岩山は南西ではなく南東に位置していた。おかしい。どういうことだ？　何度か確かめたが岩山は間違いなく南東の方角にあった。次第に私の頭は混乱していった。何度も地図を見て自分がいると考えている場所と、実際に周りに見えている海岸線や岬の位置関係を一致させようとしたが、海岸線も岬も目の前の氷もすべてなだらかに雪に覆われており、アイスクリスタルの影響で距離感もいまいち摑みにくく、よく分からない。そして位置を決定する前に、どうしても地図を持っている手が冷えてかじかんでしまう。手足を温めるために、私は地図をしまって、両手をばんばんと叩きながら歩き始めた。十分ぐらい歩くと身体が温まったので再び地図を取り出して地形を確認したが、またすぐに手足が冷えて歩き出した。そんなことを繰り返すうちに、海の向こうに見えていると思っていた岩山も、実は想像しているほど遠くないのではないかという気がしてきた。

もしかしたらここはまだ海ではないのではないか？

そんなわけはなかった。海氷のあらゆる様相がそこが海であることを示していたのだ。しかし、このときの私には判断の前提となる根拠がすべて崩れてしまっていた。考えてみると自分は四日前から曖昧な距離感と足元の感覚的な傾斜だけをもとに居場所を推測していたにすぎない。確定的な事実を一度も手にしていなかったのだ。それなのに本当に海まで来ているとなぜ断言できるのか？　海ではなくどこかの湖ではないのか？　湖だとしたらいったいどこの湖にいるのだろう。

私は地図を取り出し、自分がいるかもしれない湖がどこかにないか探した。周囲の海岸線の方角や岬の位置などから、それらしき場所を見つけようとした。最初は海岸から七キロ手前にある小さな湖かと思った。だが、歩いているうちに目の前の氷の規模はそんな小規模な湖とは違うような気がしてきた。もっと大きな湖か、あるいはやはり海であろう。暗闇が近づいてきて、それが焦りをいっそう募らせた。なぜこんなに早く暗くなるのだ。明るいうちに場所を確定させなければ、まずいことになる。海岸線や氷が広がる方角をコンパスで測り、それを地図と照合することで自分のいる可能性の高い湖を探しだそうとした。立ち止まっていると身体が冷えるので、冷えたら歩き、温まったらまた立ち止まるということを何度も繰り返した。そしてついに条件がぴったりと重なる湖を、私はひとつだけ見つけ出すことができた。だがそれを見つけたとき、私は薄気味の悪いものを見たときのような、あの身震いをともなう怖気を感じた。なぜなら、その湖とは三日前まで目標にしていた、あの大きな湖だったのだ。

そんなバカな。私は自分の発見を打ち消そうとした。自分はまだこの湖までしか来ていないというのか？　だとすると一昨日の下りはいったい何だったというのだ。あの下りは分水嶺を越えたことを確かに示していた。しかしそれが本当に確実だと自分は言い切れるだろうか。下りが長く続いたというような曖昧な感覚に自分の命を託すことはできるのだろうか？

海か湖か、自分はそのどちらにいるのか分かっていない。血の気が引く思いだった。湖と海は直線で二十キロ以上も離れている。この二十キロの差を埋められないまま行動を続けた場合、自分は村に戻ることすらおぼつかない。絶対にどこかで位置を確定させなければならないのだが、果たしてこれから先のどこでそれが可能になるというのだ。

半ば茫然としながら三十分ほど歩いたときだった。私は海と湖を見分ける、ある簡単な方法を思い出し、つい吹き出した。どうしてこんな小学生でも分かる方法を思いつかなかったのだろう。それほど混乱していたとでもいうのだろうか。こんな簡単なことも思いつかなかった混乱ぶりが恥ずかしくなり、私は周りに誰もいないのに頬を紅潮させた。

ウエストポーチからナイフを取り出し、氷を削り取って舐めてみた。口のなかに塩辛い苦みが広がった。やはりそこは海だったのだ。

7

その晩、頭上に四本の緑色のオーロラが妖しくゆらめいた。しばらくの間、私はその妖艶な美しさにため息を漏らしながら歩いていたが、オーロラはそのうちいつものように夜空の黒い闇にじわじわとけ込んでいった。

歩きながら考えていたことは、やはり極夜の世界で旅を続けるには天測の技術をもっと磨かなければならないということだった。その晩はちょうど天気もよく風も弱かったので午後六時二十分に行動を停止し、夜中に天測を試みた。しかし残念ながらその後、急速に風が強まったため、木星を二回観測しただけで断念せざるを得なくなった。

十二月三十一日にまる一日かけて天測した後は、一時たりとも風が吹きやまなかったせいで、まともな天測は全然できていなかった。この旅ではもうチャンスはやって来ないのだろうかと半ばあきらめかけていたが、しかしその翌日の一月十日、ついに最後の天測日和が訪れた。

その日は朝から風が弱く、ほとんど無風だった。ケント半島の内海を南東方向に直進した私は、暗くなる前に海の対岸の陸地にある小さな入り江に入り込んだ。入り江のなかに入ると風はさらに弱まり、完全に無風となった。アイスクリスタルが強く、星はいくぶん霞んでいたが、それよりも天測の条件としては風がないことのほうが重要だった。入り江は頂上の平らな黒い急崖に囲まれた美しい場所だった。暗くなると、足元の雪が雲海のようにせり上がり、周囲の低い崖がヒマラヤの絶壁のようにそそり立って見える。準備に時間をとるため私は午後四時に橇を引くのをやめ、テントを立てた。スープを飲んで身体を温め、コンロの火の上に足をかざして血行をよくする軟膏をよく揉み込んだ。六分儀を吊るして乾かしてから鏡に結露防止用の灯油を塗り、それから鏡の角度を調整した。乾いた手袋に替え、ヘッドランプの電池を交換した後、ノートやハンドレベルなどすべての観測道具を用意して外に出た。暗闇のなかでしばらくの間は星明かりははっきりと見えなかったが、目が慣れるに従って徐々に白い粒のような光が黒い夜空に広がっていった。

最初にやらなければならないのは、星の光を反射させるための二枚の鏡を平行にすることだ。この作業は鏡についた小さなネジを回すので、薄手の手袋一枚でおこなわなければならない。風がないとはいえ、氷点下三十七度の寒さである。指がかじかむ前に、一番明るい木星に焦点を合わせて鏡の調整をおこなった後、なるべく堅い雪面を探して竹竿をしっかり刺した。最初にベガを観測することにし、立てた竹竿がちょうどベガの直下の少し右にくるように観測位置を決めた。動くたびに高さが変わらないように足元の雪をじっかりと踏み込み、ハンドレベルをのぞきこむ。水平を示す気泡の入った液体アルコールが低温でどろりと粘り気を帯びていた。

　苦労して人工水平線を出した後、ようやく六分儀をのぞきこんだ。やはりこの日はアイスクリスタルが強く、ベガの弱い光だと観測は少し厳しかった。息を止め、見失わないように慎重に、ベガの光を洗濯バサミのほうに下ろしていった。だが途中で寒さと暗さで視力がなくなり、ベガの光が視界から消えた。いったん顔をそむけて六分儀が曇らないように息を吐き、少し休憩した後、もう一度息を大きく吸い込み、再び息を止めて、またスコープをのぞいた。休憩したので視力が回復し、再び竹竿の脇でベガが光を放つのが見える。今度は見失わないように慎重に洗濯バサミに接近させていく。大体洗濯バサミの近くまで下ろしたところで、細かな角度調節のためのスクリューを回して最後の詰めに取りかかった。息を止めているので異常なまでに集中力は高まるが、それと比例するように目の疲労が進み、また星が見えなくなってきた。しかしそこでまた見失っては一からやり直しだ。星を見失わないように洗濯バサミに近づけていき、そしてついに両者の高さが一致したその瞬間、顔を六分儀からそむけ、止めていた息を大きく吸い込む。と同時に頭のなかで一、二、三……と秒数を数え、それから急いで羽毛服の袖をめくって腕時計で時刻を確認した。時計の時刻から口で測っていた秒を差し引くと、ベガが洗濯バサミと接した瞬間の観測時刻が分かる。私は「ベガ　十八時二十一分二十三秒、三十度三十二分〇」と天測計算ノートに書きこんだ。

　この日は一度目の観測でベガとカペラと木星を三回ずつ観測した（正確には木星は四

回だが、そのうち一回は結果がおかしいので計算から除外した)。二時間ほどの休憩の後に再び外に出ると、ベガはすでに地平線近くに沈んでいたので、木星とカペラだけ観測したが(ベテルギウスにも挑戦したが失敗した)、どういうわけか木星は観測値が大きくぶれたため、安定するまで十回連続で観測し、安定した最後の四回を記録に残した。それで手足が冷えてしまいカペラは二回しか観測できなかった。

指が凍え、逃げこむようにして靴の雪を払いテントのなかに転がりこんだ。外とちがってテントのなかにはまだ温かみが残っている。コンロをつけて一息ついた後、私は天測計算ノートを広げ、一月十日の頁に次のような結果を書きこんだ。

ベガ	18時21分23秒	30度32分0
	18時24分31秒	29度58分5
	18時27分37秒	29度55分2
カペラ	18時35分53秒	56度01分8
	18時36分37秒	56度29分0
	18時38分50秒	56度50分4
木星	18時43分45秒	37度45分8

18時48分47秒　38度01分0
18時50分10秒　38度10分6
※信頼に足らないデータを一つ除外した

木星
20時58分32秒　42度00分5
21時00分36秒　42度11分0
21時03分03秒　42度14分6
21時04分45秒　42度21分2
※信頼に足らないデータを六つ除外した

カペラ
21時09分55秒　66度33分8
21時11分56秒　66度39分6

深夜、テントのなかでコンロに火を灯しながら観測結果の計算に追われた。

まずは天体を連続観測して出した値の平均値を計算し、続いて『天測暦』と天体の観測時刻をもとに、それぞれの天体の位置要素を求める。求めた位置要素と、天体の観測時刻、そして自分は今ここにいるだろうという推測位置を、今度は『天測計算表』に掲載された「高度方位角計算表」という数字が何十もの行列に並んだ乱数表みたいなものに当てはめ、何度も足し算と引き算を繰りかえす。この計算をすることで、その時刻に、その推測位置から見えるはずの、天体の計算上の高度と方位を求めることができる。計算上の高度が分かれば実測高度との差を出すことで、推測位置と実際の位置との差が決まる。最終的にはその差を利用して地図上に一本の線、すなわち位置の圏を引くことができるのである。

ヘッドランプの明かりで照らしながら、私は擦り切れた地図の上に次々と線を引いていった。一回目で観測したベガ、カペラ、木星の線、二回目で観測した木星、カペラの線、計五本の位置の圏だ。五本のうち三本はうまく交差し、ケント半島の一部に小さな三角形ができあがった。地図の上にできあがった三角形を私はしばらく眺め、鉛筆でさらに太くなぞった。それは今度の旅で初めて描くことができた誤差三角形だった。ようやく私は極夜の北極で天測に成功したわけだ。この三角形を作るために、これまでのべ十二日、弱々しい星の光を八十三回も六分儀で観測してきたのである。

この日は地図と海岸線の向きから自分の位置を正確に把握できていたので、実用的な観点からいえば、この天測結果に特に意味はなかった。しかし天測の結果と、正確な現在位置とのズレを測ることで、今回の天測システムと自分の現段階における技術の限界を知ることができる、ということはいえるだろう。

この誤差三角形の中心こそ、今回の天測で求めることのできた私の現在位置である。三角定規を地図の上にあてると、両者のズレは距離にして約七キロあった。

七キロの誤差――。

それが現段階における自分の天測のすべてだ。私は地図上に描いたその三角形の真ん中に、消えないように鉛筆で黒い点を強く記した。

旅を開始してすでに二十四日、村に戻った頃にはちょうど一カ月ぐらいになっているだろう。そろそろケンブリッジベイに戻らなければならない。私は翌日、入り江のキャンプ地を出発し、イチビアク湖と地図に書かれた細長い湖を越え、暗くなってから陸地に上がり、月のない真っ暗闇のなかをいくつもの丘を越え谷を下った。闇のなか、わけが分からないまま直進すると、やがてまた潮汐(ちょうせき)の痕跡が見られる氷の上に出た。どうやらケント半島の付け根の幅十五キロほどのくびれた部分を越えて、反対側の海に出たようだ。その晩は自分の位置がよく分からなかったが翌一月十二日、明るくなって少し進むと、細かな岩礁が散らばった湾があらわれ、自分の位置が判明した。そこから奇妙な形の岬を回り込み、北に向かって海岸線沿いの海氷を順調に進んだ。

翌朝外に出てみると、まだ暗かったが、正面に陸地があるのが分かった。地図によるとその辺りにはミント諸島という島々があるらしい。前日まではそのミント諸島を西から回り込んで村に戻るつもりでいたが、実際に外に出てみると、想像していたのとはちがう形状の陸地が目の前にあり、いつものように私は混乱した。今回の旅ではいつもそうなのだが、昼間の視界のきく時間に現在位置を確認できても、夕方以降の暗い時間の行進で位置が分からなくなり、翌日外に出るとまた混乱が始まるのだ。この日も前夜の暗い時間に歩いているうちに、いつしかミント諸島の真ん中に入り込んでいたようだ。私は予定していたルートにもどるため、北に向かって少し歩いた。すると前方に見えていた陸地は私の左側に移ってきた。陸地の感じから私はそれをミント諸島の西側にある二つの島のうちの北側の島だと推測しながら歩いていたが、進むうちに、どうもその推測は間違っているような気がしてきた。その左の陸影が推測通り北側の島なら、別の大きな島がすぐ右に見えていなければならないのだが、どんなに目を凝らしてもそんな島影はどこにも見えなかったからである。だとすると左の島が北側の島という最初の推測が勘違いで、二つあるうちの南側の島なのかもしれない……。

「全然分かんねえ」

私はぶつぶつとつぶやきながら、やむなく前日と同じ方角を保ち北上を続けた。そうこうしているうちに、今度ははるか前方に別の陸地が見え始めた。それを見つけた瞬間、これまでの推測は根本的に全部間違いで、あの前方の陸地こそミント諸島の北側の島にちがいないと考えを改め、黙々とその陸地を目指した。だが一時間後にその陸地に到着してみると、海岸線の向きが予想していたものと異なり、さらに別のよく分からない島影が前方にあらわれた。

何が何だかさっぱり分からない。またしても私は、いつの間にか正確な位置確認ができなくなっていた。いくら頭を悩ませても目の前の島々と地図のなかの島々に合理的説明をつけることができない。私は自分が現在ミント諸島の北側の島にいると仮定し、そこからコンパスの角度を北北東に変え、もう、そこから無理やりケンブリッジベイに戻ることにした。どんなに位置がずれていたとしてもせいぜい十キロかその程度だろうから、北に向かいさえすれば村にたどり着けないことはないと判断したのだ。

私は針路を変え、ビクトリア島と北米大陸を隔てるディース海峡の縦断に取りかかり、往路で通過したビクトリア島のコルボルネ岬を目指すことにした。ディース海峡の縦断は風が強く、つらい行進となったうえ、来るときには出くわさなかった厄介な乱氷帯があらわれた。氷がいたるところで割れ、幅三メートルぐらいある大きな割れ目に、巨大な氷の板が何枚も縦に挟まっている。氷は堆(うずたか)く積み上がり、その陰には寒さでコンクリートのように堅くなった雪が風下側に吹きだまり、長い障壁を作っていた。そうした自然の障害物を避け、なるべく歩きやすいところを探しながら、氷に乗りあげるたびにひっくり返る橇を両手で起こして次々と乱氷を越えていく。乱氷が終わると今度は風が急に強まった。氷点下三十八度のなかで強い向かい風が吹くと、行動は苦痛以外のなにものでもない。すでに顔は凍傷にかかっており、頬の皮膚はべろりと剝け、鼻の表面は固くなり内側がぶよぶよしている。太陽どころか月さえもない、星がわずかしか灯っていない本当の暗闇のなかを風だけが無慈悲に吹いていた。

翌日も強風は止まなかった。出発からしばらくすると背後に昇った太陽の光で、はるか前方にあるビクトリア島の陸影が白く浮きあがった。最初は氷かと思ったが、やはり陸地のようだ。一番はっきりと見える陸影が最も近いコルボルネ岬だろう。そう見当をつけた私は進行方向をその陸影の方に修正し、地吹雪のなかを一心不乱に突き進んだ。しばらくするとアイスクリスタルが強まり陸影は姿を消したが、さきほど見えた感じからすると、もはや岬がそれほど遠くないことは確実だった。

ところが、いくら進んでも岬にはなかなか到着しなかった。午後四時になると辺りは闇の力に支配され、視界が閉ざされていき、いつものように星の光を頼りに突き進んだ。岬よ、早く出てこい。その一心で歩いていると、それまで固かった足元の雪が、急に綿毛のようにふかふかした新雪の深雪に変わった。スキーを履いているにもかかわらず、足がずぼずぼと埋まる。何だろう、この雪は……と不思議に思ったが、そのまま気にせず直進すると、十メートルほどでそのふかふかした雪は終わり、元通りの固い雪面に変わった。しかしあまりに不自然だったため、わたり終えた後に背後のふかふか雪をストックの先で突いてみると、雪に水がずぶずぶとしみ込んできた。

……海水？　それを見たときは、嘘だろ……とさすがに肝を冷やした。おれは今、雪が積もっただけの海水の上を気づかないままわたってきたのだ！

氷の途中でできた割れ目に落ちて死ぬのは、北極探検の遭難で一番よくあるパターンだ。そのパターンに私は完全にはまり込んでいた。九死に一生を得たとは文字通りこのことだ。海中に落ちなかったのは、幸運にも積雪量がそこそこあり厚みがあったからにすぎない。もっと雪の量が少なければ、海中に没し、潮流に流され、氷盤の下に入りこんで死亡していただろう。死体は二度と見つからず、私の妻は結婚してわずか半年で夫を亡くすところだった。海水は淡水とちがって塩分があるぶん粘り気がある。その粘り気と、あとはスキーを履いていたおかげで、雪にかかる荷重が分散され海に落ちずにわたることができたのだ。

それにしても案外落ちないもんなんだな、と思い、私はヘッデンで固い雪とふかふか雪の境目を照らしてみた。両者の間に見た目の変化はなく、表面上は同じ雪面が連続して広がっているだけだ。見た目ではどこが割れ目かまったく分からない。

このぶんだとこの先、どこでまた氷が割れているか分かったものではない。時期は一月半ば、三月や四月とちがってやはり結氷はまだ完全ではなく、潮流が複雑なところでは海水が開いているところがあるのだろう。しかし一度、割れた海水の上を歩く経験をしたことで、逆に私は変な自信をもった。海水が出ていれば今のようにふかふか雪になっているわけだから、ストックでしっかり確認すれば絶対に分かるはずである。それさえ分かれば、海氷の割れ目などもう怖くはない。

それからは割れ目がないかストックでつついて確認しながら、それまで同様一心に岬を目指した。そのうち、十六日ぶりに月が姿をあらわした。背後に浮かぶ三日月を見た瞬間、言いしれない喜びがこみあげてきた。月の出なかったこの十六日間の夜の行進は、地形が見えないだけではなく、足元の氷の状態や、目の前に乱氷帯や雪の吹き溜まりがあるのかすら分からず、海に落ちそうにもなるし、非常にストレスを感じながらの行動がつづいた。しかし月が出ると雪や氷の様子が分かるばかりか、足元の雪面にできる影が目印になるので、進行方向の割り出しも一気に容易になる。月のおかげで歩く速度がさらに上がった。

だが、それにもかかわらず、岬はなかなかあらわれなかった。

私はまた、いい加減おかしいのではないかと疑念にとらわれだした。その日は乱氷もなかったし、歩行速度も申し分なかったので、出発から三時間程度で陸地にぶつかると見込んでいた。それなのに、六時間歩いてもまだ何もあらわれない。あまりにも岬が見えてこないので、またしても南北を間違って進んでいるのではないかというあり得ない疑問を払拭できなくなり、時折、頭上を見上げた。しかし、前方の夜空では北斗七星が煌めき、その柄杓の先には北極星が輝いており、私が北を目指していることを明確に保証している。つまり進むべき方角は間違っていない。それなのになぜコルボルネ岬はあらわれないのだろう?

さらに歩き続けるうち、私は、コルボルネ岬はきっと暗い間の行進で気づかないうちに通過してしまったにちがいないと確信するようになっていた。そして午後六時半になり、ついに陸地にぶつかった。おそらくコルボルネ岬はだいぶ前に通り過ぎ、そこから約十キロ進んだところにある小さな島にたどり着いたにちがいない。その推測が正しければ、村までは直線距離であと七キロしか残っていないことになる。そんなに近くにいるわりには村の灯りがまったく見えないことに若干の疑問は残ったが、アイスクリスタルの影響で視界がぼやけているからにちがいないと解釈し、自分を納得させた。

翌日は猛烈な地吹雪が吹き荒れた。朝食の後に用便で外に出ると、視界は二十メートルぐらいしかなかった。自分が推測通りの小島に着いているのか知りたかったが、まったく不可能だった。とても動ける天気ではなく、村の直前で再び停滞を強いられることになった。風は夕方にピークを迎え、激しい音が轟き、テントが巨人に鷲づかみにされたみたいにゆさゆさと揺れた。過去に体験したなかで最も風の強い日で、寝袋のなかでじっと本を読む以外はできることは何もなかった。夜中に風が少し弱まったタイミングを見はからって外に出たところ、南東方向に陸地が伸びているのが見えたので、少しほっとした。その向きは自分がいると推測した小島の海岸線と、ほぼ一致していたからだ。

ところが翌日の朝、テントを出て私はまたしても途方に暮れた。この旅で何度目になるか分からない茫然自失。明るみに出された風景は、私が小島だと思っていた陸地がじつは小島ではなく、とてつもなく広大な陸地であることを告げていたのだ。またしても自分の推測は全然間違っていたのである。

テントを撤収した後、再び寒さのなかで地図と格闘する時間が始まった。近くの小高い丘に登り海岸線の角度を測ったところ、二つの可能性が浮上した。一つはコルボルネ岬の北の小島をも通り過ぎ、その先のビクトリア島本体にぶつかっているというもの、もう一つは逆にそのはるか手前の、とっくに通り過ぎていると判断したコルボルネ岬の東側の陸地にぶつかっているというものだった。どちらにいるかは何とも判断しかねたが、厄介なのは、もし前者だったら村に戻るためには海岸線を東に向かわなければならないのに対し、後者だと逆に西に向かわなければならないことだった。つまりどちらにいるか判断を間違えると、村から遠ざかってしまう。

風はまだ強く、気温も氷点下三十六度と相変わらず低かった。寒さに身体が蝕(むしば)まれる前に現在位置を判断する必要がある。私は海岸線の角度と、数日前にミント諸島で歩いたルートの記憶から、後者の可能性が高いと結論した。おそらくミント諸島を通過する際、自分が考えていたよりももっと手前で針路をやや東寄りに変えてしまっていたのだろう。前日、氷の割れ目を通過したことも、その推測を裏付けていた。往路に海峡をわたったときは割れ目はまったくなかったので、そこからだいぶ離れたところを歩いていたのだ。確信はなかったが、たぶんそうにちがいないと考えた。

私は海岸線を西に向かって進んだ。この判断が正しければ二時間ほどで海岸線の角度は西から北西に変わるはずだ。

まもなくスノーモービルの跡があらわれ、何となくホッとした。スノーモービルがどちらから来ているのか分からないので、跡を辿っても村にもどれるわけではないが、それでも何もない荒野に突然人間の痕跡があらわれただけで、意味もなく心強くなる。少なくとも村が近づいているのは間違いない。向かい風が地表から雪を舞い上がらせていた。頰や鼻の凍傷が痛むが、その痛みにももはや慣れ、あまり気にならない。そんなことより進むに従ってアイスクリスタルの向こうからぼんやり見えてくる、あの岬の先の海岸線の向きが心配だ。岬の先で海岸線が想定通りの角度を向いていなかったら、私は再びどこにいるのか分からなくなってしまう。

歩きながらこれが北極なのだと私は思った。もはやどんなに遠くても村から三十キロ圏内にいることは確実なのに、その村がどこにあるのか自分はよく分かっていない。あっちにあるはずだと信じているが、同じような確信が今度の旅では何度も裏切られてきた。どんなに村が近くてもそこには北極があり、北極はその不気味なほど暗い泥沼のような深淵に私を引きずり込もうとしているのだ。

南の水平線に真っ赤な太陽が昇った。次第に岬の海岸線の角度が変わる位置が近づいたが、手前で氷が海岸に押し寄せ、それが山となって盛り上がり、その先の風景がなかなか見わたせなかった。氷の山に入り込むと、その表面は風で削られ、ソフトクリームみたいな奇妙な形状の雪がつづいていた。岬はゆるいカーブとなり、その奇妙な景色のなかを一歩進むたびに、先の光景が少しずつ見えてきた。一瞬、予期せぬ方向に、白く光の反射した明るい陸地らしき影が目に飛び込んだ。それを見たとき、心臓の鼓動がかすかに速まった。もしその方向に陸地が続いていたら、自分の推測は間違っていたことになる。その影は陸地ではなく氷の山のようにも見えるが、風が強まるたびに雪煙に隠れ、陸なのか氷なのか判別できない。頼む、氷であってくれ、と心のなかで願いながらさらに前に進んだ。そして最後の氷の山を回り込んだとき、ついに、はるか彼方まで続く陸地の海岸線が目に飛び込んできた。風でむき出しになった茶色い地肌があたかも高規格道路のように力強く、まっしぐらに延びている。首にかけたコンパスを取り出し方角を確認すると、海岸線は正確に北西方向に続いている。思わず喜びの雄叫びをあげそうになった。そのときようやく私は自分の判断が間違っていなかったことを確信できたのだ。

しかし、安心するのはまだ早かった。地図を見るとこの海岸線は北西に十キロ続き、その先にコルボルネ岬がある。コルボルネ岬に到達したら、今度は針路を北西から北東に変えなければ村にはもどれないのだが、暗くなってしまうと、気がつかないうちに岬を通過してしまわないともかぎらない。つまり確実に帰還するには明るいうちにコルボルネ岬を回っておかなければならないのだ。私は焦りを抱えたまま、かなりの速度で歩き続けた。気持ちが焦れば焦るほど、目的地はなかなか近づかなかった。しばらく進むと海岸線は向きを細かく変え、北西から西向きになった。それまで丘のようにせり上がっていた陸地が西に向きを変えた途端、遠浅の岩礁と見間違うほど低いなだらかなものになった。地形的には地図と一致している。間違いない。もはやすぐそこにコルボルネ岬があるはずだ。だが低い陸地はじれったいほどだらだらと西に長く延び、一向に終わりが見えてこなかった。それでもスノーモービルの跡も徐々に増え、それが何本も交差し、岩礁のように低い陸地の向こう側に消えていた。

もう間違いない。もう岬まで行く必要はない。針路を変えて村に向けて陸地を横断してしまおう。そう思い、私は岩がごろごろと転がる風の当たる地面を回り込んだ。そのときだった。

「ああ、見えた……」

思わず脱力し、気のぬけた情けない声がもれた。

すでに暗がりとなった地平線の向こうに、それまで目の前の陸地に遮られて決して見えることがなかったケンブリッジベイの黄色い灯りが、ロウソクの火のように弱々しく浮かんでいたのだ。月とも太陽ともちがう、暖かい、人間の営みが放つ光。それを見たとき、私はようやく北極の底なし沼から抜け出すことができたことを知った。

8

村には翌日の一月十八日に到着し、結局約一カ月間で三百二十キロほど放浪していたことになる。私はダグの家で体を休め、知り合いになったイヌイットの家に立ち寄り、日本に連絡を入れたり借りたコンロを返したりして、帰りの日までの時間をつぶした。帰国したのは一月二十四日だった。

帰国してから私は天測の方法について改めて検討を始めた。

今回の天測システムは水平の出し方に問題があった。竹竿と観測者である私との間隔が短すぎ、その短い間隔を基準に水平を割り出すため、どうしても観測時の姿勢や足元の雪の踏み具合などで細かなズレが生じ、観測結果の誤差につながった。だが極夜を旅するかぎり水平線は見えないので、なんとか別の方法で人工水平線をつくるしか手立てはない。旅の間、考えていたのは、昔の探検家が使っていた水銀を利用する人工水平儀のことだった。水銀は重くて持ち運びが大変だろうが、昔は皆使っていた方法なのだから竹竿よりは確実なような気がする。

帰国して調べてみると、一九七八年に日大山岳部が日本人初の北極点到達を成し遂げたときの報告書に詳しい記述を見つけた。それによるとこの方法は、大きな受け皿に水銀を流し込み、そこに太陽を反射させ、その反射した太陽を水平線がわりに使って観測するらしい。反射した太陽に六分儀で実際の太陽の像を合わせると、光学的な反射の原則により実際の高度の二倍の値が得られるという。やり方は分かったが、しかしこれでは到底極夜の旅には使えそうにない。太陽のかわりに月や木星を水銀に反射させても暗闇のなかでは見えないだろうし、照明器具で照らせば水銀に映った天体の明かりは消えてしまうだろう。

日大隊の報告書以外に何か参考になる記述がないか、私は天測していた時代の探検記にできるだけ目を通した。極夜の天測に直接役立ちそうな記述は見つからなかったが、収穫がないわけではなかった。アムンセンの『南極点』やピアリーの『北極点』も、天測でどのように極点を決定したのかという点で興味深かったが、何といっても面白かったのはナンセンの『極北』だった。

ナンセンの探検はその企画の卓抜さと大胆な行動から、極地探検の世界でも最も先鋭的な行為だったといえる。それは無謀の極みとさえいえた。シベリア北方で沈没した船の漂着物がグリーンランド北西海岸で見つかったことに着想を得たナンセンは、北極海を横断する海流が存在すると想定し、その海流を船で漂流し北極点に向かおうと考えた。そして実際に氷の圧力を受けても浮き上がる丸底型の特殊帆船フラム号を建造し、目論み通りシベリア北方海域で分厚い氷に閉じ込められた。船上で二度の冬を越したナンセンは、どうやらそこで居ても立ってもいられなくなったらしい。あろうことか彼は有能な部下のヨハンセンと二十八頭の犬を連れてフラム号を出発し、北極点に向けて生還の望みの薄い前進を開始したのだ。

今から百二十年ほど前の一八九五年三月の話だ。当然彼はGPSを持っていなかった。衛星携帯電話もなければ、ボタンを押したら「助けて！」と発信する無線機器が登場することなど想像すらできなかった。それどころかフラム号はナンセンが離船した後もあてどもない漂流を続けているわけだから、船に戻ろうと思っても、そこにはもう船はない。つまり帰路は絶たれている。たとえ首尾よく北極点にたどりつけたところで、今と違ってそこにロシアの観光用基地があるわけではないし、ベテランの名物パイロットが双発機で迎えに来てくれるわけでもない。彼は広大な北極海を彷徨(さまよ)った末に、天測を頼りにどこかの陸地に自力で帰らなくてはならなかったわけだ。

フラム号を離れてから約一カ月後の四月八日、ナンセンは北緯八十六度十三分六に到達し、当時の人類の最北到達記録を塗りかえた。その場所で北極点到達を断念し、ロシア北方のフランツヨゼフ諸島を目指して針路を変える。

彼の本を読んでいて興味深かったのは、旅の局面が変化した途端、彼のなかで天測が持つ意味合いも同時に変化していたことである。

北極点を目指すまでの天測はいわば記録達成を知るための手段だった。北極点までどのぐらいの距離が残っているか、すでに過去の最北到達記録を塗りかえたのか、天測をすることでナンセンはそれらを認識することができた。一方、針路を変えてフランツヨゼフ諸島を目指してからの天測は、より切実な、いわば生きて人間界に帰還するための手段に変わった。天測で正確な位置を決定できないかぎりフランツヨゼフ諸島に到達することはできず、生還して家族と再会することは不可能となる。技術的な面から考えても観測はそれまでより難しくなる。北極点に行くまでは基本的に緯度が分かっていればいい。経度を示す子午線は北極点に向かって収斂(しゅうれん)していくため、経度そのものにさほどの意味はなくなるからだ。そして緯度というものは六分儀で天体の南中時の高度を測れば分かるので、観測に伴うハードルはやや低い。それに対し針路を変えてフランツヨゼフ諸島を目指してからは、東西への移動が加わるので緯度よりも、むしろ正確な経度を出すことのほうが重要となる。そして経度は六分儀で高度観測をすることに加えて、正確な時刻を分かっていなければ算出できないので、緯度の算出に比べ、困難度も、それに作業に伴う煩わしさも格段に高い。

最北到達地点から引き返し、フランツヨゼフ諸島を目指し始めてからのほうが、天測に対するナンセンの態度は明らかに真剣になる。彼は自らが出した天測結果が信頼に値するものなのか、毎日のように気をもんだ。しかも彼が歩いていたのは北極海を漂う氷の上だ。二十キロ南に歩いたつもりでも、風や潮流の影響ですぐに北に五キロ戻ってしまっているという極めて不確かな場所だ。しかもGPSがない時代なので、彼にはおのれの立つ氷盤が東に動いているのか、それとも西に動いているのかその時々で知ることはできない。北極海のどこにいるのかは天測結果で知るしかないのだが、しかし頼みの天測にもどのぐらいの誤差が混じっているのかは究極的には分からない。もしかしたら大きな誤差が出ている可能性も否定できない。おまけに地理的なスケールも想像を絶するほど広大だ。彼らの探検は一週間とか二週間のスケールではなく、狩りで海象や海豹や白熊の肉を手に入れながら、三カ月も四カ月も北極海の上を彷徨っていたのだ。

正確な位置が知りたいという気持ちをナンセンは率直に著書のなかで吐露している。

〈この日までにどこかの陸地に到達できないと破滅だと思っていたのに、陸影はまったく見えない。なんということだ。（中略）私たちは自分がどこにいるのかも正確に知らず、未知の陸地まで後どれくらいあるかさえもわからず、この北の果ての漂流する氷の上でうごめいている。陸地に着きさえすれば生き延びることができ、それから先の故郷への道を切り開くこともできるのだ〉（フリッチョフ・ナンセン、太田昌秀訳『フラム号／北極海横断記―北の果て―』一八九五年五月十七日の記述）

〈昨日経緯儀で測定した経度を計算してみると、東経六一度一一・五分で、緯度は北緯八二度一七・八分だった。どうして陸地が見えてこないのかまったくわからない。ただ一つ考えられることは、東へきすぎてしまって陸地は西の方で南へ広がっている、ということだが、もうそんなに遠くはないはずだ〉（六月五日）

〈氷また氷の同じ単調な光景が続く。もうフリゲリー岬の緯度で、二〜三度北まできているはずなのに、どっちを見ても陸影はなく、開水面もない。自分たちがどこにいるのかわからないし、いつになったらこの氷上の旅が終わるのかもわからない〉（六月十一日）

不安に駆られたナンセンはついに、これまでの天測結果をすべて計算しなおすという七面倒くさいこと極まりない作業に手を付けた。

〈私はフラム号を離れてからの観測値を全部再計算し、陸地がまだ見えてこないのは誤差のせいではないかと思って、この謎を解こうと努力した。太陽が少し見えたので観測しようとしたがだめだった。経緯儀を持って小一時間も待ったが、陽は雲に隠れたまま出てこなかった。私は計算に計算を重ね繰り返し考えてみたが、重大な誤りはみつからず、謎は解けなかった。やっぱり私たちは西へ来過ぎてしまったのではないかと本当に

心配になりはじめた〉（六月十四日）
　驚くべきことに、ナンセンとヨハンセンがフランツヨゼフ諸島に到着したのは、それから二カ月近く経過した八月七日のことだった。彼らは本当に陸地に近づけているのか、つまり生還するために正しい道程を進めているのか、それすら把握できない極限的に不確実な状況のなかで、苦しく単調な行進をつづけた。さらに言えば、フランツヨゼフ諸島に到着したとき、彼らは自分たちがフランツヨゼフ諸島にいることを知らなかった。フランツヨゼフ諸島とその西のスヴァールバル諸島の間の未知の島にいると勘違いしたまま、石の小屋を作り、白熊を何頭も撃ち殺し、その肉を食らいながら越冬したのである。最終的には翌年六月にフランツヨゼフ諸島に滞在していた英国の探検隊と遭遇することで、初めて自分たちがどこにいるのか正確に知ることができた。フラム号を出発してから十五カ月間、熊や海象の肉を食いながら北極海を放浪したこの探検は、記録に残されたかぎりにおいて人類史上最高の冒険行為といっても過言ではないだろう。
　帰国して改めてナンセンの著作に目を通したとき、私は、あるひとつの発見に至った。それは天測という手段によって開示された、このナンセンによる人類史上最高の冒険と、今回のケント半島の旅との間に共通する世界である。
　ナンセンと私の行為はたしかにスケールこそ段違いにちがう。しかし、ナンセンがフランツヨゼフ諸島を前に抱えていた悩みは、私が極夜の放浪の間で感じた悩みとまったく同種のものだった。つまりナンセンが感じていた陸地にたどり着けないのではないか、生還できないのではないかという存在を脅かされているような不安を、私もまたケント半島で感じていたのである。

たしかに私はナンセンと共通した世界を経験していた。それは何かといえば、北極の茫漠性だ。ナンセンは浮き氷と乱氷しか存在しない北極海の自然環境のなかで現在位置を決定することができず、終始、恐ろしい不安と戦った。同様に私も約一カ月の旅の間、視界のさえぎられた極夜のケント半島で村に生還できないのではないかという不安に苛(さいな)まれた。そしてナンセンと私が抱えたこの不安をもたらしたものこそ、北極の茫漠性に他ならない。

読図のランドマークとなるような地形的特徴が存在せず、似たような単調な風景がどこまでも続く北極の自然環境は、常に旅人を先行きの見えない時間の流れに叩き落とし、苦しめる。自然環境を手がかりに旅をする以上、北極では自分がどこにいるのか分からないという不安に苦しめられるのが当然なのであり、言い方をかえれば、北極を旅するとは、自分がどこにいるのか分からない不安を引き受け、その不安のなかで生還への道筋を探す行為なのだといえる。もしGPSのような、自然物や気象条件に関係なく、たちどころに正解を与えてくれるような機器に頼っていたら、茫漠性という北極の真実の姿を認識することはできなかっただろう。天測という自然物を手掛かりに位置を把握する手段を選択したことで、私は北極の北極たる本質、北極の真実の姿を理解することができたのだ。今回、私は荻田君との旅で感じていた、届かないという不完全感をもつことは結局なかった。むしろ、自分がどこにいるのか分からなかったことで、私は北極に届いている、北極を理解することができているという重々しい手応えを得ることができていたのである。

国立極地研究所元所長の渡辺興亜さんと会ったのは二月の風の強い、まだ寒い日のことだった。約束をしていた水道橋駅前の居酒屋の暖簾をくぐると、渡辺さんは北大山岳部の後輩OBと二人で、すでに一番奥の席に陣取っていた。私の顔を見ると渡辺さんは「よおっ」と手を挙げた。テーブルの灰皿からハイライトの煙が立ち昇り、すでに二人とも顔が赤かった。

「ずいぶん顔が凍傷になっているな」。皮がむけて黒くなった私の汚い顔を見て、渡辺さんが野太い声で言った。「寒かったのかい？」

「まあ、マイナス三十五度とか四十度ぐらいでしょうか。風が止まなくて……」

「水平を出せなかったというのはどういうことだい？　いろいろ訊きたいことがあるけど、まずはその理由を訊きたいな」

今回の竹竿による天測システムは、出発前に渡辺さんからの助言を受けて採用したものだった。帰国してからとりあえずメールで簡単な報告をしていたので、自分が提案した方法がなぜ失敗したのか、彼は理由を知りたがっていた。

「観測するときに姿勢が悪くなったり、踵で雪を踏んだりしただけで、水平がずれちゃうんですね。それが誤差につながったんだと思います」

「それは竹竿までの距離が近すぎるんだ。十メートルぐらい離れたところから水平を出せばいいじゃないか」

「それは無理ですね。暗いから目盛が見えない」

「暗いと、水平を出すのが難しいんだよ」

「水銀を使った水平儀ってどうなんですかね」

「見たことはないけど、皿か何かに入れて、それで水平を出すやつだろ？　でも暗いところだと照明が必要になるだろうし、難しいんじゃないかな」

それにしても……と渡辺さんが言った。「極地で位置を出すのがどれだけ大変か分かったんじゃないか」

「そうですね。前にGPSで旅をしたときは、何か北極の表面を引っ掻いているだけという物足りなさがあったんですけど、今回は本当に面白かったなあ。一カ月ぐらい村のまわりをうろうろしただけですが、新しい世界が見えた感じがしましたね」

「昔はみんなそういう風に旅をしていたんだ。天測で位置を出して目印の旗を立てて、それを頼りに戻ってくる。GPSと衛星電話、それに飛行機による補給ね。これが出てきてから極地探検は本当に冒険ではなくなってしまった」

ビールをジョッキ一杯あけ、ウーロンハイを半分ずつぐらい飲んだところで、渡辺さんの後輩が「おーい、ナオちゃん」と給仕さんを呼んだ。

「君はこれからもこういうことを続けるのか」と渡辺さんが言った。

「冬の北極は三年ぐらいかけてやろうと思っています。今回は装備面でも課題が見つかったので、次はグリーンランドに行って毛皮の服とか寝袋とかを試そうと思っています」

そうかと頷いた後、渡辺さんが言った。

「これからどんどんいろんなことが分かってくるよ。とにかく君はね、今、入口に立ったんだ」

第二部　犬との旅

第二部　旅のルート

2014年2月11日～3月22日

北極海
シオラパルク
ケンブリッジベイ
グリーンランド
カナダ
アイスランド
アメリカ合衆国
北大西洋

ピム島

1

京浜東北線の大森駅をおり、居酒屋や小さなオフィスビルがならぶ街中をぬけて十分ほど歩くと、目立たない灰色のビルが建っていた。昔、銀座の一等地にあったというタマヤは、今はそのビルの七階に会社をかまえている。

タマヤ計測システム株式会社を訪れたのは二〇一三年三月下旬のことだ。タマヤは江戸時代初期に創業された古い光学機器メーカーで、六分儀など航海器具の製造業者としては国内でもっとも古い歴史があるという。日本人で最初に北極点に立ったのは一九七八年の日大隊や植村直己だが、タマヤは彼らの北極点遠征にも機材提供というかたちでかかわり、裏方としてその成功を支えた。そんな歴史があるので、天測で北極圏を旅する準備を進めているうちに、自然とその名を耳にするようになっていた。

最初にタマヤに連絡したのは、極北カナダの旅から戻って一カ月以上が経過したあとのことだ。国内唯一の六分儀メーカーだと知りながら、カナダに行く前に接触しなかったのは、単に同社の六分儀は価格が高くて手が出ないと、みみっちいことを考えていたからだ。カナダには堅牢で精巧な同社の六分儀ではなく、アマゾンでも手に入るプラスチック製の安物を持っていったのだが、今思うとそのこと自体、私が天測を甘く見ていたことの証にほかならない。結果的に昨冬のカナダにおける極夜の天測探検は自分の居場所が分からなくなり苦労する羽目となり、今さらながら私はタマヤを訪ね、極夜という特殊環境でも使える六分儀がないか相談することにしたわけだ。

会社に電話をかけると事務の女性が事情に詳しそうな、ゆったりとした声の男性に取りついでくれた。幸運なことにこちらが名前をつたえると、そのゆったりとした声の人は私の名前を知ってくれていた。奇遇にも私とおなじ探検業界に片足をつっこんだ人物であるらしい。

「もしかして、角幡さんって、探検して本を書いている角幡さんですか。いや、あなたの本は読みましたよ。実はね、私も法政の探検部出身なんです」

探検部出身だというだけで、私はニューギニアの奥地でばったり日本人と出会ったかのような心強さをおぼえた。おかげでそれからは話が早かった。私はそのゆったりとした声の人に、今は冬の北極圏でGPSを使わずに探検をしていること、GPSを使わないためには天測をしなければならないこと、ところが冬の北極では太陽が昇らないため通常の方法では天測できないこと等を説明した。

「戦中、軍隊が使っていた気泡六分儀というのがあったそうですね。それが手に入らないかなと思いまして」

「ちょっと調べてみますけど、いずれにしても何かご協力できることがあるかもしれないので、一度、会社のほうに来られてはいかがですか」

私が大森にあるタマヤを訪れたのは、その言葉に甘えたからだ。

タマヤの創業は一六七五年、年号でいうと延宝(えんぽう)三年、江戸幕府でいうと四代将軍徳川家綱の時代にさかのぼる。あまり知られていない家綱の治世については私もよく知らないが、とにかく、その時代に現在の銀座三丁目に玉屋という屋号で眼鏡屋として開店し、明治以降に測量器具の製作や販売も手がけるようになり、軍部にも商品を卸すようになった。日露戦争でロシアの軍艦を追尾するときには同社の双眼鏡が活躍したらしく、タマヤの名は司馬遼太郎の『坂の上の雲』にも登場する。会社の応接間にはその『坂の上の雲』の一節がパネルに入って、いくぶん誇らしげに掛けられていた。

電話に出た、ゆったりとした声の探検部出身の方は甕(もたい)三郎さんという人だった。甕さんは植村直己の『北極点グリーンランド単独行』の単行本の口絵の頁をひらき、そこに写っているタマヤの六分儀を見せてくれた。

「当時は会社がまだ銀座にありましたから、植村さんも北極点に行く前にあいさつにいらしてね。六分儀はこちらが提供して、たしか専用の計算機は購入されたような記憶があります。テントのなかで天測暦を使って手計算するのは大変ですから」

植村が北極点に到達したのは一九七八年。もちろん当時はGPSなどなかったので、北極海で自分の位置を知るには六分儀を使って天測するしか方法がなく、日本で六分儀といえば銀座のタマヤというのが定石だった。

ただ私の場合、植村直己とちがって太陽の昇らない極夜の時期に天測をしなければならない。太陽が昇らないと天測に必要な海の水平線が見えないため、自分で人工水平線を作る必要がある。極北カナダの旅では竹竿を使った簡易な天測システムを試したが、観測誤差が大きく現実的ではなかったので、別の解決策をタマヤに相談することにしていた。電話でふれた気泡六分儀というのはそのひとつで、私の期待が一番高かったものだ。

気泡六分儀は、通常の六分儀に気泡の入った特殊な箱を付けることで、天体と同時に気泡が見えるようにしたものだ。観測時に気泡の位置を調整するだけで六分儀を水平に保つことができるため、水平線が見えなくても問題ない。極夜の暗闇だろうと、北アルプスの山頂だろうと、天体さえ見えればいつでもどこでもその高度をはかって自分の位置を計算できる。

しかし残念ながら、甕さんの返答はかんばしいものではなかった。

「じつは気泡六分儀は現在では製作していないんです。戦前には海軍の発注を受け納入した実績があるんですが、しかしもう会社にはのこっていません」

「じゃあ、新しく作ってもらうのも難しいのでしょうか」

「そうですね。どういう技術で作っていたのかも判然としませんし……」

かわりにタマヤから提案されたのは、通常の六分儀とカナダの竹竿天測で使ったハンドレベルを組み合わせた、いわば簡易気泡六分儀だった。もともと六分儀に付いた望遠鏡のかわりにハンドレベルをとりつければ、非常に簡易的ではあるものの、理屈の上では気泡六分儀とほぼおなじ性能を期待できる。

「六分儀を使用した探検に会社としても興味があり、応援したい気がしております」

後日、甕さんからのメールにはそう書かれていた。

春が終わり初夏にさしかかった頃、前回の極夜放浪で助言を受けた渡辺興亜さんから、八ケ岳で天測合宿をやらないかという、ありがたい誘いがとどいた。元国土地理院の吉村愛一郎さんも一緒だという。八ケ岳にある渡辺さんの知り合いの別荘を借りて、渡辺さんは経緯儀を、私は六分儀を用意することが決まり、まもなく吉村さんから用意すべき機材リストやスケジュールが送られてきた。

雨の心配があったが、私たちは予定通り渡辺さんの車で京王線の橋本駅を出発した。中央道を西に向かい、相模湖をぬけて甲府盆地に入ると左手に甲斐駒ケ岳が見えてきた。別荘に着くと、吉村さんの指示で早速、天測の練習が始まった。渡辺さんは経緯儀で、私はタマヤから提供された簡易気泡六分儀を使って太陽を観測し、吉村さんが観測した時刻と高度を記録していく。簡易気泡六分儀を試したのはこのときが初めてだったが、実際に使用して問題点が浮かびあがった。望遠鏡のかわりに取り付けたハンドレベルが想像以上に暗く、太陽なら問題ないが、恒星程度の光の強さだと見失ってしまい、うまく観測できなかったのだ。

夕食後、家のなかに移動してオールドパーを引っかけながら反省会が始まった。

「ハンドレベルっていうアイデアはいいけど、あれだけ筒が長くて暗いと、実際に極夜で使うのは厳しいんじゃないか」と渡辺さんが言った。

「たしかに星だと厳しそうですね。一等星でも見えるかどうかという感じで、木星ぐらい明るければ観測できる可能性はあるけど……」

「ぼくに言わせると、六分儀を使うのはバカらしいと思うな。それよりも経緯儀を使えば水平線が明確に決まるから、そっちのほうがいいんじゃないか」

渡辺さんにはカナダから帰国した直後にも、経緯儀を使用することをすすめられていた。経緯儀は三脚にのせて使う機械なので、六分儀のように人工水平線をつくる手間をかけなくていい。手で持ってあつかう六分儀は、あくまで波やうねりで三脚が固定できない海という特殊な環境で使用するための道具であり、陸上や氷上のような揺れのない場所だと経緯儀のほうが有利らしい。実際に吉村さんや渡辺さんには南極観測隊のときに経緯儀で測量した実績があり、とくに吉村さんは冬の南極で星を使って天測し、昭和基地より内陸にあるみずほ基地の位置を決めた経験もある。そのときは気温が氷点下五十度まで冷えこみ、三つの星でしか観測できなかったが、出した結果はおおむね正確だったという。

ただし経緯儀にも問題点はあった。三脚も含めた重量が六分儀よりかなり重くなるため、私のように橇(そり)を引いて歩く旅だと、昔の軽くてシンプルなものを探さなければならない。現在の電子化された経緯儀はもとより、渡辺さんが八ケ岳に持ってきた南極で使っていたタイプでさえ、私には重くて到底持ち運びできそうにない（というかそれ以前に価格面で手に入るものではなかったが）。南極観測隊は徒歩ではなく雪上車で移動していたのだ。

「手頃な経緯儀が見つかればいいんですが」

「それがなかなか見つからない。ぼくはかなり探したけど見つからなかった。でも本気になればどこかにあるはずだ。昔は林学や農学の研究室にごろごろしていたんだから」

「そういえば昔、簡単な経緯儀を作っているメーカーがあったので訊いてみましょうか」と吉村さんが言った。

「そうしたほうがいいよ。水平を出す手間を考えると、六分儀はバカらしい」

そう言ったあと渡辺さんは古い知人を思い出したかのように、そういえばアムンセンはどうしていたんだ？　と百年前の探検家の名前を持ち出した。

アムンセンが一九一一年に人類で初めて南極点に到達したとき、意外にも彼は経緯儀ではなく六分儀で極点の位置を特定している。一番近い海岸から千三百キロも離れている南極点では当然ながら肉眼で海の水平線を見ることはできないので、六分儀だけでは天測をすることができない。したがって彼は水平儀という、皿のうえに水銀を流す道具を持っていき、水銀に太陽を反射させて六分儀で観測する方法を選んだ。ちなみにアムンセンの師匠格にあたるナンセンは逆で、フラム号での北極海漂流探検のときには経緯儀をえらんでおり、このへんはもう個人の好みの問題なのかもしれない。

「アムンセンは六分儀ですね。ナンセンは経緯儀を使っていたみたいですけど」

「アムンセンも植村直己も六分儀だった。教えたやつが六分儀を使えと言ったんで、それしか頭になかったんだろう」と渡辺さんは笑った。


八ケ岳から戻ってまもなく、タマヤの甕さんから再び連絡が来た。メールには〈人工水平機能付きの六分儀について新しい提案をしたい〉と書かれていた。

私は八ケ岳からもどってすぐに、ハンドレベルを使った簡易気泡六分儀では星の観測は厳しいという結果を甕さんに伝えていた。同時に、渡辺さんと吉村さんが単純なつくりの経緯儀を探してくれており、その候補となっている経緯儀の具体的なメーカーと型名も書きくわえていた。私としては六分儀だろうと経緯儀だろうと、なんでもいいからとにかく極夜という環境で天測のできる道具が欲しいだけで、別に他意があるわけではなかったが、もしかしたら甕さんは私のメールを見て、「新しい提案」の検討を決めたのかもしれない。だとすると、これはもっと本格的に私の極夜探検にかかわりたいというタマヤからの意思表示なのかもしれない。

タマヤには吉村さんも同行してくれることになった。会社の応接室に案内された私たちは甕さんや他の技術的な担当者に八ケ岳での結果について改めて簡単に報告した。

「ハンドレベルで試してみたんですが、やはりちょっと暗かったんです。一等星だと見えないことはないんですが、気泡を見るためにヘッドランプの光を上から入れると、それも消えてしまう。せっかく用意していただいたんですが、これだと実際に使うのは難しいかなと……」

「いや、そういう話を聞いたもんですから。ちょっと、これ見てください」

甕さんはA4用紙にプリントアウトされた何やら古めかしい印刷物のコピーを取り出した。表紙には〈九三式氣泡六分儀説明書〉と厳めしい文字が記され、会社の名前も《株式會社玉屋商店》と昔の屋号で書かれている。

「いろいろ探していたら、戦前に作っていた気泡六分儀の説明書が出てきましてね」

「えっ？　本当ですか？」

「九三式ってのは皇紀二五九三年という意味ですね。戦前の軍用品は皇紀を使って何年式と呼んでいましたから。ゼロ戦ってのは皇紀二六〇〇年のことで、それと同じです。たぶん海軍が、水平線が見えないときでも天測ができたほうがいいということで、それでうちに製造の依頼があったんだと思うんです」

甕さんが九三式気泡六分儀の写真を見せてくれた。ネットで見たことがあった航空機用の気泡六分儀とちがい、普通の六分儀の前方に三角形の箱がつく形になっている。この箱のなかには縦横二つの気泡管が入っていて、二つの位置を調整することで六分儀を水平にすることができるという。ただ、気泡六分儀のむずかしいところは観測中に気泡が揺れることだ。八ケ岳での経験からすると、気泡の位置を手で調整しながら星を観測するのは想像以上に難しい作業で、しかもそれを氷点下四十度の北極でやらなければならない。

甕さんによると、帝国海軍もこの問題が解決しなかったせいで九三式を採用するのを断念したらしい。

「船の上だと手振れがひどく、観測するときにどうしても気泡が動いてしまい、精度は高くなかったそうです。観測誤差は常に十分ぐらいあったとか……」

「十分！」。私は思わず声をあげた。「それは大きいですね」

十分という角度を、単純に距離におきかえると十海里、すなわち十八・五二キロに相当する。熟練した航海士が普通の六分儀で天測した場合、誤差は一海里におさまると言われており、そう考えると十海里というのはかなり大きな誤差だ。私の感覚でも十分も狂ったら、正直、実践では使えない。

「海軍には九三式を数百台納品したんですが、それ以上は作らなかったようです。結局、揺れで誤差が生まれてしまうので、正式には採用されなかったんでしょうね」

「ただ今回は地面の上に立って観測するわけですから、そこまでの誤差は出ないとは思うんですが……」

技術の担当者がそう指摘すると、吉村さんが言った。

「いや、この前、彼が観測しているのを見たんですが、やっぱり気泡だとぶれてしまって正確な観測は難しいんですね。しかも極地は環境が厳しいでしょう。やっぱり三脚で固定できるようにしないと無理なんじゃないかと思うんです」

吉村さんが言うように、もし気泡六分儀を三脚に取りつけられるようにしたら、経緯儀と同じような使い方ができることになり、六分儀の軽さ、正確さ、そして経緯儀の観測しやすさという、それぞれの良いとこ取りをした理想的な道具になる。

「なんとか改造できませんか」と私が尋ねると、甕さんが言った。

「やるとしたら取っ手の部分を改造するしかないですが、まあやってみましょう。天測といったら、やっぱり六分儀を使うというイメージがあるじゃないですか。うちも今は日本で六分儀を作っている唯一のメーカーだし、今でも年間に四百台ぐらいは出荷している。GPSを使うようになったといっても、やっぱりいざというときに天測の技術がないとダメなんですよ。天測はのこしていかないといけないんです」

天測の技術的な問題を解決する一方、極夜探検の活動場所も前回のカナダからグリーンランド北部へうつすことにした。理由は単純、前回訪れたケンブリッジベイに極夜的な面での物足りなさを感じていたためである。

これはイメージとして致し方ないことだが、やはり極夜というとどうしても暗闇を想像する。事実、私が極夜に関心を持ったのも、二十四時間、闇に閉ざされた世界とはどういうものなのか、という純然たる未知への好奇心からだった。しかし、この点に関するかぎり、ケンブリッジベイでは少し明るすぎた。ケンブリッジベイは北極圏ではあるが北緯六十九度と比較的南に位置するため、極夜期間は約一カ月と短く、太陽も地平線近くまで昇ってくるので、昼間の三、四時間は何の支障もなく周辺の地形が見えるほど明るくなるのだ。

ケンブリッジベイ周辺で一カ月ほど橇を引いて分かったことは、自分はもっと真っ暗になる北の地域を旅してみたいのだということだった。そこで次の旅の目的地として思いついたのが、北緯七十七度四十七分にあるグリーンランド最北の村、というか先住民集落としては世界最北にあたるシオラパルクだった。シオラパルクの極夜期間は十月下旬から二月中旬にかけて四カ月近くあり、他のどの集落よりも長く、かつ暗い闇につつまれるのである。

極夜的にそれ以上の環境にある集落は地球上に他にないので、カナダにいるときからすでに、私はそのシオラパルクを起点に北上し、最終的に隣のエルズミア島にわたるという極限の徒歩旅行を夢想していた。

しかし、それには難題があった。じつはシオラパルクの周辺は真冬の間は海の結氷がよくないという話をちょくちょく聞いていたのだ。シオラパルクから長い旅をするとなると、地図を見るかぎりエルズミア島にわたるのがもっとも自然で、私でなくとも誰でも真っ先に思い浮かぶルートなのだが、そのグリーンランドとエルズミア島間の海峡がとりわけ凍らない可能性が高いらしい。

　しかもこの地域は白熊が多いらしく、それも極夜時期に行動を躊躇させる要因だった。かつて荻田君と二人で極北カナダを徒歩で旅したときは、行動中に何度も白熊に遭遇したし、テントにも二度ほど顔を見せたが、それはまだ明るい季節だったから問題なかった。しかし、昨冬にケンブリッジベイで暗闇のなかを旅したとき、私はこんな暗いなかを一人で歩いていて白熊があらわれたら絶対に対処できないな、と身をもって痛感した。白熊がうようよいる地域で極夜の単独放浪はちょっと避けたいというのが偽らざる気持ちだったのである。

　しかし旅が終わり時間が経つと、こうした負の印象は風化し、何とかなるんじゃないかという甘い見通しにもとづいた計画が勢いを盛り返してくる。ちょうどそのころ、長年犬橇で北極圏を旅してきた極地探検家の山崎哲秀さんから、大阪から上京するので会おうとの連絡をもらった。山崎さんは、近年こそ極北カナダを活動の中心としているが、もともと犬橇に習熟したのはシオラパルクであり、同地での越冬経験も豊富だ。間違いなくグリーンランド北部の自然環境については日本で最も熟知している人である。

　池袋の居酒屋で、極夜中にグリーンランドからカナダに行ける可能性があるか訊ねると、山崎さんはその計画は十分に可能性があると断言した。

「大丈夫だと思うよ」

　山崎さんは顔を赤くして、それがとても簡単なことであるかのように太鼓判を押した。

よくよく話を聞くと、山崎さんもグリーンランドとカナダ間の海峡にはそう何度も行ったことがあるわけではないようだったが、しかしそこは経験の豊富な極地探検家だ。山崎さんの意見は、その海峡のなかでも最も狭まったスミス海峡という海域は凍らないかもしれないが、その北のケーン海盆と呼ばれるあたりまで行けば冬でも凍る確率が高いという現地の人から聞いたと思われる生情報がもとになっていた。

ただし厄介な条件が三つほどあった。ケーン海盆は白熊が多いうえ、ひどい乱氷帯で、海峡の幅が百キロもあるという。

「ケーン海盆はすぐ南で浮き氷がダムみたいにつまって、無茶苦茶な乱氷帯になるみたいだね。犬橇だったら無理だろうけど、歩いて橇を引くなら行けるんじゃない。でも角ちゃん、猛烈に大変だよ」と山崎さんは笑った。

白熊だらけの不安定な乱氷帯を、極夜の暗闇のなか百キロも行進する。少し考えただけでも荒唐無稽な計画だし、それに山崎さんが言った「行ける」という肯定語も、後から考えると百パーセント行けないわけじゃなくて、七割方無理だろうけど三割ぐらいは何とかなるんじゃないかという意味だったのかもしれない。しかし、いい具合に酔っていたのだろうか、私は彼の話を聞いていて、そうか、行けるんだ……と目の前の霧がパーッと晴れたような爽快な気分になった。しかも山崎さんもこの冬はシオラパルクに戻り、犬橇のチームを再編成する予定らしく、もし私が行くのなら借りる家の手配などの準備を手伝ってくれるという。実に好都合なことだ。私はその場で将来カナダにわたることを視野に、この冬はシオラパルクで偵察旅行をすることを決めた。

あとは技術的な問題である。

「白熊対策はどうしたらいいですかねぇ」

私がそう質問すると、山崎さんはそんなことは全然問題ではないというかのように答えた。

「犬を一頭連れて行けばいいんじゃない。白熊が来たら吠えてくれるし、向こうの犬なら一緒に橇も引いてくれるはずだから」

その瞬間、星々の煌(きら)めく闇夜のなか、犬を連れてただただ白い氷原を歩く光景が、あざやかな映像となって頭に浮かんだ。

2

グリーンランドに向かったのは年が明けて二〇一四年一月九日となった。

シオラパルクで極夜が始まるのは十月下旬なので、本来の計画では十一月頃現地に乗り込み、冬至前後のもっとも暗い時期に現地を旅して偵察するつもりでいた。ところが私生活面でのっぴきならない事情が生じ、私は出発を遅らせることにした。

その事情というのは妻の出産である。懐妊が分かったのは二〇一三年四月、予定日は十二月二十四日ですなわちほぼ冬至。出産が思いっきり極夜の暗黒時期と重なることになってしまったのだ。

妊娠が明らかとなった直後こそ、私は家庭のことより自分の探検を優先し、出産に立ち会わず予定通りシオラパルクに向かうつもりでいた。しかし、もともと人間が最も生物に立ち返る瞬間ともいえる出産という営為に非常に関心があった私は、妻のお腹が大きくなるうちに、これは立ち会ったほうがよい、むしろ立ち会ったほうが面白そうだ、是非とも妻が子供を産む瞬間を共有したい、といった欲求を抑えられなくなった。どうせ今回は地域の偵察なわけだから無理に暗い時期に行く必要もないし、考えようによっては極夜に慣れない状態で本番の旅を迎えたほうが新鮮さや驚きは増すわけで、むしろ今回は時期をずらすべきだとさえいえる。そんな考えもあって旅程を変更することにしたわけだ。

予定日から三日遅れた十二月二十七日、激烈な陣痛の痛みに絶叫をあげ、苦しみ悶(もだ)えた末に、妻は三千グラムの女の子を産んだ。難産だっただけに横で見守った私も漫画みたいに涙をぼろぼろとこぼし、感動した。そして出産が終わった瞬間にグリーンランドまでの航空券を予約し、残りの準備を進め、二週間後には妻と生まれたばかりの娘の見送りを受けて成田空港を飛び立ったのだった。

日本からシオラパルクに向かうには、通常コペンハーゲンからグリーンランドに入域し、三回乗り換えてカナックという集落に向かう。グリーンランド北西部は昔からチューレ地区と呼ばれ、カナックはそのチューレ地区の中心地で、唯一、飛行場のある集落だ。カナックからシオラパルクまでは約五十キロ。地元の人は夏はモーターボート、冬は犬橇で移動することも多いが、外国人は大抵ヘリコプターで向かうことになる。ヘリは有視界飛行が義務付けられており、少し天気が悪いだけですぐに欠航し、カナックで何日も足止めを食らうこともあるが、このときは幸運にも一日待っただけで天気は回復し、搭乗することができた。

カナックの空港を後にしたのは一月十六日正午過ぎのことだ。年が明けてから天候不良で欠航がつづいていたらしく、機内は物資や荷物であふれんばかりになっている。これらの生活物資に比べると四人の乗客の優先順位はだいぶ低いようで、われわれは後部座席の端っこに押しやられた。

大きなプロペラ音とともにヘリが飛び立った。極夜の真っただ中であるが、昼間は太陽が地平線に近づく影響で、風景は真っ暗闇というよりいくぶん明るみのある青黒い闇といった様相を呈している。シオラパルクまでの飛行時間はわずか十五分ほど、村は切れ込んだフィヨルドの海岸線にあり、周囲を標高九百メートルほどの山々が取り囲んでいた。山の先には内陸氷床の雪原が真っ平らに広がり、青黒い闇の地平線に消えている。

やがて凍結した海辺のほとりで肩を寄せ合うようにひっそりとたたずむ家々の明かりが近づき、ヘリは旋回して村の高台に着陸した。

北緯七十七度四十七分にあるシオラパルクは、ノルウェー北方にあるスヴァールバル諸島と並び、現在、人間が居住する場所としては地球上で最も北に位置する集落である。人口約五十人。当然宿などあるはずもなく、すでに現地入りし犬橇の訓練を始めていた山崎さんに適当な空き家を見繕ってもらっていた。

ヘリを降り、まずは山崎さんの家に案内された。戸を開けた瞬間、鼻の粘膜が濃厚な血の臭いに刺激された。よく見ると床のたらいのなかに海豹（あざらし）の生肉が転がっている。イヌイットといえば海豹の生肉を食べる食文化が有名だが、山崎さんは自分の食事ではなくもっぱら犬の餌に使うとのことである。コーヒーを飲んで談笑していると、突然、バタンと扉が開き、ニット帽をかぶりメガネをかけたがっちりとした体軀の五十がらみの男が入ってきた。名はケットゥッドゥといい、山崎さんが私に用意してくれていた空き家の持ち主だという。この村で生まれ育った男が皆そうであるように、彼もまた生粋の猟師なのだが、今は指の調子が悪いのと、あとは昨年最愛の妻が性質（たち）の悪い食中毒にかかって急死し、悲しみにまかせて飼い犬を皆処分してしまったこともあり、冬の間は猟に出ず、一日中、誰かの家に遊びに行っておしゃべりをしたり、家でテレビを見たり、酒を飲んで酔っ払ったりして暮らしているという。

ケットゥッドゥに案内されたのは台所と居間と部屋が一つあるだけで、調度品が何もない、居住空間があるだけのがらんとした家だった。事前に石油ストーブが焚かれていたのでなかはすでに暖かいが、ストーブの他には小さな橇が一台、あとはシルベスタ・スタローンを模したと思われる突撃銃をかかえた筋肉ムキムキの男の絵が壁にかけられているだけで、便所すらない。村にいる間はこの家が拠点となる。シャワーは役場の建物のなかに共有のものがあり、万が一身体を洗いたくなったらそこで浴びる。用を足すときはバケツに専用の厚いビニール袋を入れて、その上で空気椅子の体勢をとり踏ん張る。ビニール袋が糞尿で一杯になったら口を縛って外に放り出しておき、完全に凍結させた後、村のはずれにあるゴミ捨て場に捨てる、というのがこの村でのやり方だとのことだった。

到着してから、早速この村に四十年以上も猟師として暮らす日本人の大島育雄さんに挨拶に行った。

『エスキモーになった日本人』という著書のある大島さんは、本のタイトル通り本当にエスキモー、つまりイヌイットになった日本人である。国籍はまだ日本にあるそうだが、シオラパルクに住み始めて四十二年、今では村の一番高いところに家を構えており、息子が一人、娘が四人いて、孫が十人いる。グリーンランドで日本人だと話すと、大抵の人から「シオラパルクにいるイクー(多くの人がイクオではなくイクーと発音する)とは知り合いか」と訊かれるほど現地でも有名で、テレビのドキュメンタリー番組などの取材依頼も多い。

大島さんがシオラパルクに来たのは、植村直己の冒険と関係している。大島さんは学生時代に北極遠征に強かった日大山岳部に所属し、卒業後にエルズミア島にある極北カナダの最高峰への遠征準備のためシオラパルクの村に滞在することになった。同じ頃、北極圏で犬橇を体得したいと考えていたのが植村直己だった。エベレストに日本人で初めて登頂し、五大陸最高峰も世界で初めて完登して冒険家として名を成しつつあった植村は当時、南極大陸単独横断を最大の目標としており、その手段として犬橇を想定していた。植村が極地に強い日大山岳部に連絡をとったところ、ちょうど大島さんがグリーンランド遠征に向けた情報収集を重ねているところで、日大側は情報提供のかわりに植村に先にシオラパルク入りして大島さんが滞在するための地ならしをしてくれないかともちかけた。結果、二人は同時期に協力して北極遠征を進めることになったという。

一九七二年十一月末に大島さんがグリーンランドに初めて来たとき、先に村に来ていた植村直己は覚えたばかりの犬橇で、チューレ基地という米国空軍が管理する空港まで迎えに来た。二人はシオラパルクに長期滞在し、共に犬橇などの旅行技術と極寒地での生活技術を学んだ。しかしその後の道のりはある意味で対照的なものとなった。植村直己はシオラパルクで覚えた犬橇を武器に一九七六年に北極圏一万二千キロの旅、そして一九七八年には世界初の北極点単独到達、グリーンランド単独縦断を成功させ、世界的な冒険家としての名声を確立していく。一方の大島さんは同じ犬橇でも過酷な自然のなかで生活を営むイヌイットの狩猟文化に魅せられ、遠征登山から自然と身を引いて猟師として村で生活をつづけることを選択した。

二人の運命はその後も北極点をめぐって交錯した。一九七八年に植村直己が北極点を目指したとき、日本からは氷上ヨットで挑む堀江謙一隊と日大隊の二隊も北極点に挑戦し、三者が日本人初の栄誉をかけて争う状況となった。堀江隊は出発できないまま撤退が決まり、結局、植村と日大隊とのマッチレースとなった。当然、日大隊のなかには大島さんの名前もあった。すでにシオラパルクで猟師生活を始めていた大島さんは、極地での経験と知識、犬橇技術、それにイヌイット語の語学能力を買われて隊員として招集されたのだ。結果的に日大隊は植村直己よりも一日半早く北極点に到達することになり、日本人初の冠は日大隊の上に輝くことになった。四人の極点到達者のなかには大島さんの姿もあり、大島さんは〝世界の植村〟より一日半早い日本人初の北極点到達者となったのである。

大島さんには教えてもらいたいことが山ほどあった。グリーンランドとカナダ間の海峡は冬になると本当に凍るのか。その海峡に行くには、どのルートが一番効率的か。内陸の氷床はどのようなルートを取ればいいのか。犬は白熊対策として有効か……。

村の一番高いところに立つ大島さんの家を訪れると、居間には〈北極犬橇〉と書かれた植村直己直筆のサイン色紙が飾られていた。当時六十六歳の大島さんはニコニコと笑みを絶やさず、時折、子供のように無邪気にウワッハッハといかにも楽しそうに笑うのが印象的な、率直な物言いの非常によくしゃべる人だった。好奇心の幅も広く、話題は昔の猟師生活から日本の原子力政策に対する疑問点にまでおよび、大島さんの家を訪ねるときは三時間は帰れないことを覚悟しなければならなかった。

「最近は少なくなったけど、かつてのイヌイットは一カ月ぐらいテントを張ってキャンプしながら狩りをするなんてのは普通だったねぇ。昔、イタリアの遠征隊にここのイヌイットが駆り出されたことがあったんだけど、酒ばかり飲んでふんぞり返っているものだから、こんな連中と付き合っていられないといって、コロンビア岬から海峡沿いに狩りをして村まで帰ってきたのもいた」

コロンビア岬とはピアリーが北極点を目指して出発したエルズミア島の最北端にある岬で、シオラパルクまではるか七百キロも離れている。

「すごいよねぇ。あんなところから犬橇で帰ってくるんだから。今はもうみんな村に定着しちゃったから、あまり動かなくなったよね。村にいたらテレビもあるし、最近ではインターネットなんてもんもあるんだから」

「将来的にはエルズミアにわたりたいと思っているんですが、シオラパルクの人は今はもうエルズミアに猟に行ったりはしないんですか?」

「しないねえ」と大島さんは言った。「カナダの国境に検問ができてグリーンランドからの密猟者が来ないかチェックするようになったのね。昔はスミス海峡をわたって自由に行き来していたけど」

スミス海峡というのは、グリーンランドとエルズミア島を隔てる海峡のうちで、最も南側にある狭い箇所だ。海峡の幅は約四十キロ。伝統的に地元民がエルズミア島とグリーンランドをわたる際のルートになっており、植村直己が北極圏一万二千キロの旅をしたときもスミス海峡を越えた。しかし近年は温暖化の影響か、あまり結氷しないという話をしばしば耳にする。日本で山崎さんからわたれる可能性があると教えてもらったのも、スミス海峡の北のケーン海盆だった。

「スミス海峡からケーン海盆の氷の状態はどうなんでしょうか」と私は訊ねた。

「年によって大きな変動があるんだよね」と大島さんは言った。「あのへんは南風が吹いて、沖に浮かんでいた氷が海峡に流れ込んで、ぎゅっと詰まって凍結するのね。昔は大きな氷が浮かんでいて、それが流れ込むもんだから平らな上を歩けたりしたけど、最近はそういう多年氷がなくなったから、ひどい乱氷帯ができるんです。ちょっと前まではその乱氷帯の際に薄い新氷が張って、三月なら犬橇で二、三時間あればカナダまで行けちゃったんだけど、年によってはケーン海盆のほうまで切れ込んで凍らないこともある」

大島さんが昨年三月にスミス海峡の近くまで猟に出かけたときは、海はきれいな半円形を描いて凍結していたというが、それは三月の話だし、また毎年そういうふうに凍るわけではないので、氷については本当に何とも言えないのだという。もしスミス海峡が凍らなかったら、ケーン海盆やケネディ海峡などもっと北まで進んでカナダにわたらなければならないが、ケーン海盆は昔から白熊が多いことで有名なので、本音をいえば避けたいところだった。

「白熊はかなり多いようですね」

「今はウヨウヨしているよ。一九七〇年代あたりは逆に少なかったんですよ。ぼくも当時ケーン海盆まで行ったことがあるけど、足跡ひとつないなんてこともあったぐらいで。でも今はずいぶんと増えた。去年、ノルウェーの遠征隊が猟師二人を雇ってスミス海峡の近くに行ったけど、一週間で五頭見たとか言っていたね」

白熊が増えているというのは、極北カナダでもよく耳にする話だった。白熊に対する現代の私たちの常識は〈かわいそうな絶滅危惧種〉というものだ。最近は解けかかった氷の上で餌をさがしてうろついている痩せ細った白熊の姿を、テレビでよく見るが、そうした映像に象徴されるように、白熊は地球温暖化で北極の氷の面積が減少した結果、生息域が狭められ、みるみる頭数を減らした悲惨な犠牲者だとみなされている。しかし、ことグリーンランド北部に関するかぎり、狩猟頭数に制限がくわえられて以降、白熊の生息頭数は増えているというのが地元民たちの実感のようだ。

「今はカナックやシオラパルク周辺で獲れる年間の頭数が決められている。そのせいで昔みたいに何人かで出かけて五、六頭獲って帰るということができなくなった。それにワシントン条約で毛皮の輸出もできないから売ることもできない。猟の旨味がなくなったから、ケーン海盆まで白熊狩りに出る人がいなくなった。山崎君だって、カナダのほうでも白熊が増えすぎて怖くてしょうがないって言っているでしょ？」

「そうですね」

山崎さんがグリーンランドで活動していた頃は白熊と出会うことはほとんどなかったようで、カナダに拠点を移した後、犬橇に乗っていて、いきなり子熊をつれた母熊にものすごい勢いで近づいてこられてびっくりしたという。それ以来、極北カナダで活動中は毎晩のようにテントに白熊がやって来るので、おちおち寝ていられないとよくこぼしていた。私自身も三年前に極北カナダを長く旅したときは五回白熊と遭遇し、そのうち二回はテントにやって来たので、大島さんや山崎さんの話には自分の実感も重なった。

なんにせよ、白熊は北極圏の旅では最大のリスクだ。白熊のリスクのあり方は冬山における雪崩(なだれ)と同様、突発的にやってくるものなので、こちらとしてはその個体が空腹や子連れで凶暴になっていないことを祈るしかない。特に極夜の時期はテントにいるときだけでなく行動中も暗くて姿が見えないので、その危険度ははるかに増す。北極圏の旅とはあくまで白熊が主人の世界にこちらが部外者として訪問するという性格の旅であり、冬の北アルプスを登るときに雪崩のリスクを避けられないのと同様、白熊を避けて通ることはできない。

私は大島さんに訊いた。

「犬がいたら吠えてくれますかね」

「吠えてくれるだろうね。何か異常があると必ず吠えるから」

3

それからしばらく村での生活が始まった。

極夜のシオラパルクは想像以上に暗い地だった。私が到着したのは一月十六日で、冬至から一カ月近くが経とうとしていたが、それでも一日中明るくなることはなかった。同じ極夜の世界といえども、昨年訪れたカナダ・ケンブリッジベイとはまったく様相が異なっている。比較的緯度の低いケンブリッジベイでは、太陽が地平線の上に顔を出すことはなくても、その近くまでは昇ってくるため、午前十一時から午後二時頃までは昼間のように明るくなる。しかしシオラパルクではそういうことはなかった。ケンブリッジベイでは正午ごろになると昼という感じがしたが、シオラパルクは一日中夜という感じしかせず、私の額には寝るときをのぞいて一日中ヘッドランプがついていた。ケンブリッジベイでさえ極夜のなかを旅することはあれほど大変だったのに、本当にこんなところで長い旅ができるのだろうかと、計画の再考を迫られるほどの圧迫感がシオラパルクの闇にはあった。

極夜の暗さだけでなく、文化的な面でもシオラパルクとカナダとは大きな隔たりがあった。ひと言でいえば、シオラパルクでは、衰退したとはいえ、伝統的な狩猟文化がまだしっかりと生活に根差している。狩りに出る男たちはカリブーの防寒衣や白熊のズボンを着込んでいるし、各家の前には櫓（やぐら）があり、そこには解体された海豹や海象（せいうち）の肉塊が無造作に放り投げられている。家を訪ねても海象の胃袋のなかから取り出した生の二枚貝（ちなみに滅茶苦茶旨い）や、ひどい悪臭を放つことで有名なキヴィアと呼ばれる発酵させた海鳥を出してくれる。何よりここでは今も犬橇が冬の生活の足として機能している。子供から大人まで村人は誰もが犬を巧みに扱うことができ、家の前には多くの犬たちがロープにつながれ、冬の凍てつく烈風のなかで生きているのだ。

グリーンランド北西部のチューレ地区に伝統文化が残ったのには、はっきりとした理由がある。チューレ地区は南をメルヴィル氷河、東を広大な内陸氷床、西をエルズミアとの海峡と、周囲を突破不能な自然の障壁にかこまれ、グリーンランドのなかでも陸の孤島として歴史的に独自の文化をはぐくんできた地域なのである。

ヌークやシシミウという主要な町が集まったグリーンランド南西部は、海流の影響で船が接岸しやすく、昔からヨーロッパからの航海者が流れ着きやすい地域だった。最初にヨーロッパからグリーンランドに上陸したのは赤毛のエリックという名で知られるノルウェー人流刑者だった。彼は十世紀の気候の温暖な時期に現在のヌークなど二カ所に移民地を建設し、それ以降、この地域にはノルウェーからの移民が盛んになった。その後、様々な理由でノルウェー人の入植地は衰退したが、十八世紀に入るとデンマークが進出し、南西部に次々と交易会社を設立して植民地化を進めた。しかし、このデンマークの交易会社の影響力もウパナヴィック、つまりメルヴィル湾の南の地域までに限定されており、そこより北の地域への進出は、メルヴィル湾の広大な氷と氷河に阻まれ、海にしろ陸にしろ事実上不可能だったのだ。そのためメルヴィル湾の北の向こうにあるチューレ地区は、つい二百年ほど前まで、外の世界にその存在を知られていないまるっきり未知の世界だった。

初めてチューレ地区のイヌイットと接触した西欧の探検家は一八一八年、英国のジョン・ロスである。ヨーロッパからアジアへと抜ける伝説の北西航路の入口を探すために英国を出発したロスは、海軍の二隻の軍艦を操り、グリーンランドとカナダ・バフィン島とを隔てる広大なバフィン湾をゆっくりと北上した。歴史的な出会いが起きたのは八月九日だ。北緯七十六度近くの朝霧のなかを航行していたロスの軍艦は、十五キロほど離れた海氷上に何人か人間がいるのを見つけた。当時のヨーロッパ人には、これほど北の地域に人間が居住していることは知られておらず、最初は難破した捕鯨船の船員ではないかと考えられた。グリーンランド南西部から来たロス隊の通訳がこの謎の人々に大声で呼びかけたところ、彼らからの反応はなく、ロスの巨大な帆船をまじまじと見つめたあと、奇妙な叫び声をあげ、変わった動作を見せて、大慌てで橇に乗りこんで海岸に走り去った。翌日、彼らが再び近くに姿をあらわしたので、ロスの通訳は白旗を掲げて彼らのもとに近づいた。

「こっちに来てくれ！」

通訳が叫ぶとこの知られざるイヌイットは、いかにも白夜と極夜という二元的世界に住んでいる民族らしい印象深い言葉をのこした。

「お前は太陽からやって来たのか、それとも月からやって来たのか」

ロスの航海以降、新たに〈発見〉されたこの最北の人々は、探検家たちから様々な名前で呼ばれた。ロスは〈北極高地人（アークティックハイランダー）〉と呼び、別の探検家は〈ポーラーエスキモー〉と名付けた。また良かれ悪しかれ、のちに彼らと最も深い関係を築くことになる北極点初到達者のロバート・ピアリーに至っては、〈ピアリーエスキモー〉や〈私のエスキモー〉と、あたかも自分の所有物であるかのような呼称を使った。

チューレ地区の地理的な隔絶ぶりは、十九世紀中頃、つまりロスの探検隊が立ち寄った頃に、彼らがほとんど絶滅しかかっていたという事実により証明される。十五世紀以降の地球規模の寒冷化により海氷が巨大化した影響で、海洋生物の生息数が減少し、狩猟道具を製作するための流木の入手も困難になり、この地域の人口はみるみる減少した。一八五〇年頃の記録によると当時のポーラーエスキモーの推定人口はわずか百五十人、人口が減少しただけでなく、文化そのものも衰退の一途をたどり、彼らは伝統的な舟であるカヤックや弓矢を作る技術すら失っていた。

絶滅寸前だったポーラーエスキモーを救ったのは別のイヌイットの集団だった。一八五〇年代にケッダッハーという有名なシャーマンに率いられたカナダのバフィン島の人々が、伝説的な放浪探検の末にチューレにたどり着き、彼らが失っていた技術を再び伝えたのだ。

いくつかの文献によれば、ケッダッハーはバフィン島のポンドインレットに住む強力な指導力を持つシャーマンだった。降霊術により海のはるか向こうに見知らぬイヌイットが暮らす土地があると啓示を受けた彼は、その約束の地を探すため、一八五〇年代のある年、冬の暗闇が終わり太陽が戻ってきた季節に、三十八人の男女、子供から成る六家族を率いてバフィン島を出発した。彼らは大きな橇にカヤックを載せて氷河を登り、途方もなく広大な入り江をわたり、見知らぬ島に上陸し、対岸が見えないほど大きな海峡を越え、死と隣り合わせの旅を何年もつづけた。彼らと偶然遭遇した英国の探検家は、ケッダッハーのことを次のように報告している。

〈彼らの年老いた長はケッダッハーという頭の禿げた、堂々とした男だった。（中略）これら三家族は二年間、ホルスバーグ岬とクロッカー湾の間のこの海岸で生活していた。だが彼らの知識はここより先の地域には延びていない。彼等はもともと、より南の地域に住む人々で、犬橇を駆ってランカスター海峡の海氷をわたってきた。（中略）彼らはとても太っており、健康そうだったが、カリブーがすべてどこかに行ってしまったと不

平を漏らし、どこに行ったか知らないかとわれわれに訊ねてきた〉（マクリントック『フォックス号探検記』筆者訳）

やがてケッダッハーの集団はエルズミア島にわたり、スミス海峡の近くにあるピム島という小さな島にたどり着いた。ピム島の対岸はいよいよチューレの地だ。ピム島で集団は仲間割れを起こし、二十四人が生まれ故郷のバフィン島を目指して帰路についたが、ケッダッハーは引き続き残った仲間を率いて凍ったスミス海峡をわたり、ついにチューレの地にたどり着いた。彼らの旅は十年ほどの長きにわたったと考えられている。彼らが初めてチューレの人々と出会った場面を描写した文章——彼らの子供が探検家のラスムッセンに語っている——を読むと、まるでヴィクトリア朝英国の探検記を読んでいるかのような錯覚をおぼえる。

〈われわれがそこに滞在していたある日、「橇だ！　橇だ！」という叫び声が聞こえてきた。未知の人々がおり、われわれは二台の橇がそこから近づいてくるのを見た。彼らはわれわれに気づき、接近してきた。彼らこそわれわれが長い間、探し求めてきた人々だったのだ。（中略）われわれは喜びの叫び声をあげた。今、われわれは新しい大地を見つけ、新しい人々と出会ったのだ。われわれの偉大なシャーマンは、彼を疑ったすべての人々よりも偉大であることを証明したのである〉（ラスムッセン『極北の人々』筆者訳）

イヌイットのシャーマンだろうと英国の探検家だろうと、未知の地に上陸し未知の人々と出会った瞬間は同じような興奮につつまれるらしい。

こうしてケッダッハーの集団が移住したことによりチューレの地は再び人口が増え、技術の再興が起き、安定して文化を次世代に伝えることができるようになった。失われていたカヤックや弓矢の製作技術もケッダッハーらによって再導入され、ポーラーエスキモーは以前のように効果的にカリブーや海豹を狩ることができるようになった。

そんな歴史の村なので、百五十年がたった現在でも、チュトレ地区にはアラスカやカナダで失われつつあるイヌイット文化が比較的色濃く残っている。ここにはカナックシオラパルクのほかケケッタとサヴィシヴィックといった集落がある。カナックには六百五十人前後、シオラパルクには五十人ほどの人々が暮らすが、彼らは要するにロスの通訳に「お前たちは太陽から来たのか、月から来たのか」と問いかけた人々の末裔(まつえい)であり、バフィン島から困難を乗り越えて偉大な旅をなしとげた人々の子孫なのだ。

生死の境を綱渡りするかのように紡がれてきた彼らの伝統のなかでも、特別な地位にあると見受けられるのが、犬橇だった。

ケッダッハーが移住する前の絶滅寸前だった時代も、チューレ地区のポーラーエスキモーは犬橇の製作技術だけは失わなかったと言われる。むしろ彼らの犬橇はケッダッハーらカナダからの移住者集団のそれより形態的に優れていたため、逆に移住者のほうがチューレ地区の橇を採用したともいう。絶滅寸前でも手放すことのなかった犬橇、すなわち犬は、彼らにとってある種のアイデンティティーであり、自己存在証明そのもの、彼らの実存そのものだと言える。少なくとも、この村にいると日本では想像もできないような、いや日本語の語彙ではくみつくせないような、人間と犬の深く密接な、きれいごとでは済まない関係に気づく。チューレ地区に来る旅行者は誰しも海氷の上につながれた無数の犬に驚き、この凍てつく大地では犬の協力なしに人間は生き延びることができなかったのだなと、直観するだろう。

そのような地なので、村にいる間は毎日のように犬たちの遠吠えを聞いた。闇のなかでどこかの一頭の犬が気まぐれでうおおんと遠吠えを始めると、他の犬たちも呼応し、水が沸騰するように村全体で一斉に鳴動が始まる。そして、その声には常に、どこか悲しみの表明のような響きが感じられた。自分たちの運命をはかなんでいるかのような、とても切ない声が暗い極夜の闇に響きわたるのである。

たしかに、ここの犬たちは日本で愛護される犬のように快適で安逸な暮らしをしているようには見えない。シオラパルクの村人は今も犬橇を生活手段として使っており、村には夥(おびただ)しい数の犬がいる。犬はペットとして可愛がられるために飼われているわけではなく、橇を引くために飼われている。つまり完全に労働犬である。生殺与奪の権は完全に人間の手に握られており、実際、村のゴミ捨て場にはもはや役に立たなくなったと判断され、殺された犬の死骸が雪に埋もれて転がっていたりする。内臓はカラスに啄(ついば)まれて消失し、腹腔はがらんどうだ。われわれ文明人の目から見れば、それはひどく残酷な光景に見えるが、しかしやっていることはわれわれ文明の側も同じで、われわれは飼うことのできない犬を平気で保健所に運び、自分たちの見えないところでこっそり殺処分してもらう。いくら動物を愛護的に扱っているように見せたところで、不要な犬は裏側で殺されているわけで、生殺与奪権を握っているという意味では、文明側もシオラパルクの村人と何も変わらない。むしろ裏でこっそり殺すのではなく、自分の手で責任をもって犬をきちんと殺しているシオラパルクの人のほうが、欺瞞がなく、はるかに筋が通っているともいえる。

村の人々の暮らしを見ていると、人間と犬との関係を考える場合、こうした生殺与奪の問題は表層的に思える。なぜならどんな犬だって人間に飼われた時点で、命の管理は人間の手にゆだねられてしまうからである。シオラパルクの犬を見ていて感じるのは、人間と犬との関係の本質はそこにあるのではなく、生殺与奪の論理の奥で実現している、生死にかかわる抜き差しならない結びつきのなかにあるのではないかということだ。

シオラパルクでは、人間は犬を使役して移動し、そこで狩りをすることで食料を確保できており、一方犬のほうも橇を引いて人間をある場所から別の場所に移動させることによって餌を与えられ、生きることができる。つまり人間は犬がいないと生きていけないし、犬もまた人間がいないと生きていけない。両者の関係はきわめて相互依存的であり、そこには生殺与奪の論理を超越した、荒野で生きていくために必要な目に見えない信頼が実現している。それは彼らの生活を見ているだけで、はっきりと分かる。ここの人たちは男だけでなく女も子供も犬を扱うことができる。私たちが箸をもって米を食べるように、彼らは鞭を振るって犬を統率する。それに彼らはなかなか犬を手放そうとしない。今では昔のように何カ月も犬橇を駆って獲物を追いかけるような長期の狩猟旅行はしなくなり、犬橇を使う必然性は薄れてきているにもかかわらず、彼らは大量の犬を飼い続け、犬の餌を確保するため夏や秋の間にボートで必死に海豹や海象狩りに励む。彼らの生活を見ていると時々、人間と犬のどちらが主人なのかよく分からなくなるのだ。

彼らが犬を扱うのを見て、私は先史時代に狼が犬に進化したときに発生した人間と犬との原始的な、自然の摂理にのっとった関係が保たれているように思えた。人間と犬が文明発生前の荒野において共同で生き抜くことを誓い合ったときに発生した目に見えない盟約が、ここでは今もまだ、かろうじて履行されているのではないか。厳しい吹雪に耐え、寒さのなかで橇を引くという肉体労働に従事するとき、犬は北極犬として生まれついた自分の能力を十分に発揮することができる。そして年老い、弱り、体力が落ち、その能力が自然との均衡を失ったとき、寒さや吹雪に耐えきれなくなり自然に死んでいく。人間はそのような存在としての犬なるものを統率し、犬を生かし、ときには殺すわけだが、犬をすべて手放してしまったとき、その人間もまた死んだも同然になる。その意味で、ここの人間にとって、犬とは自分と自然とをつなぐ動物であり、さらにいえば自然のなかで自己をあらしめる実存的存在であるようにすら思える。

シオラパルクに来てすぐ、私はともに旅をする犬の選定にとりかかった。

一頭の犬と極地を歩くという旅のイメージは、じつは今回グリーンランドに来ることを決めた、そのはるか以前から私のなかに存在していた。それは北極探検を最初に考えたときに真っ先に思いついた旅の三条件の一つでさえあった。その三つの条件とは単独で、極夜の時期に、犬を一頭連れて行くというものだ。なぜそこで犬が出てきたのかはよく分からないが、とにかく犬は、私の心象風景としての北極の旅において最初から欠かせない存在だった。

白熊対策にはどんな犬がいいのか山崎さんに訊ねたところ、「こっちの人は生まれたときに使えなさそうな犬を間引いちゃうから、そんなに変な犬は残っていないよ」という話だった。要するにどの犬でもそこそこ働くらしい。

「もし今年だけしか使わないなら、五歳とか六歳とかのベテラン犬がいいだろうけど、来年以降も使うつもりなら、一歳か二歳の若い犬のほうがいいかもね」

どうせ犬を手に入れるなら本番の極夜探検のときも同じ犬のほうが継続性があっていいので、私は来年以降に壮年を迎える若い犬を選ぶことにした。誰から買ったらいいのか分からないので、とりあえずたまたま家に遊びにきていた村人に訊いてみたところ、彼は自分の犬をカナックに移動させたらしく、弟の家に連れて行ってくれた。弟はケッダという名で、もともと別の村からの移住者ということもあってか、村長のような役職に就いている割には中心的な立ち位置から外れた男だった。暗いなか、ケッダに案内され、私たちは彼の家からさほど離れていない犬の繋留地に向かった。ヘッドランプの光の先で犬たちが私のことをじっと凝視する。ケッダはかなりの犬を所有していて、犬たちは主人の姿を見ると餌をもらえると勘違いしたのか、けたたましく吠え始めた。

道の一番手前側に、手足が白く、背中から顔にかけて薄茶色の毛で覆われた、狼のような風貌をした犬がいた。他の犬がうるさく吠えて激しく動きまわっているのに比べ、その狼のような風貌の犬は割合落ち着き、威風堂々としているように見えた。私が近寄ると、人懐っこい仕種で顔を寄せてきた。しかしだからといって他の犬のように変にはしゃぎまわるわけでもなく、押しつけがましいところもなく、どこか泰然としていて品格を感じさせた。身体も大きく、力がありそうで、そのうえ顔つきも精悍だった。一歳の雄だという。雌は発情するし子供も産む。もともと雄を買うつもりだった私には、この狼のような犬は年齢も性別も条件にぴったりだった。

「名前は何というの？」

「ウヤミリックだ」

「どういう意味？」

「首輪という意味さ」

ケッダがウヤミリ、ウヤミリと独特の抑揚をつけて呼びかけると、犬は気持ちよさそうな仕種で顔をケッダの手になすりつけた。

その犬は狼に似ているだけでなく、お尻の毛が長く、表情や仕種が愛くるしくて、きれいな顔立ちをしていた。極夜探検も一緒に行くとしたら犬とは何カ月も一対一で過ごすことになるわけだから、かわいいに越したことはない。むしろかわいさのほうが、性格がよさそうかとか力がありそうかということより重要かもしれない。

私たちはその後もケッダの犬を一通り見て回ったが、ウヤミリックほど落ち着いていて、品があり、堂々としているのに、それでいて愛らしい犬は見つからなかった。数日後に私は再びケッダの家を訪れ、ウヤミリックを売ってくれないかと訊ねた。彼は少し考えた後、眉を額に寄せてオーケーとつぶやいた。眉をしかめるのは困惑の印ではなく、了承を示す合図だったようだ。

「ウヤミリックはきちんと橇を引いてくれるだろうか」

「あの犬は橇を引いたことがないので、きちんと躾ける必要がある。二歳の雄のほうが経験があるから、そっちのほうがいいんじゃないか」

私たちはもう一度、繋留地に行き、犬の様子を見たが、ケッダが薦めた、経験のあるという二歳の犬は態度が少し卑屈な感じで、人間を恐れているような目つきをしていた。それに毛並みもぼさぼさしていて、決して良い犬とはいえない。やはりウヤミリックの見た目の良さは、未経験であることを補ってあまりある魅力に思えた。

そのときウヤミリックが大きな声をあげて鳴いた。私が近づくと、彼はすぐに人懐っこく駆け寄り、息を弾ませ、何度も私の左手をベロベロと舐めた。私はこの犬と旅をすることに決め、ケッダに七百クローネ（約一万四千円）を支払った。家に連れて行き、まだ縄を繋ぐための支点がなかったので、家の玄関の階段の下の柱に繋いでおくと、犬は慣れない環境が少し怖いのか、その晩は家の床下に隠れて出てこなかった。

4

ウヤミリックが家に来て以降、犬の橇引きの訓練が私の日課に新たに加わった。初めて犬が家に来た日の午後、橇に六十キロ分のドッグフードを載せて、ともにロープで橇を引き、海へとつづく坂道を下った。風のない天気のいい日だった。海岸線に繋がれた犬たちが、見慣れない犬が通りかかったことに興奮して盛んに吠えて威嚇してくる。私は、すっかり怯えて小さくなったウヤミリックのロープを引っ張り、引きずるように氷のところまで連れて行った。

海岸線には定着氷といって潮汐差(ちょうせき)でできた幅十メートルから二十メートルほどの真っ平らな氷が延々とつづいている。まずはその定着氷を伝って、しばらくフィヨルドの奥に向かって進んだ。犬は私の後ろから付いては来たが、橇を引くという行為は初めてだったし、私にもまだなついていなかったので、上手く引くことができなかった。引いてくれないというより、引きたくても引くことができない、あるいは引くことにどういう意味があるのかよく分からないという様子である。そもそも人間と歩くペースが合わないため、一緒に橇を引いているとどうしても途中で立ち止まったり寝転んだりして、そのたびに後ろから来た橇にぶつかってはハッとして立ち上がり、そして歩きだしてはまた立ち止まるということを繰りかえす。犬に言わせれば私の歩くペースが遅すぎるということになるのだろうが、それにしても何度も寝転がっては橇に追突されてばかりいる姿を見ていると、もしかしたらこの犬はどうしようもない愚図なんじゃないのかという疑念を抑えることができなかった。

「おい、歩けっ！」

私はウヤミリックが立ち止まるたびにストックで尻を叩き、大声で怒鳴りつけた。犬が上手に橇を引くと、私が引くのも格段に軽くなるが、逆に犬が立ち止まると極端に重たくなる。しかし犬は自分がなぜ怒られているのか分かっていなかった。

訓練のあと、私は山崎さんの家に遊びに行きアドバイスを乞うた。

「どうだった？」と山崎さんが犬の様子を訊いてきた。

「後ろからは付いてくるんですけど、橇は引いてくれないですね」

「まあ、最初だから。なつけば引いてくれるよ。あの犬は太っているから相当な戦力になるよ」

「厳しく叱ったほうがいいんですかね。かわいがったほうがいいんですかね」

「角ちゃんの場合は一頭だから、かわいがったほうがいいよ。餌をあげてかわいがってあげれば、そのうちなついてついてくるから」

一歳のウヤミリックはまだ橇を引いた経験は皆無だった。本当なら今年から橇犬としてデビューする予定だったが、その前に私が買って連れてきたため、村を出たこともなければ、白熊も麝香牛（じゃこううし）もカリブーも見たことがなかった。もちろん私はそのことも織り込み済みでウヤミリックを選んだわけだが、それというのも、どうせならまったく経験のないまっさらな犬を選んで、自分の色に染め上げてみたいという光源氏みたいな所有欲がわいたからである。とにかく私はまったく無垢な犬を、自分と一緒に橇を引いてくれるように訓練し、長い旅に連れて行かなければならなかった。同時に私のほうも犬をまともに躾けた経験がないことが、この問題をいっそう複雑にしていた。

そもそも犬と共に旅することを決めたのはいいが、本当に犬は私に付いてきてくれるのかという根本的な部分で疑問があった。犬と一対一で旅するのは、犬橇というチームのでの行動と動き方がまったくちがう。犬橇だったら十頭前後の犬がいて、そのなかのリーダー犬が人間から右と指示されれば右に、左と指示されれば左に動き、他の犬はリーダー犬に付いていくという動き方になる。人間はあくまで後ろから号令をかけ、鞭をふるって命令を出すという立場だ。しかし人間が一人、犬が一頭の場合はどういう隊列がいいのだろう。犬橇のように犬が前で私が後だろうか。だが、人間から指示を受けたことのない子供犬が、私の日本語を聞いて指示通り動いてくれるとは思えない。だとしたら私が前で橇を引き、犬が後で橇を引くという隊列のほうがいいのだろうか。ただその場合は、橇を引いている間、私が犬の様子を見ることができなくなるので、犬が真面目に橇を引いているのか分からない。なにしろ橇には数十キロにもなる犬の食料も積まなくてはならず、犬が真面目に引かないと私一人ではとても運びきれなくなってしまう。

犬との関係で一番難しかったのは、犬に対してどのような態度で接したらいいのか、私自身、戸惑っていたことだ。山崎さんの言うようにひたすらかわいがっても、犬は調子に乗り、私の指示を聞かない甘えん坊になる心配がある。甘えん坊になり、私のことを友人だと勘違いし、旅の途中で腹が空き、橇に積んでいる私の食料を食べるなどしたらそれこそ一大事、下手をすると私の死につながりかねず、それを考える私のことを適切に恐れ、畏怖するよう仕込まなければならない。だからといって殴ったり蹴ったりするばかりでは、性格のねじくれた、人間に対して卑屈な犬になるだろう。村の人に聞くと、言うことを聞かない犬はトンカチでぶん殴ったほうがいいとか物騒なことを平気で言うが、しかし殴るにしても、自分がなぜ殴られるのか犬に理解させなければ意味がない気がする。村人が完璧に犬を統率できているのは、ただ闇雲にぶん殴っているからではなく、適切なタイミングで効果的に殴っているからなのだろうが、その微妙な距離感が犬を躾けた経験のない私にはよく分からなかった。何しろ私にとってはたった一頭の犬だ。きちんと躾けて働く犬になってもらわないと困るし、あまり厳しくし過ぎて嫌われたくもない。なかなか難しい問題だった。

毎日餌を与え訓練をともにするうち、犬は私になつき、村の前でおこなう訓練程度なら問題なく橇を引けるようになっていった。ひとまず橇引きが自分の仕事だということは理解したようだ。そのうちなつきすぎて、私が店に買い物に出かけたり、水を汲みに行ったりするだけで、まるで今生の別れのように、うおおおん、おおん、とひっくり返った金切声で劇的に泣き喚くようになり、店の若い店員から「お前のところの犬は……ありゃダメだな」とからかわれるほどだった。元来、この犬には人懐っこいところがあるようで、隣の家の子犬が遊びに来ると一緒に取っ組み合って雪の上で転がって遊んでいる。犬の飼育に関して一家言もつ妻からは、一歳の犬などまだ中学生程度の子供にすぎないとテレビ電話で言われたが、たしかに子犬とじゃれ合う姿を見ていると精神的には子供の犬にしか見えない。

ただ、この犬には本当に一緒に旅ができるのかと心配になる点が二つあった。一つは堂々とした体軀に似合わず非常に臆病者であることだ。ウヤミリックはとにかくいろんなものを怖がった。若くて経験がないせいかもしれないが、最初は氷の割れ目も怖くてわたれなかったし、氷がズタズタに割れた乱氷帯のなかにも入れなかった。他の犬に対しても過剰にびくついた。村から定着氷に下りるときは必ず周りの犬に吠えられるので、いつも無理やりロープを引っ張って連れて行かなければならなかった。そのうちウヤミリックも吠えられることにウンザリしたのか、ある日を境に突然自分から一番吠えてくる犬の足元に駆け寄り、吠えられる前に滑りこむように腹を見せて降伏のポーズをとるようになった。毎日、強そうな犬の足元で舌を出してへらへら媚びへつらう姿を見ていると、こいつは本当に大丈夫なのだろうかという危惧を払拭することができなかった。

もう一つの心配はまったく吠えないことである。ケッダのところから引き取って以来、ウヤミリックが何かに対して吠えたことは一度もなかった。もちろん鳴くことはあり、私が家を離れるときは、いつも慟哭(どうこく)のように大げさな鳴き声を上げるが、しかし吠えたことは一度もなかった。山崎さんに聞くと普通は餌をもらうときに興奮して吠える犬が多いようだが、ウヤミリックは餌のときも声を出さず、態度だけ興奮気味にばくばくとがっつくだけなのだ。

私が旅に犬を連れて行こうと思ったのは、別に荷物を運搬してもらうためではなく、愛玩犬としてでもない。あくまで白熊が来たときに吠えてもらう番犬としての役割を期待してのことだが、このままではウヤミリックは吠えない番犬となる可能性がありそうだ。

あまりにも吠えないことに不安になった私は、元の飼い主であるケッダのところに本当に大丈夫か確認に行ったが、ケッダは大丈夫だと言うばかりだった。

「犬は白熊が来たら本能的に危険な動物だと察知し、恐ろしくなって唸(うな)り声をあげる。何も問題はない」

そしてケッダは喉の奥を鳴らして、ウーッと低い声を出してみせた。

シオラパルクに到着してから暖かい日がつづいた。気温は下がっても氷点下二十度台、どちらかといえば氷点下十度台の日が多く、極北カナダの凍てつく寒さと比べるとさほど厳しさを感じず、穏やかとさえ感じられた。海氷も村からさほど遠くないところで割れ、闇のなかで黒々とした不気味な深淵をのぞかせている。

犬の訓練と並行して、旅に出る準備も進めた。真っ先に手を付けたのが毛皮服の製作である。

村に到着してから間もないある日、私は大島さんの家に伺い、動物の毛皮の保管庫となっている地下室に案内してもらった。ビニール袋のなかに詰め込まれた兎の毛皮、柱に吊るされた狐の毛皮、何枚も積み上げられた麝香牛やカリブーといった大型動物の毛皮。大島さんが扉を開け電気をつけると、この地域で手に入る、ありとあらゆる種類の毛皮が壁や棚の上にならぶ。これらはすべて大島さんが自分で狩猟し、化学薬品を使って鞣(なめ)したものである。

私が欲しかったのはテントや休憩のときに着る防寒着だ。これまでの極地の旅では羽毛服を使っていたが、羽毛服は極夜の旅では決定的な弱点があることを、私は昨冬のカナダの旅で痛感した。長期間テントで生活するうち、衣類は炊事中に発生した水蒸気や手袋から蒸発する汗、自分が吐いた息などで必ず湿っていく。羽毛には湿ると保温力が極端に低下する弱点があるので、湿ったら橇に括(くく)り付けて行動中に乾かさないといけないが、太陽の昇らない極夜の旅ではそれができず、防寒着としての機能を果たさなくなっていく。

しかしイヌイットが使う伝統的な毛皮服なら濡れて凍結したとしても、羽毛服のように保温力が失われるということはないだろう。

「羽毛服だと濡れて凍って、保温力がなくなって駄目なんですよ」

「カナダを去年歩いたときは、乾かしたんですか」

「太陽が出ないんで、凍る一方でしたね。最初より二、三キロは重くなった気がします」

「ガチガチかい。よくそれで大丈夫だったねえ」

大島さんが言うには毛皮のなかでも軽くて暖かいのは狐と兎で、カリブーは安いが保温力は多少落ち、また毛が抜けるので傷むのが早いという。

「兎は暖かいですか？」

「暖かいよ。ぼくが若い頃は、兎の毛皮なんてじいさんが着るもので、若い奴が着るものではないと言われていたからねぇ」

贅沢品ということだ。特別に格安で譲ってくれるというので、私は大島さんから兎の毛皮を二十五枚ほど購入し、袋につめて家に持ち帰った。

それからは毛皮服の縫製に追われる毎日となった。兎の毛皮は背中の厚いところしか使わないので、まず広げて腹や頭や足の薄い部分を切り落とさないといけない。それから型紙に合わせて毛皮を並べ、一枚ずつ手縫いで縫い合わせていく。毛皮の端っこを五ミリほど折り曲げて、その折り曲げた部分を縫い代にしてかがり縫いしていくのだが、もちろん日本で縫物などすることのない私には簡単な作業ではなかった。毛皮は一枚一枚大きさも形もバラバラなので、並べて縫い合わせても、都合よく型紙通りの形になるわけではなく、あっちが足りなかったり、こっちが飛び出したり、うまく形が合わずに真ん中に三角形の穴ができたりして、その都度、余った毛皮で縫い足していかなければならない。何度も指に針を刺しては悲鳴をあげ、一時間に一本のペースで針はどこかになくなった。朝起きて毛皮服を縫い、昼食を食べて毛皮服を縫い、夕食を食べて毛皮服を縫っているうちに、あっという間に一日は過ぎていった。

毛皮服を作っている間に、大島さんが海豹（あざらし）の毛皮でミトンを作ってくれた。チューレ地区のミトンはボクシンググローブのように掌が握れる形状になっていて、暖かい上にグリップもきくので物を摑んで作業のできるすぐれものだ。また竪琴（たてごと）海豹の腹の固い部分の毛皮を譲ってもらい、それでスキーのシールも製作した。シールというのはスキーの裏に張りつける滑り止めのことで、これを張ればスキーを履いたまま山に登ることもできる。現在はナイロンなどの化繊で作られたものが主流だが、その名（シールとは英語で海豹という意味）からも分かるとおり、もともとは海豹の毛皮を逆毛になるように張りつけて、その摩擦で登るものだった。また、大島さんの奥さんのアンナさんにお金を払って海豹の毛皮でカミックという毛皮靴を作ってもらった。カミックは海豹の毛皮の外靴と、羊の毛皮で作った内靴（通常は兎を使う）を重ねた二重靴で、暖かいだけでなく非常に軽量なのが特色だ。

毛皮関係だけではなく時間を見つけて橇も組み立てた。今回は橇もこれまでのプラスチック製のものではなく、グリーンランド式の木橇を試すことにしていた。プラスチック製の橇は軽くて丈夫だが、壊れたときに修理ができないという致命的な欠点をかかえている。極地では橇の破損は旅行の続行不能を意味しており、村から隔絶された場所で橇が壊れたら基本的には遭難、場所によっては死んでもおかしくない深刻な事態に陥る。もちろん衛星電話があれば電話でＳＯＳを飛ばして、新たな橇を補給してもらうことも可能だが、今回も私は衛星電話を持たないことにしていたので、簡単な工具や釘やロープで修理できる木橇にこだわった。

私は日本から輸送した荷物の梱包を解き、檜(ひのき)の板材をロープでしっかりと縛っていった。グリーンランド式の橇の作り方を大雑把に説明すると、二本のランナー材の上に何枚かの横桁(げた)をわたしてロープで縛るだけだ。ランナー材の先端は氷や岩に引っかからないように上方に反らせて、底に木ねじで滑走面を張りつける。ロープで縛るだけなので柔構造になっており、乱氷や岩に対する衝撃にも強い。今回は群馬県で家具を製作している会社経営者の知人にお願いして、職人さんに手伝ってもらいながら日本で板の成形を終わらせておいた。

そして夜になると六分儀と三脚を手に持ち、村の手前の定着氷でタマヤに作ってもらった新しい気泡六分儀の実地試験を繰り返した。気泡六分儀の使い勝手の良さは、前回の竹竿システムとは比べ物にならなかった。三脚に六分儀を乗せ、望遠鏡をのぞいて気泡を視野の中心にもっていき、つまみをうごかして星を気泡の中心に合わせるだけでいい。前回のように竹竿との間を行ったり来たりしなくてすむので、ひとつの星を観測するのに大体五分程度、三十分もかければ五、六個の星を観測できた。

日を経るにしたがい村は徐々に明るくなっていった。到着したときは暗くて昼間でも何も見えなかったが、わずか二週間で夕方遅くまで視界が得られるほどになった。シオラパルクのような高緯度地方では太陽は日本のように上下に昇ったり沈んだりせず、地平線に沿ってコロコロと転がるように移動するため、一度明るくなり始めるとその時間はみるみる長くなっていく。まだ極夜の時期ではあったが、太陽は徐々に地平線の下に近づいており、姿を見せる時期もまもなくだと思われた。

情報収集も今回の旅では重要な仕事だった。なかでも、将来の極夜探検を考えた場合に重要なのは、海の結氷状態を知ることだ。極夜探検は十二月から一月の結氷の甘い季節に活動することになるため、その時期にはたしてどの程度海が凍っているのか知っておきたい。私は村人が家に遊びに来るたびに、グリーンランド―エルズミア島間の結氷の動向について訊ねたが、彼らも「ナルホイヤ（分からないよ）」とだけ言って、海氷というのはとにかくそのとき、その場所によって状態がちがうので一概には言えないと主張するばかりだった。そして決まってこう言った。

「インターネットで確認しろ」

私としてはせっかくシオラパルクまで来たのだから、自然の叡智（えいち）を知るイヌイットから氷の状態を教えてもらい旅をするという旅情が大切で、かつ帰国後に書く作品でもそういうテイストの報告をしたかったのだが、彼らはそんな旅人の感傷や書き手の事情などお構いなしで、面白味に欠けた現実的な助言をするばかりだった。とはいえそこまで言われる以上、私もネットを見ないわけにいかず、家に回線がつながってからは毎日のようにデンマーク政府が公表する海氷の衛星画像を確認した。

時間を見つけては氷の画像を閲覧した結果、次のことが言えそうなことが分かってきた。まず一月や二月の厳冬期に、かつて植村直己が使い、以前はイヌイットの狩猟ルートでもあったスミス海峡をわたるという案は、考えていた通り除外したほうがよさそうだ。スミス海峡がこの時期に結氷することはありえない。また山崎さんお薦めの、スミス海峡より北のケーン海盆も難しそうだった。グリーンランド―エルズミア島間は北極海から強い海流が流れており、衛星画像を見るかぎり、例年、海流に沿って黒々とした開水面が北に向かって入り江状に切れ込んでいる。その切れ込みはスミス海峡からケーン海盆にかけての氷を深く切り裂き、絶望的な状況を作り出していた。

可能性があるとしたらそれより北だ。海流に沿って開くその黒々した入り江状の開水面は、毎年必ずエルズミア島側に片寄ってできている。正確に言えば、スミス海峡からケーン海盆を突き抜け、エルズミア島のダーリン半島という陸塊にぶつかるまでの区間の海は凍らないが、それ以外は凍るようなのだ。そのことは要するに、ダーリン半島よりも北に行ってしまえば、厳冬期といえどもエルズミア島にわたれる可能性があることを示していた。

行けるんじゃないだろうか……。衛星画像を見るたびに、私は熱い興奮が身体の芯からほとばしるのを感じた。

ただ、行けるとしてもルートは想定していたものより遠大にならざるを得ない。ダーリン半島の北、北緯八十度のケネディ海峡という細い海路まで北上しないと、エルズミア島へわたるのは難しいだろう。実行するとすれば四、五カ月を要する、荒唐無稽といえるレベルのスケールの旅とならざるをえない。しかし荒唐無稽なだけに、私は、ひと冬にわたりどっぷりと北極の闇に浸るこの計画に頭のなかで夢中になった。極夜の期間をまるまる使って、どこの村にも立ち寄らず一人の人間とも出会うことなく、ただ犬一頭を連れて旅をする。私たちの祖先がホモ・サピエンスとして七万年前に母なるアフリカ大陸から飛び出して以来、このような旅をした人間は存在しただろうか。

実際にやるとしたら、やはり事前の準備が成功のカギを握るだろう。四、五カ月間の旅を実行するとしたら、途中のどこかに食料と燃料を備蓄しなければならない。登山や探検の世界ではこれをデポと呼ぶが、デポのためにも今回の偵察旅行は重要だ。実際に犬と旅するのが現実的なのか試し、地域の地形や気象を把握し、安全にデポを設営できる場所も見つけなければならない。私は大島さんの家に何度も通い氷河や陸地のルート、氷床の風向、デポを置けそうな小屋の有無、魚が生息していそうな湖、海氷の氷の状態など様々な情報を教えてもらった。

村から氷床を越えるとイングルフィールドランドという陸地に出る。大島さんによるとイングルフィールドランドの海岸には三つの小屋があるという。そのうち村から一番近いアウンナットの小屋は比較的新しく、石油ストーブも設置された地元民が白熊狩りに使う現役の小屋だ。しかしその他の二つ、イヌアフィシュアクとカッカイッチョックにある古い小屋は、今では誰も使っておらず、正確な位置もよく分からないという。

かつてシオラパルクには、毎年春になると犬橇でイヌアフィシュアクまで行く家族が三家族ほどいたという。彼らはひと夏の間、同地にとどまり、カリブー狩りをして毛皮を集めて、冬になり極夜が本格化する前に犬橇で村に帰ってきた。小屋はその家族らが夏の間に居住していたものだ。しかし一九九〇年代中頃、イングルフィールドランドの東半分が政府によりカリブーの狩猟禁止区域に指定された。この家族らが夏の季節移住するのはカリブーの毛皮を集めて、それを売却して現金を得るのが目的だったので、狩猟禁止になると行く意味がなくなる。彼らは夏の季節移住を止め、その結果、イヌアフィシュアクやカッカイッチョックには人が寄り付かなくなり、小屋は打ち捨てられ、今ではどうなったのか誰も知るものはいなくなってしまった。

私は今回の偵察旅行の概要を固めた。カッカイッチョックかイヌアフィシュアクのどちらかの小屋まで行き、カナダまでの旅のデポ基地として使える状態にあるか確かめる。デポ基地として使用可能であれば、来年以降の計画につなげることができる。往復四百キロ強なので、計画としては三十日もあれば十分だろうが、途中で湖で釣りができるかなども確かめたいので、一応四十日分の食料と燃料を用意することにした。旅をしている間に犬も私に慣れるだろうし、毛皮服や橇などのテストにもなる。地域の気象や地勢を把握することもできるだろう。

5

二月十一日、準備が整った私はイングルフィールドランドの古い小屋をめざし村を出ることにした。荷物をまとめて外に運び、橇の上に積みあげると、積み荷は今まで見たことのないぐらいの大きさになった。四十日分の食料や燃料、テントや衣類等の装備品にくわえ、今回は犬の食料もあったので、いつもより単純に四十キロほど重いことになる。橇の重量は推定百五十キロ。腰を入れて最初の一歩を踏み出したとき、こんな重い橇を本当に引いていけるのか不安になった。

海氷にはうっすらと雪が積もり、海岸の山々の合間に吸い込まれている。極夜が明けるのはまもなくで、日中は夜明け直前の曙光に似た薄明るさにつつまれる。海氷の上に降りると、ここ数日の強風で氷の上の雪が吹き飛ばされスケートリンクのようにカリカリになっていた。私と犬はクロスカントリースキーを滑るように軽快に氷河に向けて飛ばした。村はみるみる遠ざかり、いつのまにか視界から消え、気づくと上空は海の彼方まで薄暗い雲に覆われている。夕刻、氷河の取り付きに到着したときには視界は宵闇に閉ざされようとしていた。私は氷河の基部の氷の上にテントを立て、アイススクリューで支点を作り犬をロープで繋いだ。

犬は歩いている間は快調だったが、テントに着いてからはずっと村の方角を見つめ、元気を失っていた。餌をあげても虫けらのような無表情で村を見やるばかりで、口をつけようとさえしない。寝る前にテントから顔を出して呼んでみても、こっちを振り向かなかった。

「どうしたんだよ、お前」

外に出て餌を目の前に持っていってやると、ようやく口にしたが、明らかに様子は変だった。

翌日から氷河登りが始まった。今回、登路に選んだ氷河はシオラパルクの人たちからイキナッガヤ（イキナ氷河）と呼ばれており、クレバスの少ないわりと安全な氷河だ。ただし傾斜がきつく犬橇で上がるのが大変なため、この氷河から氷床を越える人はあまりいない。以前は村から海岸を五十キロ北上したところにあるアッユダッウィの氷河が、傾斜が緩くて登りやすいため一般的に利用されていたが、近年は海氷の結氷が悪くなりそこまで行くのが難しくなった。近年シオラパルクの人が氷床を越えてイングルフィールドランドに白熊狩りに行かなくなったのは、アッユダッウィの氷河が使いにくくなったからだという人もいる。逆にいえば、私がこれから登ろうとするイキナ氷河はそれだけ地元の人から登りにくいと敬遠されているということでもある。

氷河の登高ルートは大島さんから詳しく聞いていた。氷河の末端は切れ落ちているため、まずは左脇のモレーン（堆石地）との間の積雪帯から登らなければならない。数日前に山崎さんと一緒に犬橇で偵察に来たとき、この程度の傾斜なら橇を引いてスキーで登れるのではないかという感触を得ていたので、私はたいして深くも考えずスキーを履いたまま橇を引こうとした。

ところが腰を入れてぐいっと引いても、橇はびくともしなかった。橇そのものが予想以上に重かったうえ、傾斜も見た目よりかなりきついらしい。何度も大声をあげて踏ん張って橇を動かそうとしたが、橇は坂道の前で微動だにせず、また、犬も動かない橇を前に完全に傍観者になりさがっていた。

「引け！　引け！」

私は怒鳴り声をあげて号令したが、犬は何をしていいのかよく分からないようだ。犬は氷の状態が良いときや、私が引いて一度動き出した橇なら素直に引くことができたが、重くて動かない橇を自分から率先して引こうとまでは思わないらしい。それどころか私が踏ん張って橇を動かそうとしている姿を見ても、その意図をまったく理解できないようでボケーッと他人事のように眺めるだけだった。

「引けやこらあああっ！」

怒声をあげても犬は無表情でただ立ち尽くしているばかりだ。これでは橇を引いてこの斜面を登ることは不可能だと悟り、私はその場で途方に暮れた。そして、これは面倒なのでしばらく躊躇（ためら）ったが、結局は荷物を一つ一つ手で持ち運び、歩いて荷上げをするという原始的な方法で解決するしかないとの結論に至り、橇の荷をすべてばらした。それからは両手に荷物を持って数百メートル進み、そこに荷物を置いてまた下の荷物を取りに戻り……ということを何度も繰りかえした。その日はモレーン脇の雪の上で一泊し、二日かけてようやく下部のモレーン帯を突破し、氷河の上に乗り移ることができた。

氷河に出てからは何とか橇を引いて歩けるようになった。荷物は絶望的に重く、氷河の傾斜もあるので芋虫のようにじわじわと進むことしかできない。それでも橇が動けば犬も一緒に引くことができた。私はいつ氷河を越えられるのかはなるべく考えないようにして、ひたすらゆっくりとブルーアイスの氷河を登った。氷崖や急傾斜地があらわれるたびに橇の荷をばらし、なぜ村人がこの氷河を敬遠するのかその意味を嚙みしめながら、両手で荷物を持ち運んだ。

氷河の最上部が近づいてきた二月十五日、私は背後のたおやかな丘陵の向こうで、太陽が控えめに空を赤く染めていることに気がついた。そろそろ極夜が明けることは分かっていたが、やはり太陽が戻ってくると心が安らぐ。私は犬と肩を並べて、今年の初日の出の写真を撮影した。

心配なことに、氷河を登っている間も犬は餌をあまり食べなかった。一日一キロのドッグフードを用意していたのに、二、三百グラムしか口にしない。一日の行動が終わり目の前にドッグフードをばら撒いても、全然興味を示さず、ちらっと見ただけでバタンとその場に倒れこみ、死んだ魚のような目で眠りについてしまう。困惑したのは、ドッグフードは食べないくせに私の排泄物は必死に貪ろうとすることだった。私のテントは床に開閉部分があり、内部にいたまま用便できる仕組みになっている。毎朝テントを撤収するたびに、犬は雪の下から私の排泄物を掘り出そうとするので、そのたびに「こら、ウンコは食べるな!」と大声で叱りつけ、頭を引っ叩いて追い払わないといけない。別にウンコを食べていけないわけではないが、ウンコは食べてはいけないという私の内側にある社会常識がどうしても犬の行為に抵抗感をもたせるのである。それに現実として、ウンコばかり食べてドッグフードを食べてくれないと、橇の荷物がいっこうに軽くならないので困るのだ。

確かに肉体的に疲れ切っていたこともあっただろう。なにしろこの犬にとっては今度が初めての本格的な旅行だったのだ。しかし元気がない原因は肉体疲労より、おそらく精神的なものだった。橇を引いた経験がないことより、村から出た経験のないことのほうが、この犬にとっては心の負担となっていたのだ。

氷河の途中で迎えたある朝、テントの外からオーン、オロローン、クーン……というめそめそとした泣き声が聞こえてきた。それは〈鳴く〉というより〈泣く〉というほうが適切な声で、犬はひとしきり泣いた後、テントの張り綱を引っ張って、さかんに私に何かを訴えかけようとした。泣き声があまりに哀切に満ちていたので心配になり外に顔を出して様子を見ると、犬は入口の横にちょこんと座り、甘えるような眼差しを向けてくる。その様子に安心してテントに顔を引っこめると、しかしすぐに犬はめそめそと泣き声をあげてまた何かを訴えた。明らかにホームシックだった。犬は私に村に帰ろう、これ以上知らない場所に出るのは不安だと訴えているのである。体調も悪くなっているようで、氷河の最後の登りでは、ゲホッ、ゲホッという苦しそうな声をあげて、紅茶の出がらしみたいな茶色くて細かい未消化物を吐き出した。

氷河を登りきったのは村を出て六日目だった。百五十キロの荷物を運んで千メートルを登りきったときは、一つの遠征をやり終えた気分になった。氷河の先には内陸氷床が灰色の沙漠となって広がっており、表面は氷というよりもカリカリと氷化した堅雪に覆われている。

翌日はまる一日動かずに停滞することにした。その先の氷床を越えるのに色々と準備が必要だったし、それに何より犬の調子が心配だった。私は犬と思いっきり一緒に遊んでやってストレスを解消してやることにした。縄をほどいて自由にしてやり、一緒に雪の上を走って子供のようにはしゃぎまわった。甘やかすだけでは見くびられるので、主従関係をはっきりさせるために、私は大喜びで突進してくる犬をがっちり受け止め、雪の上に転がし、何度も持ち上げては弄ぶように各種のスープレックスで叩きつけ、この世にはどんなに努力しても敵わない存在がいることを体に染みこませた。

出発するまで私には、犬を分子化合物でできた機械のようにとらえているところがあった。適量の餌を与えれば、それが燃焼しきるまで自動的に手足を駆動させる、そういうデカルト式の分子機械だ。しかしどうやら犬とはそんな単純な生き物ではなく、微妙な心理を有する、多感で感情の複雑な第二次性徴期の少年みたいな動物らしい。特に私の犬は精神的にデリケートでガラスのように繊細な胃袋の持ち主だった。

二月十八日から、私と犬は内陸氷床を北東方向に歩き始めた。スキーを履き、腰に力を入れて橇を引くと、何かの間違いじゃないかと思うぐらい重たかったが、それでも何とか動かすことができた。

出発からしばらくは雪塚を作りながら進んだ。四十五分ほど歩いたら堅い雪をスコップで掘り起こし、ブロックを放り投げて積み上げていく。四、五十分ほどで高さ一・二メートルほどの雪塚を作りあげ、最後に天辺に進行方向を指し示す四角形のブロックを載せる。背後をふりかえり前のが見えなくなったら、また新しいのを作る。そうやって雪塚を点々と作っていった。

雪塚を作ったのは、登ってきたイキナ氷河が想像よりはるかに迷いやすい場所にあったからだ。この氷河は周囲の他の氷河に比べて規模が小さく入口が分かりにくい。帰路に発見できないかもしれない。GPSを持っていれば迷う心配はないが、誤差の出ることが確実な天測や、五十万分の一の地形図をもとにした読図では、むしろ他の氷河に迷いこむ可能性のほうが高そうだった。氷河の入口を誤ったら、クレバスだらけの間違った氷河を別のフィヨルドに向かって下りていくことになりかねない。そうなると村に戻るまで何日かかるか分からず、残存食料の量によっては命の危険につながりかねない。帰りに迷わないようにするためにも雪塚を作ることは必要だった。

　計七つの雪塚を作り終え行進を再開すると、雪塚は次第に遠ざかり、周りの雪の凸凹と見分けがつかなくなって背後の遠景に溶けて見えなくなった。

　それからしばらくは氷床の行進がつづいた。

　氷床は平坦な白い雪原が四方に広がる雪の沙漠である。初めての氷床は茫漠とした恐ろしさを感じさせる場所だった。最初に苦しめられたのは重たい新雪だ。氷床に到着したときはいかにも橇の引きやすそうなカリカリの堅雪だったのに、それが二日前に積もった粒子の細かい新雪のせいで全面的に砂をぶちまけられたような状態に変わってしまった。

　その日の朝は氷点下三十一度と、グリーンランドに来てから初めて氷点下三十度を下回った。気温が下がると橇は重たくなる。橇のランナーは表面がすべすべしているから滑るのではなく、ランナーを動かすことで摩擦熱が発生し、その熱で雪が融けることによって滑るようになるからだ。したがって気温が下がりすぎると摩擦熱が発生しにくくなり橇は重たくなる。

二月二十日の朝はさらに寒くなり、一気に氷点下四十度に到達した。気温が低くなればなるほど雪は砂のように重くなり、予定通りの速さで進むことが難しくなった。氷河を登り切り氷床に上がりさえすれば、海氷と同じように犬が橇を引いて一日二十キロ近く進めるのではないかと期待していたが、それは幻想で、現実の氷床は重たい砂のような雪のなかに橇がずぶずぶと沈み、一向に進まなかった。十メートル歩くたびに私は立ち止まって後ろを振りかえり、そしてさっき振りかえった場所から十メートルしか進んでいないことを確認して暗い気分に落ち込んだ。

後ろにいるのでよく分からないが、犬も必死に橇を引いているようだった。軟雪や雪の段差で橇ががくんと止まると、犬はいったん立ち止まり、頭を低くし、しっかりと前方を見据え、目的意識をもった凛々しい顔つきで弾丸のように前に飛び出す。犬が飛び出すと、その衝撃で橇はガクンと動き出し、前進を再開する。橇が止まるたびに犬はその調子で勢いをつけて橇を動かしてくれるので、何という素晴しい犬だと私はすこぶる感心した。しかし、いくら犬が努力しても、行進速度はのそのそと上がらず、今日一日で五キロぐらいしか進めないのではないだろうか……とみじめな気持ちになってくる。とにかく一刻も早くブリザードが吹き荒れ、この厄介な新雪をすべてどこかに吹き飛ばしてもらいたかった。

その願いが届いたのか、その日の午後三時ごろから風が急速に強まり、強い地吹雪となった。沈みかけた太陽が雪の大地を赤く染め、そのなかを雪煙が上空まで激しく巻き立つ。地平線は瞬く間に白くかすみ、上空高く舞い上がった粉雪により周囲は暗い色に覆われた。風のおかげで足元の雪はあっという間に吹き飛ばされ、カリカリとした堅い雪面が姿をあらわした。私は慌ててゴアテックスのジャケットを着こみ、風に背中を押してもらいながら犬と共に駆け抜けるように橇を引きつづけた。

この大風以降は新雪が吹き飛ばされ、足元が一気に良くなり一日十五キロ程度の距離を稼げるようになった。ただ、新雪沙漠から解放されても、氷床が恐ろしい土地であるという感覚はなんとなくつづいた。氷床に登ってからずっと、私はこれまでの北極の旅で感じたことのない不気味な寒さに苦しめられていたためである。

たしかに氷床に上がってからというもの、連日氷点下三十度から四十度の寒さがつづき、気温はそれまでよりも一段階低くなっていた。

氷点下三十度台になると人はどこかで死を意識するようになる。氷点下二十度台だと一般的な意味での寒さの範疇（はんちゅう）を超えないが、氷点下三十度以下になると明らかに肉体的な危機を感じる。登山の高度障害では一般的に標高四千メートルで最初の影響が出ると言われるが、氷点下三十度という寒さにもそれと似た壁みたいなものがある。氷点下三十度台がつづく世界では、氷点下二十度台よりもあらゆるものが深く凍る。醬油が凍り、生姜やニンニクが凍り、灯油コンロの皮パッキンが凍って圧をかけられなくなる。結露も激しくなってテントのなかは霜だらけになり、ゴアテックスのパンツの内側に汗が結露して真っ白な霜に覆われる。寝袋のなかには氷の塊ができ始め、寝ている間に自分の息がテントの生地にあたって十センチほどの霜つららが何本もぶらさがる。人間の身体も凍りやすくなり、油断していると足や手の指が簡単に凍傷にかかり、風が強いときなどは行動不能に追いやられるのではないかという緊張感が常に心のどこかにある。

しかし氷点下三十度台といっても、高度障害と同じで何日か経つと身体は慣れるものだし、その程度の寒さは過去二回の極北カナダの旅で連日経験したことだった。しかし、今度の旅ではどうも身体の芯から寒さに侵されているようで、それが不気味な感覚を私に与えるのだ。凍傷にかかったとか空腹がひどいとかの明確な兆候があるわけではないのだが、私はじわじわ身体が衰弱している感じがしてならなかった。

寒さの原因として私はしばらくの間、寝袋を疑っていた。今回の寝袋は過去の旅で使ったものとは違い、綿の量の少ない寝袋を二枚重ねて使用していた。それは軽量化を優先した結果の選択だったが、この寝袋のシステムが思ったほどの効果をあげていないように思えた。寝始めはいつもポカポカして暖かいのだが、朝方になると足のほうが冷えてきて、足を擦（こす）ったり叩いたりして血行を回復させても、すぐに冷え、寝袋のなかでブルブルと震える。そのせいか足の血行が悪くなり、歩いている間も足先が冷えてしょうがなかったし、しっかりと眠れないので疲労も蓄積していった。

だが行動をつづけているうちに私は、原因は実は寝袋ではなく、もしかしたら脂肪不足にあるのではないかと考えるようになった。

これまで極地の旅では肉や野菜類を動物性の脂で固めたペミカンというカロリーたっぷりの極地食をつかってきた。今回もシオラパルクでひき肉を買ってそれを炒めて作ったが、実際に旅を開始すると、脂肪分がいつもより少ない感じがする。それに自分自身の身体の脂肪分も足りなかった。今回は前回と違い明るい時期の旅行ということでやや甘く考えていたこともあり、いつものように出発前に限界まで身体を太らせて脂肪を蓄えることをしなかった。食事と身体の双方に脂肪分が足りなかったせいで、出発してからわずか二週間だったにもかかわらず、身体がエネルギーを放出しつくした枯れ枝みたいにぎすぎすに感じられた。寝始めに暖かいのは夕食で摂取した熱量が体内で発熱しているからであり、未明になりそれが消化され尽くしてしまうと発熱作用が失われ足先が冷えるのだろう。

いずれにせよ寒さで消耗が早いので、氷床の途中で一度、イングルフィールドランドに下りられる場所がないか探すことにした。事前の予定では氷床を百五十キロほど北東に進み、カッカイッチョックの小屋の近くまで進んで陸地に下りるつもりだったが、何度も地図を見ているうち、その半分ぐらいのところで陸地に下り、そこに流れる大きな川をたどって、もう一つの小屋であるイヌアフィシュアクに向かったほうが、行程が短く、合理的に思えてきた。

私と犬は地図を見て陸地に下りやすそうな箇所を狙って氷床を下り始めた。やがてイングルフィールドランドの陸影が、宙に舞う雪煙の向こうにチラチラと見え始めた。北寄りに針路を傾けると、足元はスキー場の上級者コースのように凸凹となり、氷床の端に近づくほどその雪の凸凹が青い裸氷に変わっていった。

雪煙の彼方に黄色い岩がごつごつとむき出しになったイングルフィールドランドの荒涼とした大地がはっきりと見わたせたとき、私はようやく氷床の端に到達したことを知った。表面の雪が風で完全に吹き飛ばされ、写真の世界でしか見られないような鮮やかな青氷の谷が眼下の陸地に落ちこんでいる。だが、そこから先は完全に行き止まりだった。その青氷の谷は足元で鋭く切れ落ち、高さ数十メートルの峻嶮（しゅんけん）な氷崖となって消えていた。氷の状態は完全にアイスクライミングの世界で、四十メートルロープと数本のアイススクリューでどうにかなるものではなかった。氷床の末端が急な段差になっている場合があることは村人たちから聞いてはいたが、まさかこれほどの氷崖になっているとは……。これでは下りられないので、予定通り氷床をカッカイッチョック方面まで行進し、その近辺で下り口を探すことにした。

その日の晩、私は今回の旅で初めて天測を試してみることにした。何もない沙漠のような氷床では天測をしないかぎり、自分の位置は歩く速度と方角をかけあわせた推測で判断するしかない。推測位置が大きく間違っていない自信はあったが、しかし仮に五キロや十キロといった程度のずれでも、進む方向を変えたときに現在位置が分からなくなり混乱してしまう可能性がある。だから一度、推測位置がずれていないか天測でウラを取っておく必要を感じていた。

兎の毛皮服を着込み、羽毛服のズボンを穿いて、午後八時半から気泡六分儀で観測を始めた。氷点下三十六度。木星、ベテルギウス、アークツルス、ベガ、デネブと順々に高度と時間を測っていく。竹竿を使って苦労した前回とちがい、天体ひとつにつき数分で観測できる。

今回の気泡六分儀は試作品だっただけに多少の問題点が残っていた。最大の問題点は、肝心の気泡が寒さの影響で大きく膨らんでしまうことだ。タマヤによると、今回の気泡の液体にはＰ－３Ｃ哨戒機の潜望式六分儀などに採用され、超高度の低温下でも凍結しない実績がある液体シリコンを使用したとのことだが、液体シリコンには温度変化により膨張したり縮小したりする特質があるらしく、実際に現地で使用してみると寒さで気泡が視野の半分ぐらいに膨らんでしまう。気泡が膨らむと、その中心に星を合わせるのが難しくなり、どうしても観測値が不正確になりがちで、村で練習していたときは十キロ以上の誤差が出たときもあった。しかし、その誤差も前回に比べるとはるかにマシといえるレベルだ。なにしろ前回は誤差を出すことができないほど、誤差が大きかったが、今回は一定の範囲内に誤差が収まっており、少なくともその誤差内に居るという安心感をもつことはできる。

私は六つの星の観測をわずか十五分で終え、テントに戻って灯油コンロでなかを温めた。ノートを広げて計算に没頭する。結果は私の推測位置から五キロ西にずれているだけで、この気泡六分儀は夜間の観測にも十分使用に耐えうるとの手応えを得ることができた。

緯度は七十八度を超えており、ひとたび極夜が明けると日照時間は予想以上の早さで長くなっていった。日々、私は太陽の沈まない白夜の季節がじわじわ近づいていることを実感させられた。

それにしても氷床というのは単調極まりないところだった。雪と氷以外に何もない。今はまだ太陽が昇ったり沈んだりする季節だから多少の変化はあるが、これが極夜か白夜のどちらかの季節だったら時間の観念すら消失してしまいそうである。どこまでも広がる真っ平らな雪の沙漠。風景も単調だし、行動も単調だった。午前十時に出発し、二時間真っ直ぐ歩き、橇の脇で休憩し、また二時間歩く。風が吹いてくる方向も同じなら小便が出るタイミングまで同じで、必ず三回目の休憩が終わった後に出発してから尿意を催した。

気温は相変わらず氷点下三十五度以下の日がつづき、顔は凍傷で口元から頬にかけて真っ黒く染まり、まるで野蛮人のようだ。氷床の端に近づきすぎ裸氷の凸凹帯が続いたせいで、歩行速度は再び遅くなり、ペースは一日十二、三キロに落ちた。そして寒いわりには橇が重くて運動が激しかったため、大量に発汗し、それがゴアテックスの内側で結露する。結露した汗は霜になって内側のフリースを濡らし、それがまた夜の寒さをひどいものにし、以前にも増して寝袋のなかでぶるぶる震えるようになった。

二月二十六日も朝から氷点下三十六度と寒い日だった。前方にうっすらと陸地が見えるが、それがエルズミア島の影なのか、ここから百キロ北にあるワシントンランドの影なのかよく分からなかった。視界は悪くないのだが、太陽の光がまぶしく、陸地の輪線が雪や氷の白さに吸収され、うまく距離感がつかめない。地形を確認しているうちに風が強まり、午後からは強風となり地吹雪が吹き荒れた。気温も風の強さもいつもと変わらないが、それでもその日は歩いても身体が冷えたままだった。夕方に行動を終了し幕営することにしたが、テントを立てている最中に急速に右足が冷え始め、瞬く間に皮膚の感覚がなくなり、足の甲全体が自分の身体とは別の、何か無機質な陶器の塊のような感じになり始めた。慌ててテントを立ててなかに入りこみ、ストーブに火をつけて靴下を脱いで火の上で足を揉みほぐす。しばらく揉んでいると、血流が一気に戻って足が真っ赤になり逆に痛いほど血がめぐる。だが、親指の先端の感覚は戻らず、少し腫れたままだ。たいした凍傷ではなかったが、少し油断しただけで身体の末端が一気に冷え切ってしまったことに、私は恐ろしさを感じた。やはり脂肪分が足りないのだ。

二月の北緯八十度近くの極北地だ。極夜は明けたとはいえ、気候としては一番苛酷な時期である。寒い夜、結露で乾かない衣類、重い橇、全然よくならない足元の雪面、凍傷の危険……、細かなところで色々とうまくいかず、それが身体へのストレスとなり肉体を徐々に消耗させていく。私は、死ぬときというのはもしかしたらこういうときなのかもしれないなぁなどと漠然と考えていた。装備が不調だとか、食料や燃料が足りなさそうだとか、そういう明らかに不具合が出ているわけではないが、何となく全体的に歯車がかみあっていない感じがする。そして旅がどことなく順調ではないせいで、私は自分でも気づかないうちに精神的疲労をため込んでいた。橇が重くて進まないと、どうしても後ろで犬がサボっているのではないかという疑念が湧いてくるのだ。

「おらっ！　引けっ！」

私は氷床の途中から事あるごとに後ろを振り返り、犬に対して言いがかりのような怒号を発するようになった。その頃になると、さすがに犬のホームシックも治り、餌を規定量通り食べるようになっていたが、しかしまだ子供なので、橇引きの最中も周囲をキョロキョロ見わたしたり遠くを眺めたりとまったく落ち着きがない。後ろを振り返ったとき、犬がそんなふうに橇引きに集中していないと、自分はこんなに苦労して引いているのに、こいつは楽をしやがってと苛立ちが湧き起こり、どうしても怒鳴り散らしてしまうのだ。

橇を引いている間は後ろの犬の動きが見えないことが、犬に対する私の疑念を大きなものにした。橇が重たく感じられると、私は犬の不意を突き、抜きうちテストみたいにぱっと後ろを振り返り、犬の様子を確認する。

「何してんだ、この野郎！　引けっ！　橇を引けよっ！」

犬が引いてないと頭に血が上り、大声で怒鳴ってストックを振りまわし、犬の目の前で叩きつけた。犬は私の剣幕に恐れをなし、橇の後ろに逃げ込もうとする。足元の状態がよく、橇が快調に引けると、犬と息が合ってきた感じがして満足するが、それが足元の状態が悪くなり橇が重くなった途端、すぐにまた犬がサボっているせいではないかと疑心暗鬼におちいり、怒りの炎が込みあげてくる。

そしてついにある朝、私は一線を踏み越えた。

その朝、出発してからどうも犬の動きがおかしいので胴バンドを点検してみると、首のすぐ脇の部分がきれいに切断されていた。犬が嚙みちぎってしまったのだ。これは完全に犬の生来の性格で、教育しても治るものではないため、シオラパルクの村人は犬に胴バンドを嚙む癖があれば、荒療治で奥歯を処理してしまう。そういう意味では私の犬も故意に嚙みちぎったわけではなく致し方ないことではあるのだが、しかし厳しい旅の途中でこれをやられると、私のほうとしてはその日は犬に橇を引かせることができないし、テントのなかで大事な睡眠時間を削ってまで煩わしい縫物に時間を割かなければならない。そのことを思った瞬間、反射的に心の底から自分でも驚くほどの怒りが湧き、瞬時で沸点に達した。

切断面が唾液で濡れていたことが言い逃れのできない証拠となり、私は有罪の宣告をくだした。

「お前、なんだこれ！　切れてんじゃねえか！　どうすんだ、この野郎！」

私の形相が変わったことに気づいた犬は、自分が悪いことをしたとすぐに気づいたらしく、仰向けになり前足を縮め、申し訳ありません、ご主人様、と必死に恭順の意を示した。しかし、そんなことでは私の怒りは収まらず、またやってはいけないことをやったとこいつに理解させるためにも、ここは徹底的に殴ったほうがいいという冷徹な計算も同時に働き、私は何度も顔面に平手打ちをくらわし、逃げようとするウヤミリックを捕まえては殴打をくわえた。

6

氷床を越えたのは、村を出発してから十七日が経過した二月二十八日のことだった。

先日のように下降地点を適当に選ぶとまた険しい氷崖にぶつかる可能性があったので、今度は慎重に氷床からイングルフィールドランドに流れ込む唯一の氷河を下ることにした。この氷河から流れる川は昔からイヌイットの移動経路だと大島さんから聞いていたので、きっと大きなクレバスもないにちがいない。十一日間かけて氷床を百四十キロほど進んだところに、その目指す氷河はあった。

氷河の舌端から眺めるイングルフィール

ドランドの大地は、岩肌の露出した丘が波打つように広がり、岩沙漠のように荒涼としている。随分、遠くまで来たなあと私は思った。

北極の広大な雪氷空間を歩いていると意味もなく自由だなと感じることがあるが、イングルフィールドランドの風景を眺めたこのときも、ふと私はこの自由の感慨にとらわれたのだった。

私は完全に人間界の外に飛び出している。GPSを使って科学技術というシステムに捉われているわけでもないし、衛星電話で外部と連絡を取りあってもいない。完全に他のあらゆる人間の認識の外側におり、私が今どこで何をしているかは、シオラパルクの村人は知らないし、妻でさえ関知していない。しかもすでに村から遠く離れた場所にいるので、怪我や装備の破損といった万一の事態が生じた場合、私は生きて帰れないだろうし、救助を呼ぶことすらできない。そしてたとえ死んだとしても、私がここで死んだことは誰も知らない。親も知らないし、神すら知らない。知りようがない。つまり私はこの地球上で完璧に孤絶しているのだ。

私は誰ともつながらず、氷点下四十度近い凍てつく青白い世界に、ぽつんと切り離されて立っていることが、このうえもなく素晴しいことのように思えた。私の肉体は今、ほかの一切の余分な要素が排除され、私のみによって構成され、私的なものが隅々まで充満している。今日はどこまで進むか私が判断し、明日はどこまで行けそうかも私が考える。他の人間は私の行動や判断に一切関知せず、私は一個の自律的運動体としてこの地球の表面をごそごそと動きまわれている。つまり私という生命は今、上から下まで完全に私によってコントロールされ、私により満たされ爆発寸前なのだ。はっはっは、ざまあみろ、と何だかよく分からないが、そんな感じで爽快なのだった。

孤絶し、あらゆる他者と切り離されていることで、私は北極の自然と、地球という惑星がむき出しになったかのような目の前のこの風景と、向き合うことができている。この隔絶感、自然との対峙感こそ自由の正体であり、私は真の自由を満喫するために北極の地に毎年性懲りもなく来てしまうのだ。

私が今この瞬間、この地で生きていることを知っているのは、唯一、犬だけだった。私は犬とだけ繋がり、文字通りロープで繋がりながら、目の前の未知の氷河を下り始めた。

氷河はクレバスもなく、半日ほどで簡単に下りることができた。そこから先は川が西に向かって流れ、一度セプテンバー湖という湖になり、その先でぐねぐね蛇行し、イヌアフィシュアクの小屋のある湾につづいていた。川の名前は地図に載っていなかったので、とりあえずセプテンバー川と呼ぶことにし、この川を下ってイヌアフィシュアクの小屋に向かうことにした。

正直に言って氷床を下り終えたときは、ようやく終わったという安堵感でいっぱいだった。川に下りれば足元の雪の状態は少しはよくなるだろう。カナダでも何度も谷間を歩いたが、どこも風で叩かれ歩きやすいところばかりだった。川を下って海まで出さえすれば、いつものように堅い雪の上を一日二十キロぐらいのペースで歩けるはずである。ところが、川に下りると雪の状態はよくなるどころか、逆に猛烈に悪化した。その川の一帯は過去の北極圏の旅では経験したことがないほど風の吹かないエリアで、両岸には険しい岩山がせり出し、深い峡谷となっている。風がさえぎられるため足元の雪はふかふかの状態で吹き溜まり、橇の滑走面となる板が下駄のように雪に深く沈み、橇引きの重さは尋常ではなくなったのだ。感覚的には氷床の上よりも荷物が三十キロほど増えた感じだった。

私は深雪に呪いの言葉を吐きながら橇を引いた。一歩一歩全力で踏ん張らないと橇は動かない。あまりの重さに犬がきちんと働いているのか何度も振り返ったが、犬は真面目に橇を引いていた。

ただ、ひどく雪が積もっている一方でセプテンバー川では喜ばしい事実も判明した。深雪の上に夥しい数の麝香牛の足跡が刻まれていたのだ。足跡を見たとき私は、これで暖かい思いができるかもしれないとの静かな興奮につつまれた。

川をしばらく下りセプテンバー湖に出ると、足跡だけでなく、実際に遠くの湖岸に麝香牛の群れの影もみられるようになった。六分儀の望遠鏡を外して確認してみると、その黒い塊にはいかにも固そうな毛がもさもさ生えており、ゆっくりとした動きで草を食(は)んでいる。

「やっぱり、麝香牛だ。お前、見えるか？」

犬は麝香牛を識別できないようで、特に関心を示さず、前足で雪をかき分け寝床を作り、すぐにその場で丸くなって寝た。

氷床からの寒さは相変わらずつづいていた。夕食を食べて寝袋のなかに入っても朝方になるとブルブルと震える日がつづき、それが慢性的な疲労や足の血行障害などにつながっている。その原因を脂肪分不足にあるとほぼ断定していた私は、氷床を歩いている間ずっと、新鮮な肉と脂を食べたい、食べたいと切に願っていた。肉と脂を摂ることさえできれば再び身体を温めることができる。

麝香牛が目の前にあらわれたとき、私は何の躊躇もなく橇にくくりつけていたライフルを肩にかけた。銃は村人から約二万円で買い取った一九一七年のウィンチェスター社のボルトアクション式ライフルで、第一次世界大戦でドイツ軍相手に活躍した骨董品だ。最初の群れは仕留めるのに失敗した。じわじわと近づき、群れのいる段丘の陰に隠れたところまではよかったが、弾を装塡したときの音で気づかれたらしく、立ち上がったときには、群れはもうもうとした雪煙を巻きたてながら逃げだしていた。二つ目の群れはさらに話にならなかった。その群れは五十メートルほどの小高い丘の上にいたので、丘の陰に身を隠し接近を試みたが、足音が聞こえていたのか、銃を構えてパッと立ち上がったときには足跡しか残されていなかった。

やがてセプテンバー湖は両側が狭まり、ゆるやかに左に屈曲した。その屈曲部を越えて周りを見渡すと、左岸の岩壁の下の狭い段丘上に三つ目の群れがいるのに気づいた。

二つ目の群れで失敗した時点でほぼ諦めかけていただけに、この群れを見たときは、うわ、またいるのか、とかなり驚いた。まったくこの湖は麝香牛だらけで、麝香牛牧場と呼んでも過言ではない地である。群れは十頭ほど、すでにこちらに気がついており、ピクリとも動かず、全員で円陣を組み警戒態勢をとって、こちらの様子をうかがっていた。群れまではわずか約六十メートル、絶好のチャンスだった。

　これだけ近いとさすがに犬も群れの存在に気づき、視線を麝香牛のほうに固定させ、身体をプルプルと震わせた。興奮ではなく明らかに恐怖を感じている。考えてみると村を離れたことのなかったこの犬にとって、人間以外の大型動物を目の前にしたのはこのときが初めてだった。麝香牛たちはステンレスワイヤーのような剛毛に覆われ、鋭く短い角を頭から生やし、機関車のように力強い体軀をしていた。突進されたら間違いなくこちらの骨が粉々になる。ウヤミリックは、臆病なこの犬らしく、すぐに橇の陰に隠れ、恐怖で声を震わせウーと低い唸り声をあげた。自分より強い動物を見たら唸るはずだと言ってケッダが発した、まさにそれと同じ声だった。

「おい、静かにしろ！」

　あまりうるさくされると麝香牛に逃げられるので、私は犬を黙らせた。先ほどは接近した後に弾を装塡し、その音で逃げられたので、今度は予め弾を込めておいた。そして警戒されないようできる限り殺気を消して、私はあなた方の友人ですから何も心配ありませんよ、まったく無害な存在ですよ、という雰囲気を醸し出すことに集中した。麝香牛は頻繁に警戒し、顔をあげて私の動きをじーっと凝視した。凝視されると私はぴたっと立ち止まる。立ち止まりしばらく経つと、麝香牛は再び警戒を解き、草をもそもそ食べ始める。警戒が緩んだときが近づくチャンスだ。私はなるべく音を立てず、何気ないふりを装い、精一杯フレンドリーな様子をつくることに尽力し、一歩ずつ足音を忍ばせて近づいた。右側の三頭がひっきりなしに警戒し、何度も顔をあげたが、他の牛たちは私のことをどうやらフレンドリーなやつだと勘違いし始めたようで、のんびり草を食べたり、角をぶつけあったりして午後の平和なひとときに舞いもどった。

私は三十分ほどかけてじりじりと近づいた。だが、三十メートルぐらいまで近づいたあたりで、さすがに呑気な牛たちの間でも、こいつは本当にフレンドリーなやつなのか、いくら何でもこっちに接近しすぎではないか、との疑念が高まり始めた。私はそこで銃を構えた。牛たちは一気に警戒度を高め、互いに肩を寄せ合って凝集し、ひとつの黒い塊と化した。

一頭一頭の識別がつかなくなったので、私は適当に群れの真ん中あたりに照準を合わせて引き金をしぼった。肩に衝撃を感じ、大きな銃声が谷間に響きわたった。牛たちはさらに体を寄せ合い、どれか一頭に弾が当たったのかも分からなかった。私は銃口を群れに向けながら左に回り込むように素早く近づき、少し小高い岩の上に登って彼らを見下ろした。そして一番手前にいる牛に照準を合わせて二発目をはなった。再び銃声が響いた瞬間、私が狙った牛は仰向けにひっくり返り、四本の脚をバタつかせて最後の生体反応を示した。他の牛たちはいきなりのことにその場に硬直していたが、私が銃を構えながらさらに群れのほうに近づくと、一目散に背後の急峻な岩肌を登りだし、撃たれた仲間のほうを時折振り返りながら逃げ去った。私はひっくり返った牛の頭部にとどめの一発を放ち、小さなナイフで肉の解体を始めた。

肉を切り分けると、その間から麝香牛特有のアンモニアっぽい酸っぱい臭いが漂ってきた。犬は橇の脇で身体を縮こまらせている。犬の食が細かったのは最初だけで、ホームシックが癒えてからは毎日一キロのドッグフードをあっという間に平らげていたので、麝香牛の肉の臭いを嗅いだ瞬間、橇を引きずってでもこっちに近づいてくるとばかり思っていたが、犬は全然そんな素振りは見せず、その場でじっと私の様子を見守っていた。もしかしたら麝香牛の肉を食べ物だと認識していないのかもしれない。私は内臓をその場に残して五、六十キロ相当の肉を切り分け、近くに張ったテントに運び、そのなかから大きな塊を選んで犬の鼻面に近づけてやった。犬は用心深くクンクンと臭いを嗅いでいたが、すぐに勇気を出してパクッと口のなかに入れた。一度その味を知ると、それからはもう止まらなかった。村を出発して二十日近くも深い雪のなかで重い橇を引いてきたので、相当消耗していたらしい。ナイフで十センチぐらいに切り分けて口の近くに持っていってやると、犬は一口でそれを飲みこみ、私のほうに近寄り涎(よだれ)をたらして、もっとくれと肉を要求した。何度かそれを繰り返すうちに、犬は待ちきれなくなり、まだ私が切っている最中に横からその肉を奪っていった。いったい何キロ食べたのか分からないが、その晩だけでかるく五キロは食べただろう。

その夜から小雪が降り始めたこともあり、私はその湖に三泊し、肉と脂を食べつづけた。脂分の少ない赤身の肉は犬に与え、私は脂肪の多い部分を選び、鍋で炒めるか、薄くスライスして生のまま醤油につけるかして食べた。新鮮な肉と脂の威力は想像以上のものがあった。牛の脂は枯れ枝のようにギスギスとしていた私の身体の細部にまで滲みこんでいき、その日を境に寒さに苦しめられることがなくなった。朝になっても足はまったく冷えないし、久しぶりに一晩中暖かく熟睡することができた。

7

丸二日間、私と犬は牛の肉を食べつづけて体力を回復させることにつとめた。と同時に停滞している間に湖で魚釣りを試すことにした。まずはトウと呼ばれる先の尖った鉄の棒で湖のぶ厚い氷に穴をあける。氷の厚さは一・五メートル。二時間半ほど額に汗をにじませ穴をあけ、木の棒に糸を巻きつけルアーをつけて、くいくいっとリズミカルに動かした。

三年前にカナダの不毛地帯とよばれる広大なツンドラを縦断したとき、この釣り方で一メートル前後の化け物クラスの鱒を何匹も釣った。村で大島さんから聞いた話によると、このセプテンバー湖にも巨大な北極岩魚（いわな）がうようよしているらしい。かつてイヌアフィシュアクに季節移住してカリブー狩りをしていた家族たちは、初夏になり魚が海に下る時期になると、この川の河口に網をしかけ大量の北極岩魚を手に入れたという。網を仕掛けている間にも一メートル近い魚が次から次へと弾道ミサイルのように網に突き刺さったという話だった。もし冬の間にこの湖で釣りができることが実証できれば、たとえ本番の極夜探検で何らかのトラブルが発生して食料がなくなっても、この湖を緊急の食料調達場所として利用できる。だから私は出発前から湖での釣りにはかなり期待しており、セプテンバー湖に行ったら絶対に釣りを試してみようと決めていた。だが、どういうわけか二時間ほど釣り糸を垂らしても反応は一向になかった。村人は皆この湖に魚がいると明言していたので、いることは間違いない。冬場で採餌があまり活発ではないのだろうか。そのうち寒くて嫌になり、私はテントのなかに引っ込んだ。

三月五日に私とウヤミリックはセプテンバー湖をあとにした。体力が回復したとはいえ、橇の重さは尋常ではなかった。というか麝香牛の肉が新たに三十キロほど加わったので橇はさらに重くなり、ほとんど村を出発したときと変わらなくなっていた。雪の深さは二十センチはあり、大量の荷物を載せた橇は深く沈み、横桁まで完全に埋没してしまう。相変わらずの深雪軟雪にくわえて、湖を越えると雪の下にごつごつとした河原石が転がるようになり、気づかないうちに河原に入りこんでは橇が石の間にはまって動かなくなった。

川沿いに風の影響は感じられず、海に近づいても軟雪が消える気配は一向に感じられなかった。来る日も来る日も深雪のなか橇を引き、丸石にランナーがはまり、ぐおおおっと絶叫し、額の血管をぴくぴくさせながら全力で丸石にはまった橇を持ちあげた。深雪だけではなく頻繁に浅瀬もあらわれた。浅瀬では橇が岩に引っかかってまったく動かないので、氷河を登ったときのように荷物をすべてばらして持ち運ばなければならない。蛇行した川を曲がって屈曲部の向こうに浅瀬があらわれるたびに、私はまたか……とがっくり肩を落とした。川の流程はわずか三十キロ少々なのに、全然終わりが見えない。曲がっても曲がっても海は見えない。セプテンバー川は到底人間が橇を引いて進めるようなところではなく、イヌイットのオールドルートとはちょっと信じられなかった。拷問のような苦行がつづき、途中からはいっそのこと重たい麝香牛の肉を全部捨ててやろうかとさえ思った。しかしそれはできることではなかった。なぜかといえば、死んだ麝香牛に申し訳ないから、というわけではなくて、この麝香牛の肉があれば二十キロ分のドッグフードを余らすことができ、本番のデポに回すことができるからだ。つまり極夜探検用の初デポである。今苦しい思いをしなければならないのも、ひと冬にわたる長期の極夜探検を実行するためであり、海に出てイヌアフィシュアクの小屋が見つかれば、そこにドッグフードを備蓄できる。そうすれば一気に二十キロ軽くなるので、スピードも格段にあがる。その思いだけで私は必死に岩だらけの谷のなかで、ずぶずぶと深雪に埋まる橇を引きつづけた。

まともに橇が引けずペースが上がらないせいか、犬も周りが気になって仕方がないようで、しょっちゅう力を抜いては辺りをキョロキョロした。犬がサボると橇が急に重くなるので、すぐに伝わってきて頭にくる。しかし怒鳴りつけてやろうと後ろを振り向いた瞬間、犬は私の動きを敏感に察知し、叱られないように慌てて前に突進して、何食わぬ顔であたかも、私、ずっと橇を引いてましたから、というようなふりをする。

そんな犬の様子を見るたびに、いつの間にかそんなテクをおぼえやがって、狡猾（こうかつ）になりやがったな、この野郎、と私はむかついた。

ペースが上がらない焦りと疲労で心が刺々しくなり、私はまともに橇を引こうとしない犬の態度を見るたび、自分のことをナメているとしか思えなくなってきた。

「お前、引けって言ってんだろっ！」

私は何度も後ろを振り向き、犬を怒鳴りつけた。そのときにこちらをチラッと見る犬の目のなかには、怒鳴られることに慣れてきたせいか、とりあえず言うことを聞くふりをすればいいとでも言わんばかりの不敵不敵（ふてぶて）しさが宿っているように思えた。

「何やってんだ！　引けって言ってるだろっ！」

周囲を見渡してばかりで一向に集中できない犬に、ついに私は怒りを爆発させた。ストックを振り回し、犬の尻を何度も激しく打擲した。犬は突然のことにキャンっと悲鳴をあげ、私から逃れて橇の後ろに隠れようとした。だが短いロープで橇とつながっているので逃げようとしても無駄なことだった。

「てめえ、何逃げてんだ、この野郎……」

もはや怒りを制御できなくなった私は、低い声であえてドスを利かせて、ゆっくりと犬を追いこんで引っ張り出すと、再びストックで何度も背中を叩き、拳を握りしめて顔面に強打の嵐を見舞った。私のあまりの変貌に犬は信じられないという表情をし、恐怖のあまり小便をびしゃあああっと盛大に漏らした。橇のまわりの雪が犬の小便で黄色く染まり、頑丈だということで購入したストックが真ん中から先で少し折れ曲がった。

私が怒る理由は、なぜ自分がこれほど苦労して橇を引いているのに、こいつは引こうとしないのだ、という単純な点に尽きた。

イヌイットの犬と旅をするということで、旅に出る前から私はある種の気負いを背負い込んでしまっていた。つまり犬に甘い態度をとってはいけないという気負いだ。前述したが、シオラパルクは犬の村でもあり、この村に来たとき、私は、あたかも人間と犬とが手を携え荒野を生き延び、他の動物種との生存競争を勝ち抜いた後期旧石器時代のような深い相互依存関係が実現しているというような感慨をもった。村人は犬に容赦しないし、甘ったれた関係をもちこまない。そのことで彼らはこの過酷な大地を生き延びてきたんだなということがはっきりと分かり、すごい世界だなと思った。そして、自分もまたそのような深い関係のなかで生きてきた犬と一対一で厳しい旅をするわけだから、村人と同じように犬に厳しく接しなければ、と考えるようになっていた。この極北の地で犬はペットとして存在しているわけではなく、少なくとも餌ぐらいは自分で運んでくれないと、お前の存在価値はない。犬が働かないと人間は死に、ひいては犬も死ぬことになるのだから、可愛いからといって生かしておいてもらえる犬など生活自体がサバイバルなこの地には存在しない。北極では、犬は犬としての仕事をこなすことで人間から餌を与えられ、逆に犬が義務を果たすことで人間も人間として生きていくことができる。そんな考えに頭を支配されていた。

しかし、そのようなつまらぬ気負いは途中で消え失せた。寒さに震え、肉体が消耗し、深雪に苦しむうち、私は完全に余裕を失い、理屈は消えて感情だけが残った。要するに、村人がこうだからとか北極がどうしたとか後期旧石器時代が云々といった机上の屁理屈などどこかに吹き飛び、純粋に、とてもナチュラルに、私は犬の振る舞いに我慢ならなくなったのだ。犬が力を入れていないのが少しでも分かると、なぜこの役立たずの餌まで苦労して運ばねばならぬのだという思いが瞬時に湧き、自分でも信じられないぐらいの怒りの感情がこみあげてきて制御がきかなくなる。こんなに何かに腸(はらわた)が煮えくり返ったのは生まれて初めてのことだった。

そのうち怒りが鎮まった。怒りが鎮まると、つまらぬ理由で犬を殴ってしまったことに激しい後悔の念が湧き、逆に優しく背中を撫でてやった。

「いいか、引けって言われたら、こうやって橇を引くんだぞ」

胴バンドを引っ張ってやり方を教えてやると、犬は仰向けになったまま足を動かして健気に橇を引く真似をした。どうやら分かってくれたようだった。

「分かっているじゃないか。ごめんな、ぶったりして。痛かっただろ。これからはちゃんと引いてくれなきゃダメだぞ」

私は身体をさすりながら心のこもった言葉をかけ、頬ずりをして仲直りのスキンシップをした。激しく殴っておいてなんだが、私はこの犬に嫌われたくはなかったのだ。

そのあとも私は何度か犬に怒りを爆発させて殴っては失禁させた。たとえば、これは私にも悪いところがあったのだが、犬がばくばくと肉を食って気が荒くなっているときに、首輪に縄を付けようとして、手首を嚙まれたことがあった。たぶん本気ではなく餌を食べるときの本能的な条件反射だったのだろう。その証拠に犬も嚙んだ瞬間にしまったという表情をして、すぐに顎を離したのだが、しかしこちらとしては主従関係をないがしろにした到底看過できる行為ではなかったし、しかも無茶苦茶痛くて骨が折れたのではないかと疑うほどだった。嚙まれた瞬間、私は完全に逆上した。

「てめえ、嚙みやがったな、この野郎！」

普段の自分からは想像もできないほど赤い怒りのエネルギーが体内に迸るのを感じながら、私は犬の鼻面に思いっきりトゥーキックを食らわし、続いて馬乗りになって顔面に拳を叩きこんだ。失禁して逃げまくる犬を追いかけ回し、さらにマウントポジションに移行し、何度も殴りつけた。混乱した犬は、よせばいいのに、私と犬との主従関係を象徴的に示す、何があっても絶対に立ち入ることを許されない人間様の神聖なる居住空間すなわちテントのなかに逃げこみ、それがさらに私の怒りに油を注いだ。私はテントのなかから犬を引きずり出すと、俺様の手を噛んだことを一生後悔させてやるという思いで徹底的に殴打した。

折檻が終わっても、犬はお座りの格好を崩さず、遠くを呆然と眺め、肉がまだ残っているにもかかわらずそれには手をつけず、ブルブルと恐怖で身体を震わせていた。これほどの恐怖に直面したことは生まれて初めてのようだった。私の方も怒りがおさまると、いつものように激しい後悔の念と、犬に嫌われたくないという気持ちが湧き、「ごめんな、痛かったな。殴ってごめんよ」と必死に失点をとりかえそうとした。やっていることは完全にDV野郎と同じである。犬も犬で、私が優しい言葉をかけると、いかにもごめんなさいと言いたげな表情でこちらを向き、くーん、くーんと鼻声をあげてお座りをし、精一杯、反省と恭順の意を示すのだった。私が何度も身体をさすってやり、食べ残した肉を持ってきてやると、犬はすぐに口に咥え、その夜は一晩中、私の側から離れたくないとでもいうようにテントの入口の前で身体を丸めていた。

私と犬は三月八日に海に出た。三日で終えると思っていた川歩きは、全力で頑張ったにもかかわらず、深雪と河原石に悩まされて五日もかかってしまった。河口の氷丘帯を越えて海に出たとき、とんでもない川だった、もう二度とここに来ることはあるまい、と背後の峡谷をあらためて見わたした。河口のある小さな湾を横切った翌日、私たちはついに今回の目的地であるイヌアフィシュアクに到着した。

イヌアフィシュアクは小さな半島になっており、付け根は両側の海岸がくびれた低地になっている。地図を見るかぎり小屋はそこにあるように思えたため、私は付け根のくびれた湾から上陸することにした。海岸線は潮で海氷が盛り上がって割れた乱氷帯になっており、乱氷を越えると砂利が露出した地面を登らなければならない。摩擦で動かない橇を必死に引き、汗みどろになってようやく小屋があると思われる低地に出た。上にあがればすぐに小屋が見つかると思っていたが、実際は全面雪に埋もれており、太陽だけが凄まじい逆光となって照りつけている。橇と犬をその場に残し、しばらく辺りをうろついたが、いくら探しても小屋がどこにあるのかさっぱり分からなかった。見つかったのは、地質調査でたまに夏に訪れるというヘリコプター用の緊急燃料が入った二本のドラム缶だけだった。

小屋が見つからないことに私は呆然とした。小屋が見つからないと極夜探検のデポを備蓄する場所の目途が立たないし、それ以上に橇の荷物が軽くならない。イヌアフィシュアクの小屋に行けばドッグフード二十キロ分をデポできるという一念で、私はあの河原石だらけの地獄川を下ってきたのだ。だが小屋がない以上置いていくわけにはいかない。結局この努力を無駄にしないためには、さらに五十キロ西に行ったアウンナットの小屋まで運ばねばならず、私は再び重たい橇を悄然と引き始めた。

すでに太陽は高く昇り、日差しは焼けつくように眩しい。私と犬は再び海に下りて橇を引き始めた。海に来ると、そこからはいよいよ白熊の領域に足を踏み入れることになる。すべての村人が、白熊多いよ、襲われるよ、気をつけてねと言っていた危険地帯だ。私は熊の出没に即座に対応できるよう常時ライフルに弾を装填し、ウエストポーチにはベアバンガーという大きなロケット花火みたいな対熊威嚇用発射物をしのばせ、常に周囲に目を配りながら歩いた。大きな氷山を過ぎたときに白熊の足跡が残っていたが、一週間から十日ほど前に降った雪がかぶっているところを見ると、足跡はそれ以前につけられたものらしい。他にも何度か足跡を見かけたが、数日以内につけられたような新しいものはなかった。陽射しも強くて明るいし、白熊に対する張り詰めた緊迫感はすぐに失われた。

　私の気持ちとしては、白熊に来られたらまったく困るというわけではなかった。もちろんテントに来られるのは嫌だが、歩いている間に一度か二度、白熊に遭遇するぐらいならむしろ望ましい。なぜなら、すでに明るい季節なので行動中なら十分対応できる余裕があるし、それに白熊が来たときに犬がちゃんと吠えるのか確認したかったからである。村を出てからこの犬は鳴いたり悲鳴を上げたり失禁したりしたことはあったが、結局吠えたことはただの一度もなかった。できれば今回の旅で白熊という存在を認識し、本番の極夜探検で遭遇したときにきちんとワンワンと吠えてほしいと願っていた。

海に出てもこの地域一帯は風が吹くことがないようで、そよ風もゼロ、風力ゼロだった。そのせいで相変わらず重たい新雪がつもっている。これまで歩いたカナダ北極圏は、地形的に平坦で遮るものがないため、常にどこからか風が吹き、海氷上はどこもがちがちに硬くなったぶ厚い雪が覆い、風紋や吹き溜まりを作っていた。巨大な風紋や吹き溜まりを越えるのは疲れるが、それでも橇が新雪に埋まるよりははるかに楽だ。私は北極の海氷というのはカナダ同様どこも堅い雪に覆われているのだと思いこんでいたのだが、しかしここはそうではなかった。風がないので相変わらず砂を敷き詰めたような新雪がつづき、橇は途方もなく重たかった。無風地帯を歩くのは強風地帯を歩くのより肉体的にはきついものがある。

すでに村を出てから一カ月近くが経過し、装備は至る所がいたんでいる。極地の旅ではいつも二十日を過ぎたころから人体も装備も悲鳴をあげ始め、修理をしたりごまかしたりしなければならなくなる。村で苦労して縫製した例の兎の毛皮服は完全に凍結し、氷の鎧（よろい）のようになっている。凍っても暖かく、どんなに吹雪の日でもこれを着ている限り死ぬことはあるまいという安心感はあるが、凍ることによるストレスは無視できないものがあった。一度皮の部分が凍ると手がつけられないほどガチガチになり、無理やり頭や腕を通していたので、背中や脇の部分の皮が裂けてボロボロになっていた。寝袋も昨年のカナダのときと同様、寝ている間に汗が凍って綿のなかに拳大の氷の塊がいくつもできている。毛皮服と寝袋だけでも出発時より五キロは重くなっているだろう。スキーも側面の金属が剝がれ、いつ完全分解してもおかしくなかったし、予備のストックは途中でどこかに失くしていた。手袋に関しては、海豹皮のミトンも毛糸の手袋も内側につける薄手の手袋もすべて穴だらけ、連日連夜テントのなかで修繕に追われた。顔の凍傷もひどくて、もう顔面の皮を何度剝いたか分からない。伸びた髭に氷がくっつき、それが原因で顎の凍傷が悪化して炎症を起こし、それがいつまでたっても治らず痛かった。

何よりも応えたのは橇の滑走面だった。じつは今回、私は橇の滑走面に通常使われるプラスチックのものではなく、実験的な意味もあってテフロンの滑走面を試用していた。業者はどんな摩擦にも耐えうる、氷の摩擦で剝げることなど考えられないと太鼓判を押していたが、実際にこっちに来て使ってみると、村の周辺での訓練の段階でテフロンはあえなく剝げ落ち、出発する段階ですでにステンレスの地金がむき出しになっていた。大島さんによると、ステンレスや鉄の金属の滑走面は氷点下三十度を下回ると金属自体が冷えきって、摩擦熱で雪が融けずに急激に橇が重たくなるという。それを回避するために出発前に大島さんが教えてくれたのが、脱脂綿を使った滑走面だった。これは水に浸した脱脂綿をステンレスの滑走面にくっつけて凍らせ、固形化させてカンナで削るというもので、氷床ではずっとこの脱脂綿ランナーで橇を引いていた。ところがその頼みの脱脂綿ランナーも、あの地獄川を下り、河原石の上を無理やり行進するうちに剝がれてしまい、地金のステンレスがまたむき出しになってしまった。恐らくそのせいもあって橇は強烈に重くなっていた。引くとずりずり音がする。そんな感じがするぐらい重たい。私も犬も体力がなくなっていたのかもしれないが、とにかく過去に経験したことのない重さだった。

橇が重たくて行動はさらに遅れていった。海に出てからは今度こそ一日二十キロは歩くつもりで私は帰りの予定を考えていたが、それが半分の十キロかせいぜい十五キロしか進めない。日が経つにつれて私は予定通り村に帰れるか不安になってきた。

テントのなかで私は地図をにらんで距離を計算した。帰りはこの先にあるアウンナットの小屋から、再びイングルフィールドランドの陸地を越えて氷床に上がり、来たときと同じイキナ氷河を下って村に戻る予定だ。地図の上にはアウンナットから氷床に出るルートを大島さんに鉛筆で書きこんでもらっていたが、それを見るかぎり帰りも基本的には谷沿いを登っていかなければならないらしい。だが、もしその谷が、この前下って来たセプテンバー川と同じように河原の連続する雪の深い地獄川だったら、下手をすると氷床に到達するまでに十日前後かかるかもしれない。あの川を逆に登っていく労力を考えると、正直ゾッとする。少なくとも一週間はかかると考えておいたほうが賢明だ。さらに氷床を越えても下りのイキナ氷河の入口がうまい具合に見つかるとは限らない。雪塚を作っておいたが、あんなものはほとんど気休めだ。氷河の入口を見つけるのに日数を食う可能性があることは分かっていたので、私は十分余裕のある計画を立てて村を出発したつもりだったが、そんな余裕などこの時点で完全に食いつぶしていた。

北緯七十八度四十分付近では、すでに一日の多くの時間が太陽により明るく照らされ、黒い闇は白い闇へと変貌しつつあった。氷点下三十六度、雪が重たくて全然進まないことに業を煮やした私は沖から海岸に近づき、定着氷の上にあがって小屋まで移動することにした。

しかし定着氷に移るといっても簡単な話ではなかった。

定着氷というのは潮の干満で海岸にできる氷のことだ。冬の寒い時期になると、満潮ラインから潮が引くその間に海岸で海水がうっすら凍る。そのうっすら氷が一日二回の満潮で何度も上塗りされていき、真冬になると大潮の満潮時にあたる一番高い潮汐線にそって平らな氷ができる。そのように形成される定着氷は海岸にそって出来上がる不動の氷で、場所によっては高速道路のようにまっ平らな氷が延々とつづくので、古来、チューレ地区のイヌイットにより〈氷の道〉として利用されてきた。ただ定着氷自体は不動の氷なのだが、その手前は潮の影響で氷が上下に動き、そのせいで隙間がないぐらい盛り上がったりバキバキに割れたりして、大抵手の付けられない乱氷帯を作り出している。定着氷を効率よく移動路として使うには、どこの定着氷なら真っ平らで移動しやすいか、あるいはどこからなら乱氷が穏やかで乗り降りしやすいかといった極めてローカルな氷の知識が必要で、かつ満潮時のほうが海面が上昇し乗り降りしやすいので潮汐表を用意しておかなければならない。だが、グリーンランド初見参の私にはそんな知識はなかったし、そんな知識が必要だということさえ知らなかった。私にあったのはグリーンランドやエルズミア島には海岸線に氷の道という都合の良い氷が発達しているらしいという本で仕入れた生半可な情報だけだった。

定着氷にあがろうと海岸近くの乱氷に入りこんだ私は、途方に暮れることになった。海氷は潮のうねりで盛り上がり、岸が近づくと氷は割れてぐさぐさになり、足の踏み場もないほど乱れに乱れている。しかしここまで来た以上、今更戻るわけにもいかない。海氷は海氷で乱氷になっており時間がかかるし、砂のような雪が積もっており橇が重くて仕方がない。私は意を決して氷の迷宮に入り込み、鉄棒を振るって氷を砕いて道を作った。ようやく定着氷の際に来ると、今度はゆうに乗用車ぐらいの大きさはある青氷が、まるで神の仕業としか思えない強大な力により、無造作に転がされ、積み重なり、海岸の境界に高さ五メートルの氷壁を作り出している。何がどう間違ったらこんな壁ができあがるのか、私は唖然とした。地形、氷の状況、積雪状態、氷河に氷床、丸石河原、そして海岸沿いの乱氷処理。グリーンランド北部の自然条件は、これまで慣れ親しんだカナダ北極圏とは全然違い、旅の障碍がじつに多い。何もかもが初めてのことばかりだった。

乱氷のなかはどこもかしこもつるつるの青氷で踏ん張りがきかないので、犬は爪が立たず何の力にもならない。かえって作業の邪魔なので、私はロープを解いて、その辺で自由にさせておいた。体力を使いきっていた犬は、橇の近くで寝床を作って身体を丸めて横になったかと思うと、いつものようにすぐに目を閉じた。

装備を持ち運んでは氷壁を登り、その向こうの定着氷に運ぶ。一時間ほどかけて、よようやく装備を運び終えた私は、橇の横で寝転がる犬に、おーい、行くぞと声をかけた。しかし、なぜか犬はこちらに来る様子を見せなかった。この犬は、どこまで真面目に橇を引いていたかはともかく、呼ばれたらいつも私のところに戻ってくる素直な犬ではあった。それがまったく来る気配がない。呼ぶと、こちらにチラリと視線を投げかけるが、関心がなさそうにまた寝始めてしまう。

「何してんだ、あいつは……」

私はぶつくさ文句を言いながら橇のところに戻ると、「おい、行くぞ！」と声をかけ、最後の装備を両手に持ち、氷壁を登り定着氷に運んだ。さすがに犬も付いてきているものだとばかり思っていたが、振り返るとまだ寝転んだままで、相変わらず動く気配がなかった。頭に来た私は犬のところに戻り、「おい、いい加減にしろ！」と怒鳴りつけて、首輪をつかんで定着氷の手前の氷壁まで重い体を引っぱった。だが、先に氷壁を登って後ろを振り返ると、犬は氷壁から逃げ出して、また乱氷のなかに戻ってうろうろしていた。こちらにたまに視線を向けるが、私のほうに来るつもりはないようだった。

犬は完全に橇を引くことをボイコットしていた。反抗期を迎えたのである。

アルコールが入ると自動的に手を上げる暴力男のように、私は久しぶりに制御のきかない怒りに全身が満たされていくのを感じた。速攻で氷壁を下り、乱氷のなかを、普段ならあり得ない白熊のような滑らかな動きで犬のもとに近づき、そして左手で首輪を摑んでその場にねじ伏せた。

犬は、何すか？　何か用すか先輩？　みたいな不貞腐れた顔で私を見た。

「お前、村に帰りたくないのか。分かってんのかよ。お前がちゃんと橇を引かないと、俺たちは村に帰れねえかもしれないんだぞ。死にてぇのか、お前は！　お前は一人で生きていけんのか？　ここでどうやって生きていくんだ？　自分で海豹捕まえられんのか？　時間がないんだよっ！」

私は犬に馬乗りになり大声で喚きながら、何度も犬の顔面を右の拳で殴打した。しかし犬はもはや私に殴られることに慣れたみたいで、殴られても怯えるでもなく、小便を漏らすわけでもなく、殴れよセンコウ、好きなだけ殴れよといった表情で、淡々と殴られつづけていた。私の鉄拳に以前ほどの恐怖を感じているようには見えなかった。この前まで素直だったのに、いつのまにかその目にはすべての大人を軽蔑したグレた中学生みたいな色が浮かんでいた。その変化というか成長に、私は、おそらくは反抗期の息子に手間取る父親のそれと似た戸惑いを覚えた。しかしそんな動揺はおくびにも出さず、圧倒的な力の差を見せつける意味合いもあり、十分に殴り終えると今度は犬を青氷の積み重なった氷壁の上に引っ張り上げ、この野郎という捨て台詞とともに向こう側の定着氷の上に蹴り落とした。犬はきゃんと小さな悲鳴をあげた。

死にてぇのかというこのときの私の言葉は、本心から出たものだった。真面目にならないと冗談抜きで死ぬぞ、いい加減にしろと思った。だから私はこのとき本気で怒った。真剣に怒った。そのせいか、この事件以降、犬の態度は明らかに変化した。これまでとちがい素直に橇を引くようになり、以前のように力を抜いて周りをキョロキョロと見わたすことがほとんどなくなったのである。私の意図を読み取ってそれに合わせて行動できるようになり、橇が停まっても勝手に寝転がらず、「休憩」と私が指示するまではその場で黙って待機するようになった。少し離れたところから写真を撮ったときに手で位置を変えるように指示すると、それに従ったことさえあった。犬との呼吸が合ってきたので私も苛立ちが消え、これまでのように怒鳴って拳で殴りつけることはなくなった。犬の変化に、本気になって叱れば犬にも日本語は通じるのだ、と私は妙な感動をおぼえたのだった。

だが、同時にその犬の変化に私は一抹の寂しさを感じてもいた。この定着氷での出来事以降、犬から、以前のような子供らしい快活さや無邪気さが失われてしまったように思えたのだ。出発した当初、犬は毎朝、私がテントから出てくるのを待ちきれず入口の前で待ち構えていたものだった。ところが今ではそんな親愛の情を表現することはないし、氷床行進で見せたように、止まった橇を突進して動かすといった我武者羅(がむしゃら)な頑張りぶりを見せることもない。どうも叱られないように、黙々と、自分の仕事をこなすかのように橇を引いているだけのように見えるのだ。もしかしたら単に旅の疲れが溜まっていただけかもしれないが、私にはその変容ぶりはもっと根本的な精神の部分に根差している気がしてならなかった。つまり犬は私との関係を愛情や親密さを基軸にしたウェットなものから、契約に近い労働対価的なドライなものに変えたのではないか。友人から部下になったのではないか。橇は引く。しかしそれはあくまで餌をもらっているし、橇を引かないと村に帰れないからであり、確かにあなたのことを主人と認めて従うけれども、だからといって別に親しい感情を抱いているわけではない。そこを勘違いしないでくれ。犬の態度から時折、そんな本音が見え隠れする気がして、私は複雑な気持ちになった。

アウンナットの小屋に着いたのは三月十三日だった。思ったより新しい木の小屋で、玄関を開けると燃料を入れるポリタンクやジェリカン、村人のデポらしき段ボール箱が転がっていた。奥には台所と居室が続き、軽油式のストーブがあってテーブルと椅子が並んでいた。ここの小屋はカッカイッチョックやイヌアフィシュアクと違って、今もシオラパルクやカナックの村人が白熊狩りのときに使う現役の小屋である。テーブルの上には食いかけのマリービスケットや乾パン、バター、それにやりかけのトランプが散らばり、つい先ほど村人たちがゲームを途中でやめて立ち去ったかのような空気がのこっていた。

甘いものに飢えていた私は、まずテーブルの上のマリービスケットを口に運んだ。次に床の上に転がる何年前のものか分からない、すかすかに湿気たチョコレートビスケットを漁り、それを食い尽くすとテーブルに残っていた乾パンにバターを塗ってばくばくと食いつづけた。腹が満たされると玄関に残っていた軽油でストーブの火を熾して小屋のなかを暖かくし、すべての装備を天井の洗濯ひもに吊るしてからからになるまで乾かした。

翌日は小屋のなかで乾かしものと休憩に費やし、犬に残った肉を与えて十分に休息させた。この先で遭難する事態に備え、小屋のメモ用紙にここまでの行程と、今後の予定、自分や犬の身体の状態を事細かに日本語で書き記した。村までの行程を考えると、少し緊張感が高まった。氷床まであとわずか三十キロ、村までも百十五キロにすぎない。通常の極地の旅なら五日か六日で着く計算だが、私の頭にはここまでの行程の嫌な印象が残っていた。

氷床までの三十キロの区間が勝負だと私は考えていた。この前のセプテンバー川みたいに深雪とごつごつの河原がつづくようだと一日に五キロ程度しか進めないかもしれないが、それ以上かかると日数が足りなくなるので、何とか一週間以内に氷床にたどり着く必要がある。村まで私は最大二週間分の食料を用意することにし、残っていた麝香牛の肉は全て犬の餌に充て、余ったドッグフード二十キロを小屋にデポすることにした。自分の食料の残りを調べると二週間には少し足りなかったので、その分は窓際に放置されていた乾パンや、台所の戸棚で見つけた共用のものと思われるシリアルを少々拝借して補うことにした。

食料と燃料の準備が終わると、鉄の棒やライフルの弾丸、熊よけスプレーなどこれから先では必要のない装備を大きなスポーツバッグにまとめて、〈KAKUHATA (JAPA

NESE〉DEPOSIT FOR 2015-16 WINTER EXPEDITION DON'T USE〉と書いた厚紙を括りつけてドッグフードと一緒に玄関を入ってすぐの前室に保管した。デポした装備や、毛皮服や寝袋を乾かした分を合わせると、橇はそれまでより三十キロは軽くなったはずだ。

三月十五日、私たちは小屋を出た。気温は氷点下三十五度。うれしいことに氷床のほうから秒速二、三メートルの風が吹いている。風が吹いているということは雪が固く歩きやすい可能性が高い。もはや太陽は朝の早い時間に昇り、夜遅くまで地平線を赤く染めるようになっていた。一日中陽光に包まれる白夜の季節ももうそう遠くのことではなかった。

小屋から先は大島さんに教えてもらったルートに従い、まずは西に少し行ったところにある小さくて急な谷を登った。

「引け、引け！」

谷の取り付きは傾斜がきつく滑りやすかったが、犬も前日の休息で体力を回復したのか、私の掛け声に反応してぐいぐいと橇を引いて登った。谷を登り左側の小ピークを巻くようにして石の突き出た丘を強引に越えると、まもなく顕著な大きな谷にぶつかった。大島さんの手書きのルートラインに示された、氷床に向かう谷である。この谷に下りたとき私の懸案は解消された。谷沿いは風が吹き抜ける地形になっているらしく、思った通り雪は固く締まっていたのだ。

私と犬は村を出発した日以来、初めて軽快な足取りで橇を引くことができた。谷はまもなくゆったりとした広大な峡谷となり、信じられないほど無数の兎の足跡で埋めつくされていた。麝香牛の群れとも何度も遭遇した。初めて麝香牛の群れを見たとき、犬は恐怖でブルブル震えていたが、一度肉を食べて味をしめた後は、麝香牛の姿を見つけるたびに、あの肉を食いてぇといった様子でハアハア息を荒げて重い橇を引いて猛然と突進してゆく。

まもなく雪原の向こうに、氷床が青い巨大な塊となって弧を描いているのが視界に入ってきた。私は何度も地図を見て大島さんが描いてくれたルートを確認しながら進んだ。谷を上り詰めると地形は三百六十度真っ平らとなり、目印にできるような顕著な尾根や谷は皆無となった。大島さんが地形のどの部分を前提にこの微妙にカーブするルートを引いてくれたのか分からなかったが、こんな真っ平らな場所でも彼らには見えるルートがあるにちがいない。とにかく下手なところに出てしまうと、また急峻な氷崖にぶつかって登れない可能性があるので、ルートを外さないよう細心の注意を払って進む。等高線のほとんど入っていない五十万分の一図で地形を読みとるのは至難の業だったが、その点にかけては私も過去の極地の旅で熟達していたので、自分なりに微妙に地形を読みとり、位置を修正して前進をつづけた。氷床の手前で比較的顕著な谷を横断し、雪上に岩が突きだした小さな丘を登ると、ついに氷床の末端に出た。遠くからだと氷床はとても登ることができそうにないほどきつい傾斜でせり上がっているように見えたが、実際に間近に来てみるとそれほど急傾斜の雪壁ではなく、私と犬はそのまま橇を引いて登り、途中で荷物をばらしてさほどの苦労もなく運びあげた。

氷床の上にあがると、丘や谷で微妙な起伏を有したイングルフィールドランドの雪原が、地平線のかなたまで白く広がっていた。犬もまた物思いに耽るかのように、眼下の景色を眺めていた。この旅は私にとってだけでなく、犬にとっても新しい経験ばかりだった。村を出たのも、氷河を登ったのも、氷床を越えて何日も海氷の上を歩いたのも初めてだったし、人間以外の大きな動物と遭遇し、その肉を食ったのも初めてだった。誰かと一緒に長い時間を共有し、苦しい思いをしたのも初めてだっただろう。旅の間、私はこの犬がひたすら無邪気な子供犬から、思慮の働く落ち着いた大人犬の領域に一歩足を踏み入れたように感じていた。落ち着きが出たように見えたのは単に疲労のためかもしれないが、しかしひたすら疲れきることもまたひとつの経験にちがいない。考えてみると一カ月以上続けて荒野をさすらう経験など、今ではシオラパルクの他のどの犬にもないかもしれない。ウヤミリックは今や他のどの犬にも負けない大きな経験をしたとさえ言えた。

静かに道のりを振り返る犬を見ながら、私は、この旅が彼にとっても旅であることができたのならばと思わないではいられなかった。

8

氷床を越えて村に戻るのに五日かかった。

氷床にあがってからはだらだらとした微妙な登りがしばらくつづき、最高点まで登りきるとイキナ氷河を目指して南南東に進んだ。氷床を歩きだして二日目には、シオラパルクの北側にある山や谷が、かすむ雪景色の向こうに見えた。風は雪面の薄い霜を吹き飛ばし、やがて地吹雪となって周囲の景色を激しい雪煙の彼方に押しやった。翌日になると風は二十メートル近い暴風となり、凄まじい地吹雪が私たちの身体に叩きつけた。風に飛ばされた雪が白い奔流となって目の前の大きな氷河に吸い込まれていく。過去に経験したことのない強い地吹雪となったが、太陽が明るく世界を照らしていたので、昨冬の暗闇のなかでのような恐怖を感じることはなかった。

地吹雪は翌日には収まったが、風は足元の固い雪面を深くえぐり取り、あたり一面を深さ一メートルの小峡谷が入り乱れるぐさぐさの状態に変貌させた。地吹雪が作り出した細かな丘や谷を乗り越え、私はうろうろと丸一日かけてイキナ氷河の入口を探した。地形的にもはや氷河がすぐ近くにあることは分かっていたが、氷河は狭くて傾斜が急なので、地図に載っていない小さな丘を一つ隔てただけで、どこにあるのかさっぱり分からなくなってしまう。歩いているうちに隣の大きな氷河に入りこみかけたが、行き過ぎていることに気づき登り返したところで、幸運にも行きに作った雪塚の一つを発見できた。

雪塚からしばらく進むと、見覚えのある光景が広がってきた。太陽に照らされた青い氷が黒い海に吸い込まれるように落ち込んでいる。間違いなくイキナ氷河だった。登りにまるまる六日間かかった氷河だったが、下りは一気に駆け降り、わずか半日でシオラパルクのあるフィヨルドに到着した。

村に到着したのは出発から四十日目のことだった。村の入口に到着すると、私の帰りを心配して待っていた村人たちから暖かい抱擁を受けた。犬もフィヨルドの途中で帰還を察知したらしく、村が見えてくると待ちきれずに橇を引いて走り出し、到着してからも興奮と喜びで橇を引いたままそこら中を駆けまわっている。

大島さんと山崎さんはイータのほうに猟に出かけており、戻りがいつになるか分からないとのことだった。私は村に戻ってから何もする気が起きず、家のなかに閉じこもり読書やネットの閲覧や今回の装備関係の改善点のまとめや、それに暴食、あとは家族とのスカイプなどに時間を費やした。

三月三十一日に私は帰路につくため、シオラパルクを離れてカナックに向かった。大島さんと山崎さんは前日に猟から戻ってきており、お世話になった挨拶と、また来年シオラパルクに来て極夜探検のデポを設置するための旅をしたい旨を伝えた。大島さんからは猟で仕留めた兎の肉料理をごちそうになり、山崎さんはまだしばらく村に残るということだった。

カナックには、ウヤミリックの元の飼い主であるケッダの犬橇で行くことになった。帰国するまで私は、日本に戻っている間の犬の預け先について頭を悩ませていたが、ケッダが自分の犬橇のチームの一員として使いたいというので、結局、彼に一時的に返還して面倒を見てもらうことにした。もちろん次のデポ設置旅行も本番の極夜探検もまたこの犬を伴うつもりだったので、そのことをしっかりと言い含めておいた。

カナックに出発する日、「ウヤミリックにも犬橇を引かせてみよう」とケッダが言った。

もちろん私としても異存はなかった。私には、あれだけ肉体的な試練を経験した犬が他の犬に比べて力負けするはずがないという確信があったからである。

ただ犬橇の準備を進めている様子を見て、その自信はにわかに崩れ始めた。私の犬は明らかにケッダの犬の間で浮いていた。他の犬がケッダの言うことを聞き、規律正しく行動しているのに対し、私の犬は自分が何をしたらいいのか全然理解しておらず、それどころか、これから自分が他の犬と一緒に橇を引くということさえ分かっていないようだった。

チームのなかには私の犬と同じ一歳犬が何頭かいたが、たぶん私が旅に出ている間にしっかりと訓練を受けていたのだろう、主人であるケッダの意図を見逃すまいとその一挙手一投足に目を凝らしている。それに比べて私の犬の挙動は、どう控えめに見ても頭が悪そうで、他の犬たちと理解能力に圧倒的な差があるのは明らかだった。集団から離れ、一頭だけ私に嬉しそうにじゃれ付いてきて、いつものように身体をさすってくださいよ旦那、と言わんばかりに腹を見せてへらへらと舌を出している。他の犬とは、帽子をかぶった防衛大学校の学生と鼻水を垂らした小学三年生ぐらい規律に差があり、私は急に不安になってきた。

「何してんだ、ほら。お前もみんなのところに行け」

私はそう言って、ウヤミリックの首輪を摑んで他の犬のところまで引っ張った。

とはいえ、私の犬が集団行動を取れないのは、ある意味で当たり前だ。彼は犬橇を引いたことのない完全に無垢な状態で私との旅に出発したのだから、それはしょうがないことである。じきに慣れるだろう。しかし、橇を引くという単純な力仕事になったら力量を発揮するはずで、そのことに対する信頼はあった。

その日は風が強く、出発は午後二時半にずれ込んだ。ケッダがロープを引っ張って海氷に下り、山崎さんとケッダの妻に見送られて犬橇は出発した。背後で山崎さんがしばらく手を振ってくれており、村はどんどん遠ざかっていった。

実際に出発すると、思った通り私の犬は力感の溢れるフォームで橇を引きつづけた。

元々、身体が大きかったことに加え、四十日の旅の成果で以前よりも明らかに尻の肉が盛り上がっており、その力強さは他の犬に比べて一段抜きん出ていた。

「ウヤミリック、ナウマット（ウヤミリック、いいねえ）」

ケッダも感心して驚きの表情を見せた。ふっふっふ、そうだろ、と私も鼻が高かった。しかしウヤミリックが私を喜ばせたのも、出発からわずか三十分の間に過ぎなかった。まもなく走るペースに付いていけなくなり、少しずつ集団から遅れを取り始めたのだ。他の犬はロープをぴんと張って橇を引いているのに、私の犬のロープだけだらんと垂れてまったく力が伝わっていない。四十日間、私と同じペースで歩いていたので、走るという行為に慣れていないのだ。私は急に落ち着きを失い、そわそわし始めた。心配しながら犬の様子を見守っていると、ウヤミリックは驚くような行動をとった。何を思ったのか唐突にその場にしゃがみこみ、寝っころがって休憩をとろうとしたのである。あまりに大胆不敵な行動に私は目を疑った。あり得ない。遅れるなら、まだ分かる。座って休憩してどうしようというのだ。当然のことながら他の犬は走りつづけているわけだから、私の犬はすぐにロープで引っ張られ、やむなく立ち上がって再び走り出した。

その後も私の犬は同じことを何度も繰り返した。性懲りもなく休憩をとろうとしては引っ張られ、そして舌打ちでもしそうな顔で渋々と走り出す。まったく情けない姿だった。この犬は何も分かっていない。休憩してもすぐにロープが引っ張られ、また走り出さなければならないことの因果関係も分かっていなければ、自分が休憩すると他の犬に迷惑がかかるという集団行動の原則も分かっていない。なんでそんなことも分からないのか、お前はそんなに阿呆だったのかっ！　と私は叫びだしたい心境だった。元々知能が低いのか、犬とはそんなもんなのか、あるいは飼い主に似て要領が悪いのか、それとも私の教育が悪かったのか……。

たしかに私の教育が行き届いていなかったことは否めなかった。私の犬が走れなかったのは、彼が経験した旅と犬橇との間に行動形態の差があったからだ。私との旅の間、ウヤミリックは私の歩く速度、つまり時速二、三キロの速さで重い橇をゆっくりと引いていただけだ。それにやろうと思えば私に隠れてサボることもできたし、二時間に一回は休憩することができた。しかし、それとはちがって犬橇は休憩もなしに時速五キロぐらいのスピードで延々と何十キロも走らなければならない。私の犬がやっていたのはパワー系なのに対し、犬橇は持久力系。ラグビーのフォワード第一列の選手がマラソンレースに出ているようなもので、付いていけないのは当たり前だったのだ。

しかし事実はどうあれ、休憩を決めこむというその甘ったれた精神は、私の監督不行き届き以外の何物でもない。恥ずかしいやら、情けないやらでまともに自分の犬の様子を見ることができなかった。完全にバカ息子の授業参観に出席した父親の気分である。私の犬が付いていけずにへこたれて座り込み、他の犬が「また、あいつだよ」とチラッと後ろを振り返るたびに、私には「先生、角幡ウヤミリック君がまた居眠りしていま す」と級長さんから注意を受けているように見えた。それに私の犬がへこたれるたびに、ケッダから「お前たちの旅は所詮その程度のものだったのか」と見下されているような気がして、それがまた癪に障った。集団から離されそうになるウヤミリックの姿を見るたび、私は「頑張れ。遅れるな。俺たちの旅の名誉のためにも、そこで踏ん張って、付いて行け」と心のなかで必死に声援を送った。しかし私の期待は常に裏切られ、犬はまた平然と座りこんで休憩を始めるのだった。

私の犬ということで遠慮していたケッダも、度重なる情けない行状に、ついに決定的な評価を下した。

「ウヤミリック、アヨッポ（ウヤミリックは……ダメだな）」

私の犬はとうとう橇引き犬としての能力を否定されてしまったのだ。

そして否定されることは、笑いごとで済まされることではなかった。使えない犬、体力のない犬、根性のない犬はイヌイットにとっては飯食い虫以外の何物でもない。そういう犬は生活自体が過酷なこの極北の地では容赦なく処分されると聞いていただけに、私には自分の犬の将来が危ぶまれた。いくら私が買った犬とはいえ、このような鈍重な行動を繰りかえしていたら、ケッダからどうしようもない犬だと判断され、処分されてしまうのではないか。

実際カナックまでの移動中、その心配が必ずしも杞憂でないことを示す出来事があった。シオラパルクから三分の二ほど進んだ定着氷の上を走っていたとき、ケッダが舌打ちして急に犬橇を止めた。

「クンミ、アタ―ファ、アヨッポ（一頭、ダメな犬がいる）」

そうつぶやき彼は橇の下でのびていた犬を引きずり出した。どうやらその犬は、私が周りの景色に見とれている間に疲労で倒れ動けなくなっていたらしい。ケッダが胴バンドからロープを外している間、その犬は力を失った目でその様子を見るだけで身体をまったく動かそうとしなかった。そしてその犬を橇の上に乗せるのかと思いきや、ケッダはそんなことはせず、弱った犬をその場所に放置して再び橇を走らせた。犬はみるみる遠ざかっていく。もはや動く気力も体力も残っていないようで、走って追いかけてくるでもなく、立ちあがってフラフラするわけでもなく、ただ横になったまま首をこちらに向けているだけで、そのうち視界から消えた。

え、どういうこと？　事態をよく飲みこめないまま「あの犬はどうなるんだ？　シオラパルクに一人で戻るのか？」と訊ねると、ケッダは眉間にしわを少し寄せた独特の表情を浮かべ、無情にこう言った。

デイマ。

その一言を聞き、私はこれはまずいぞと真剣に思った。デイマとは終わりを意味し、継続していた状態が途切れることを指す言葉だ。この場合、さっきの弱った犬はケッダにとってデイマになったという意味なわけだから、要するに〈もういらない〉ということである。さらに敷衍（ふえん）すれば、あの状態で氷原に置き去りにされた以上、ケッダのデイマには〈そのうち死ぬだろ〉という意味も暗に含まれていることになる。私がまずいと思ったのは、べつに彼らの文化が非情だとか残酷だとか、そういうことを感じたからではない。このままでは私の犬もデイマになってしまうのではないかとの危機を感じたからだ。ウヤミリックがデイマになるのは困る。そこの判断には私も一枚嚙ませてほしい。あいつは私の犬だし、極夜探検でも一緒に旅をしたいと思っているし、それに私はあいつのことが好きなのだ。

カナックに着いたとき時刻はすでに午後十一時を過ぎていた。遅い時間だというのに、あたりはまだ昼のように明るく視界は十分にきいた。もうすっかり白夜は目の前だ。カナックの手前になると私の犬は完全に息があがっていて、他の犬に付いていくことができず、最後は橇の手前のロープの結び目に引っかかって、腰をかけているような状態で運ばれてきた。橇犬としては前代未聞の醜態、信じられない体たらくである。橇が止まり、他の犬たちがケッダの指示に従って軍事行動のように規律よく集まっても、私の犬だけは相変わらず別のところに行こうとして、他の犬とは正反対の場所で寝そべっている。私が首輪を引っ張っても疲れ切っていて足を上げようとすらしなかった。

「てめえ、この野郎。いい加減にしろ」

羞恥心も加わって、私は久しぶりに犬の腹を思いっきり蹴っ飛ばした。それでも犬は私からかまってもらったのが嬉しかったのか、例によって舌をへらへらと出して、うっへっへへ、旦那、腹をさすってくださいよ、と仰向けになり、じゃれついてきて離れようとせず、最後はケッダにロープを摑まれて町の海岸線にある繫留地に引っ張られていった。

結局これが私とウヤミリックの別れのときとなった。

翌日、ケッダに会って犬橇に乗せてもらった代金を支払ったとき、私は来年までのウヤミリックの扱いについて念を押してお願いした。

「昨日はウヤミリックはアヨッポ（よくない）だった。でも、頼むから来年、またおれが来るときまでデイマにしないでくれないか。おれはあの犬とカナダに行くつもりなんだ」

「問題ないさ」とケッダは言った。「あの犬はまだ長い距離を走ったことがないし、速く走ったこともなかったから、付いて来られなかっただけだ。これからカナックとケケッタの間を何度か往復するつもりなので、そのうちよくなるよ」

カナックの町には二日しか滞在しなかった。その間、私はケッダの犬の繋留地に行って自分の犬に会うことはしなかった。少なくともこれから一年間、彼はケッダの犬橇の一員として仲間と集団で行動することを学ばなければならない。ただでさえ甘えん坊の犬だ。私が行って自分の犬だけをかわいがったら里心がつくかもしれないし、他の犬との関係に微妙な乖離ができるかもしれない。

しかしウヤミリックからは私の姿がはっきりと見えていたらしい。

カナックを出発する日の朝のことだった。ちょうど荷物をまとめて私が家を出たとき、海岸線のほうから、オオオン、オオオーンと狂ったような裏声でわめく犬の鳴き声が聞こえた。それはシオラパルクの村で、ケッダの家に預けてひとまずのお別れをしたときに、私の犬が出したのとまったく同じ声だった。私は海岸線を見下ろし、どこに自分の犬がいるか探した。だが、犬の繋留地までは少し遠すぎたし、私は北極を長く歩きすぎて視力がかなり落ちていた。海岸線には同じような色の犬がたくさんいて、どれが自分の犬なのかまったく分からなかった。

オオン、オオーン。

鳴き声はやまなかった。カナックの人に犬を甘やかして育てた馬鹿がいると思われるのではないかと、こっちが気恥ずかしくなるぐらいの大きな声で、私の犬はけたたましく鳴いていた。その声は彼から私の姿が見えなくなるまで、やむことなくつづいた。私はその鳴き声を聞きながら、飛行場に向かう車のなかに慌ただしく身を沈めた。

第三部　海象と浮き氷

第三部　旅のルート

2015年6月21日～7月8日、
7月22日～8月31日（カヤックルート）
2015年8月16日～8月21日（徒歩ルート）

カッカイッチョック
ケーン海盆
イヌアフィシュアク
セプテンバー湖
スミス海峡
アウンナット
徒歩ルート
イングルフィールドランド
アノイトー
イータ
グリーンランド
ウッダッハヤ（アレキサンダー岬）
イキナ氷河（メーハン氷河）
ピトラフィ
カヤックルート
シオラパルク
カナック

北緯79度
ピム島
北極海
シオラパルク
ケンブリッジベイ
グリーンランド
カナダ
アイスランド
アメリカ合衆国
北大西洋

1

二度の準備旅行により極夜探検に向けた根本的な課題は解決されつつあった。天測についてはタマヤ計測システムに気泡六分儀を貸与してもらえることになって目途がついたし、犬との橇旅行も昨年の旅でいけるという手応えを得られた。極夜という特殊環境で必要な衣類や装備も自分なりに研究できており、橇も昨年使ってみたイヌイット式の木橇を改良すれば大丈夫そうである。

天測や装備よりも最大の問題が、どこで極夜探検を実行するかという場所の問題だったが、それも昨年、グリーンランドを訪れたことで解決した。やはり極夜を探検するのだから、世界で一番暗い場所でなければならない。私の旅の信条は自分の足で人間の住む村を出発し、人間界の外にある未知の世界に飛び出して、そして自分の足で人間界に帰還することであり、飛行機やスノーモービル等、動力式の乗り物を雇って人間界の外に運んでもらうというのはあまりやりたくない。それにそんなことをするカネもない。

したがって探検の出発地点はあくまで人間の住む村であり、極夜探検に最適なのは世界で最も北にあり、一番暗い村でもあるシオラパルクが最適ということになる。

本番の探検に出発するのは、シオラパルクで太陽が姿を見せなくなる十月下旬以降だ。シオラパルクを出発したら、まずは北に向かって内陸氷床を越えてグリーンランドとエルズミア島との間の海峡に出る。そこからグリーンランド沿岸をさらに北上し、北緯八十度前後に達したところで海峡を横断してエルズミア島にわたり、そこから南下して同島にあるカナダ最北の村グリスフィヨルドを目指すというのが、この時点で考えていたルートだった。

ルートが決まると大まかな日程も自然と決まった。実際にこのルートで旅するとすれば、おそらく三カ月から四カ月はかかるはずだ。それだけの長期間、行動を続けるには、ルートの途中の無人小屋に食料や燃料をあらかじめ運んでデポしなければならない。当然、デポを運ぶのは冬の本番前の春とか夏になる。つまり極夜探検の前に、まずデポ設置旅行をおこなわなければならないわけだ。今回の極夜探検については事前の準備偵察もふくめ、全行程を可能なかぎり自分の力で完遂させたいと考えていたので、このデポ設置旅行も村人にお金を支払ってボートで運んでもらうといった他力本願的なやり方ではなく、できれば自分で橇やカヤックを使って実行したい。だとするとデポ設置旅行だけでも春と夏の数カ月が必要となる。夏のデポ設置が終わって一旦日本に帰国してまた冬にシオラパルクに戻るとなると、交通費が莫大なものになるから、経済的なことを考えると帰国せずに冬までシオラパルクに留まり、そのまま本番に出発するというのが現実的な方策になるだろう。

ということで次のグリーンランド行は途方もなく遠大な計画となった。

二〇一五年三月下旬に日本を出発し、春と夏にデポ設置旅行をおこない、そのまま現地に留まって十一月に村を出発、数カ月間、極夜世界を彷徨い歩きエルズミア島グリスフィヨルドに向かう。つまりデポ旅行と本番の極夜探検を一気にやってしまおうというわけだ。到着するのはおそらく翌年三月か四月で、出発から帰国まで一年以上、フィールドに出ている期間だけでも推定で七、八カ月という空前絶後の個人旅行計画だ。

具体的な準備にとりかかったのは、出発が二カ月後に迫った一月下旬のことだった。準備といってもテントや衣類など基本的な装備はすでに全部そろっているので、実際にやらなければならないことは近所のスーパー、サミットで食材を買いそろえて段ボールに梱包し、国際小包で現地に送ることだけだ。今回の探検はある意味、人類史上初の試みかもしれないが、今は便利な世の中なので、そのために必要な食材はほぼすべてサミットでも手に入る。真に独創的な行動に必要なのは最先端のテクノロジーや機材ではなく、本質を見きわめる直観力とそれを養う経験であり、食材なんかは主婦と同じく近所のスーパーで十分だ、という妙なこだわりが、いつものように私をサミットに向かわせた。

ただし買い出しの量を決めるには、極夜探検を実行するのに何日かかるか必要な期間を具体的に算出しなければならない。それまで私は何となく三カ月から長くて四カ月ぐらいだろうと感覚的に見積もっていたが、もっと正確に出す必要がある。

具体的な行動計画を決めるには、今回の探検が極夜という非常に特殊な環境下での行動であることを考慮に入れなければならない。最大のポイントは月の動きだ。

二〇一二～一三年冬におこなったカナダ・ケンブリッジベイ周辺の極夜放浪経験から、私は一日中つづく闇のなかで行動するには月の光が不可欠であることを痛感していた。暗かったらヘッドランプで照らせばいいという簡単な話ではない。ヘッドランプを使うと光に照射されている部分はくっきり見えるが、それ以外は照明のコントラストでまったく見えなくなるため、全体的な地形や雰囲気を把握しにくくなる。逆に明かりを消したほうが、かえって目が暗闇に慣れて周辺の様子が徐々にぼんやりと見えてくるので行動しやすいほどだ。とはいえそれにも限界がある。いくら闇に目が慣れても、足元の氷や雪の状態が明瞭に見えるわけではなく、ストレスなく行動するにはやはり月明かりが頼りとなる。

それにルート中の所々であらわれる難所では月明かりがないと危険だ。たとえばグリーンランド―エルズミア島間の海峡は幅が約三十～四十キロと狭く海流が速いので、氷の状況が不安定だ。このような危険地帯を行くときは、月が出ている期間を選んでわたらないと自殺行為になるし、デポを置いた無人小屋に立ち寄るときも月光がなければ発見できないかもしれない。このように極夜探検では絶対に月の光が必要なポイントが何カ所かあり、通過の際は月が出ているときにあわせる必要がある。だから極夜探検の計画を練るには、月の動きの詳細を調べ、月の暦にしたがって日程を決めなくてはならない。

厄介なのは、太陽や恒星とちがって月の動きが複雑なことだ。

月の運行が複雑なのは地球や月が傾いているからである。地球は公転軌道面から六十六・六度傾いて自転しており、さらに地球の公転軌道面と月の公転軌道面は五・一五度ずれている。こうした角度のズレがあるせいで、月は毎日、出没する時刻や方角、それに南中高度を変化させ、極地のような高緯度地方だと一カ月のうち一週間から十日間は姿をまったくあらわさない。

私は国立天文台のプラネタリウムアプリで、極夜探検の予定期間の月の動きを調べた。その結果分かったのは、冬の高緯度地帯では、一朔望月（新月から次の新月までの期間。一朔望月は二十九・五日）をつぎの四つの期間に分類できるということだった。

第一クール。新月をはさんだ九日間。この期間は月は太陽と同じ方角に位置し、一日中、姿を見せない。月も太陽も出ない真の極夜だ。世界は深い暗闇に閉ざされ、行動は著しく困難になる。

第二クール。月は地平線上にあらわれ、徐々に高度をあげていく。出没時間も次第に長くなって、だんだん明るくなり行動しやすくなっていく。

第三クール。次の一週間で月は大きくなり満月を迎える。新月とちがって月は一日中沈まなくなり約二十五時間かけて天球を一周する。位置的には冬の太陽の正反対、つまり夏の太陽と同じ位置にきており、理屈の上では白夜の季節に太陽が沈まないのと同じである。当然、この一週間が最も明るく、行動するのには最適の期間となる。

第四クール。月はだんだん小さくなり、高度を落として地平線の下に沈み始める。出没時間は徐々に短くなっていき、再び新月前後の月の昇らない期間をむかえる。

地図を作製するのに基準点が必要なのと同じように、この長い極夜探検の計画策定においても、まずは全体の行動を支える基準日を決めなければならない。基準となるのは、先ほども触れたとおり、結氷が不安定なグリーンランド―エルズミア島間の海峡わたりを、どのタイミングで実施するか、だ。過去の衛星画像を見ると、潮流が速いこの海域が十分に結氷するのは大体二月に入ってからである。そしてプラネタリウムアプリで調べたところ、二月以降のこの場所で、月が最も明るくなる第三クールに入るのは二〇一六年二月十三日から二十一日までで、できればこの間に海峡をわたりたい。

そのうえで、さらに月が引き起こすもう一つの地球現象である潮の影響についても調べなければならない。なぜなら海氷は潮の動きに大きな影響を受けるからだ。潮汐差の大きい大潮の期間は海の動きが激しくなり、強風が重なったりすると一気に氷が壊れる可能性もあり、非常に危険だ。岬のまわりにはアウッカンナ（氷のうすい危険箇所）もできやすい。つまり海峡わたりは月が出ていて明るく、さらに潮の動きが小さな期間に限られるのである。

さきほどの月が一番明るい第三クールに入った二月十三日から二十一日の潮の動きを

調べると、同十五日から十七日がもっとも潮汐差の小さい安全な小潮で、二十日からは危険な大潮に入る。こうして月の運行や潮の状況を調べた結果、グリーンランドとエルズミア島の海峡をわたるには、氷が安定し、かつ月が一日中沈まず、しかも海が小潮となる二〇一六年二月十五日から十七日前後が最適という結論に達した。つまり四カ月におよぶ極夜期間のなかでエルズミア島にわたれるチャンスはわずか三日しかない、ということになる。

私はこの三日間をグリーンランドからカナダにわたる候補日と決め、その日までに海峡をわたる候補地点である北緯八十度前後に到達できるように行動計画を立て始めた。

二月に海峡をわたるということは、一月下旬にはデポを置いた無人小屋を出発しなければならないだろう。そのためには月が満月を迎え小屋を発見しやすい十二月二十二日から一週間の間に無人小屋を見つけておくのが望ましく、それまでに小屋に入るためには月の出ている十一月下旬から十二月上旬までに氷床を越えておく必要があり、そのためには、そのためには……と海峡わたりの三日間を基準に、逆算、逆算で日程を決めていく。月や潮の動きのほかにも、ルート上の地形や氷の状況、橇の重さなど、考慮しなければならない要素がいくつもあるので、それを勘案しながら、あっちを引っ込めてはこっちが飛び出しといった感じで、整合性を保たせ、何とかまとめあげていった。そして数日間の計算のすえに、私は極夜探検の計画を完成させた。それによると、シオラパルク出発は二〇一五年十一月二十五日、グリスフィヨルド到着は翌年四月二十三日。計算上の旅の日数はなんと五カ月、予備日をいれて百五十七日間にもおよぶ遠大なものとなった。

百五十七日！　このとてつもない計画日数をはじき出した瞬間に、私の極夜探検は実質的に始まったといってよい。口にこそ出さなかったが、私はひそかにこの百五十七日という数字に圧倒されていた。一人で、真っ暗闇の北極に完全に孤絶し、百五十七日間も過ごす。そんなことが本当にできるのか？

この百五十七日という数字は、食料を買い出しすることで現実的な物体となって私をさらに圧迫した。

なにしろ百五十七日間にわたる本番の食料にくわえ、その事前のデポ設置旅行に必要なぶんも用意しなければならず、全部含めると日本で買い出さなければならない食材リストは膨大なものになった。ラーメン百九十三袋、ラード十キロ、チョコレート二十キロ、ナッツ十キロ、ドライフルーツ十キロ、カロリーメイト百九十三箱、フリーズドライの米（百グラム）百九十三袋、サラダ油五キロ、スープ二百五十袋、さらに乾物やサラミや調味料などなど……。私は連日サミットやスマイル薬局に足を運び食材を買いあさった。バレンタインデー用に特設されたコーナーから夥しい量のチョコレートを買い物かごにほうりこみ、カロリーメイトや即席ラーメンの商品棚を次々に空にした。その店舗の商品棚を買い占めると次の店に向かい、池袋のドン・キホーテにも遠征し、一週間近く、ひたすら買い出しをつづけ、用意した食材は系統別に分類して大きめの段ボール箱に入れた。日に日に仕事部屋の空きスペースに段ボール箱が積み上がり、まもなく廊下にあふれ出し、最終的に家の廊下は身体を横にしなければ通れないほど窮屈になり、便所のドアも半開きが限界となった。

積み上がる段ボール箱を見ながら、私は自分の計画が本当に現実的なのか疑っていた。目の前にはそれまで概念でしかなかった〈五カ月間の極夜探検〉という行為が、梱包された段ボールという事物となって現実化している。観念の段階では私を昂揚させていた〈一冬にわたる北極単独行〉や〈人類史上初の行為〉という威勢のいいキャッチフレーズも、現実的な物体と化したことで、どこか居心地の悪いものとなっていた。他の人間と接触せず、会話もかわさず、暗闇のなかでひたすら寒さと白熊の襲来の不安に耐える百五十七日間……。せまい部屋を圧迫する大量の段ボール箱には、この探検に付随するそうしたネガティブな側面が表象されていた。

たとえ未知の世界に飛び出したいという欲求がどれほど強くても、実際に出発が近づき厳しい日々がまた始まるのかと思うと、正直、憂鬱な気持ちになってくるものだ。

しかしこの探検の最大の課題は、それとはまた別のところにあった。それが何かといえば、家族問題だ。

一応、妻は私が一年以上家を空けることを、理解してくれたかどうかはともかく、了承はしてくれていた。極夜探検は結婚前から考えていたプロジェクトだったので、彼女としても引き留めることはできないと思ったのだろう。それに探検は私の人生の中核を占めているので、そこに干渉すると二人の関係が崩壊するとの判断もあったはずだ。だが、そうだとしても、現実に一年以上不在にして、家族がこれまで通り円満に続くとは思えない。何しろ私たちには一歳の娘がおり、私は自分のやりたいことを実現するために、一番世話の焼ける年頃の子供の育児を妻に押し付けることになるわけである。かりに探検がうまくいって帰国しても、そのときには妻もストレスをため込み変貌しており、家族は崩壊するかもしれない。

妻に対してこうした引け目があったので、今回は妥協して衛星携帯電話を持つことにした。できれば他者の救助を当てにすることなく全部自力で旅をおこないたいが、従来通り連絡手段を断って探検に出たら、妻は五カ月ものあいだ私が生きているか死んでいるのか分からない状態においやられる。いやいやと泣き喚く乳飲み子をかかえたうえに、夫も生死不明の状態となれば、さすがに錯乱してノイローゼになるかもしれない。本当にそれが心配だった。

そして何より私は娘と別れるのが辛かった。今まで私が探検や冒険に精を出してきたのも、死を感じる環境に身を置くことで、生きていることを実感したいという欲求が深層心理にあったからだと思う。冒険とは脱システムであり、日常の枠組みの外に飛び出し、混沌とした未知の世界のなかで、自分の頭で判断して、自分の身体を使って命を管理する。判断が間違えば死ぬ。そうした日常世界では実現できない、ある種の極限的な自由を経験することで冒険中は生きている手応えを感じことができる。つまり冒険行為を通じて私は自分が生きている意味を探ろうとしてきたわけだが、しかし娘が生まれてからというもの、この考え方や価値観はかなり変わった。

なぜなら子供の存在は、このような冒険が与えてくれるのとは別のかたちで、私に生の意味を解き明かしてくれるからだった。彼女の顔を見ているとまるでこう語りかけられている気持ちになった。

〈生きている意味？　何言っているの？　あなたが生きている意味はここにあるじゃない。私こそ、あなたの生きている意味それ自体よ。こう考えたらいいの。四十歳を迎えようとしている今、あなたはまさに肉体的にも精神的にも人生の絶頂期をむかえようとしている。体力もこれまでのレベルを維持しているし、年齢とともに思考や感受性も深まり、独自の言葉で世界を語ることができている。でも、それもあと五年で終わり。あなたの能力はこれから徐々に衰えていくわ。これはしょうがないことなの。あなたは所詮、生き物なの。二重螺旋構造に規定された有機化合物の集合体にすぎないの。その有機化合物的限界から、あなたの肉体を構成する細胞群はじわじわ死滅していき、まもなく運動能力系のパフォーマンスが衰えていく。そして同様に脳内のシナプス結合も弱まり、感受性が低下し、今までみたいに外の刺激にビビッドに反応できなくなる。その結果、二十代から三十代のときのように生きている意味とか考えなくなるし、言葉からも力が失われる。そう、これからのあなたの人生は泥水が低地に溜まるように老いに向かって傾斜していくのよ。恐ろしい？　でも心配しないで。私がいるわ。私はあなたの分身。二重螺旋的分身。あなたの肉体と思考が老いによって衰えていくのと反比例して、私の人生は新緑の山毛欅(ぶな)のように、みずみずしい葉をいっぱいに繁らせてのびやかに解き放たれるの。あなたは私の成長を見届けることで、これからの人生に覆いかぶさる灰色の翳(かげ)から目をそらすことができるのよ。あなたの人生はこれから私の人生にかわる。あなたは自分の人生じゃなくて私の人生を見るべきなの。そう、四十億年前に地球に生命体が誕生して以来、生き物たちはそうやって自分から子に生の物語をバトンタッチして遺伝情報を後世に伝えてきたのよ。私たちは地球がおりなす円環の一部にすぎず、個別の私たちに本質的な意味はないの。それが掟(おきて)なの。それでいいじゃない。命をつなぐのが生物的な生きる意味なのよ。二重螺旋的な生の目的よ〉

そんなこんなで出発前はグリーンランドに旅立つことを思うと、気が重かった。

2

日本を出国したのは二〇一五年三月二十二日のことだった。成田からコペンハーゲンに向かい、グリーンランドの三つの飛行場を経由して、最後はカナックでヘリコプターに乗りかえる。十数分もするとシオラパルクの村が窓から見えてきた。

村のすぐ沖で氷が割れてすでに黒々とした海のうねりが腹をのぞかせている。村の高台に築かれたヘリポートに下りると、今年も現地で犬橇活動をつづける山崎哲秀さんのほか、村に滞在中に家を借りることになっているヌカッピアングアの家族らが出迎えてくれた。息子のウーマに家に案内してもらってから、村の知人たちへの挨拶をすませて、日本から送った大量の段ボール箱を受けとりに郵便局に向かった。

極夜の探検の計画がまだ確定していなかった去年の旅とちがい、今年は日程的に予定が固まっている。春から夏にかけてはデポ設置旅行だ。雪が残っている四〜五月、犬と一緒に橇を引いて北に向かい、内陸氷床を越えた先にあるイヌアフィシュアクの無人小屋に一カ月分の食料、燃料、装備等をデポする。次に六月から八月にかけてはカヤックで運ぶ。このカヤックによるデポ設置は二カ所を予定しており、まず六月下旬にカナダ側に海峡をわたり、ピム島という小さな島にデポをつくる。次に残った物資を再びイヌアフィシュアクに運ぶという計画だ。うまくいけば春と夏の二度の旅行で、四カ月分の食料、燃料をデポできることになり、本番の極夜探検ではまずイヌアフィシュアクのデポを回収し、カナダにわたってからピム島のデポに立ち寄り、そして目的地であるグリスフィヨルドに向かうという行程になる。

三月下旬になるとすでに極夜が明けて時間が経っているので、太陽の光は眩しく村はほとんど一日中明るかった。あと一カ月ほどすれば、すぐに太陽が沈まない白夜の時期を迎えるだろう。

村に着いた私は早速、最初のデポ設置旅行の準備を始めた。昨年、村を離れるときにヌカッピアングアの家の小屋に装備の一部を保管してもらっていたので、まずはそれを引き取りに行く。スキー、ストック、ライフル、それにナパガヤと呼ばれる橇のハンドルなどだ。装備の準備と並行して新しい橇の組み立てにもとりかかった。橇は去年と同じように、グリーンランド式の木橇を自分なりに改良して軽量化を図ったものである。材は同じ檜(ひのき)材を選んだが、去年の橇は壊れそうな気配がまったくなかったので、厚みを四センチから二・五センチに大胆に薄くし、さらに徹底して肉抜きも施した。木材はすでに日本で成形済みだったため、現地でやることは横桁(げた)を取りつけてロープで縛り、プラスチックの滑走面をビス止めしていくだけだ。ウーマとイラングアというヌカッピアングア家の若者二人が家に来て、逐一、作業を手伝ってくれる。できあがった橇は徹底した肉抜きで外見は橇の骸骨といった様子だったため〈スーパースケルトン号〉と名付けた。

村に着いてから四日後、山崎さんが犬橇でカナックに行くという。

「角ちゃん、犬を取りに行かなければならないでしょ？　一緒に行く？」

犬とは去年一緒に旅をしたウヤミリックのことだ。去年、帰国するとき、私はウヤミリックを元の飼い主のケッダに一年間預けることにしたが、今年来てみるとケッダは村を離れており、ウヤミリックの姿も見えなかった。ケッダに電話すると、彼の犬たちは現在カナックにいて、弟が面倒を見ているという。ということで、山崎さんの犬橇に乗せてもらってカナックまで犬を引き取りに行くことになった。

山崎さんの十四頭立ての犬橇は二つの大きな岬を越え、七時間ほどで約五十キロ離れたカナックに到着した。犬橇は自分で操縦しなければ寒いだけで面白くも何ともない。到着するころには身体は完全に底冷えしており、すぐにケッダの弟の家を訪れ、犬の繋留地点へ案内してもらった。カナックを中心とするグリーンランド北西部の人々は、今も犬橇を、保護された伝統文化としてではなく、日常的な足として使用している。そのため、人口約六百人と、この地域最大の集落であるカナックの海氷のうえには夥しい数の犬が寝そべり、吠え、餌を食べ、糞をしている。可愛らしい顔の犬、痩せこけた犬、貧相な体つきの犬、不敵不敵しい顔の犬と、犬も一頭一頭個性豊かで面白い。

無数の犬の脇を通り過ぎしばらく進むと、ケッダの弟が「ここだ」と立ち止まった。氷の上には見覚えのあるケッダの犬が数頭ごとにまとまって綱で繋がれていた。

「どの犬か分かるか?」

確認のために一頭一頭犬の顔を見て回ると、餌の時間と勘違いするのか、犬たちは皆、興奮して唸り、吠えたててきた。ウヤミリックはとても人懐っこくて可愛らしい顔をした白い犬で、尻には特徴的な、糞をするたびに汚れてしまう長くてふさふさした毛が生えている。去年、四十日間も旅をしたのだから間違えようがないし、向こうも私に気づいたら喜び飛びついてくるだろう。確認を開始してすぐに真ん中の集団の白い犬がギャンギャンと激しく吠えてきた。あ、ウヤミリックだ、と私は思った。目の色といい尻の毛の感じといい、間違いない。すこし私のことを不審そうに見ているようだが、まあ、忘れてしまったのかもしれない。あまり頭の良くなさそうな犬だったから……。

「いました、この犬です！」私は断言した。

激しく吠える犬を見て、山崎さんが「たくましくなったねぇ」と言った。「去年はシャイな感じだったけど……。一応、他の犬も確認したほうがいいんじゃない」

山崎さんがそう言うので他の犬も見て回ったが、その必要はまったくなかった。

「やっぱりこの犬ですね」と私は自信満々で言った。

ところが、犬の顔を見たケッダの弟が首をひねり、携帯電話を取りだして誰かと話し始めた。何か不審な点があったのか、ケッダに確認しているようだ。電話を終えると、彼は別の犬のところに行って、大声で私に告げた。

「おーい、君の犬はそっちじゃなくて、この犬みたいだぞ」

まさか……と思いつつも近づくと、明らかに馴染みのある顔とたたずまいの犬がそこにいた。愛嬌のある顔、狼のように色の薄い眼球の虹彩、茶色みがかった背中の毛、ふさふさとした長い尻の毛。そこにくっついた微量の糞。犬は舌を出して、はあはあ言いながら大喜びし、尻尾を振って飛びついてきた。何もかもがウヤミリックだ。何ということだ。あの四十日間のつらい旅を共にした相棒の顔を、何度も殴りつけたその顔を、私はたった一年間離れただけで忘れてしまっていたのだ。

犬と再会したことで、一年以上におよぶ長い旅が本格的に始まった。

その後の活動は基本的にはすべて冬の極夜探検に捧げられるわけだが、春と夏におこなうデポ設置旅行も、私的にはそれはそれでかなり大きな意味があった。少し長くなるが説明しておこう。

じつは、現代の登山や冒険の世界では、事前にこのようなデポを設けたり、また途中で物資を空輸してもらったりすることは、あまり肯定的なこととして捉えられていない。今では多くの冒険遠征隊が〈ノンデポ・ノンサポート〉や〈無補給〉であることを前面に押しだしているが、これがどういうことかと言えば、かつての極地探検やヒマラヤ登山で主流だった〈極地法〉のような、物資や人員を大量動員して目的地を攻略するやり方はもう時代遅れですよ、ということを意味している。つまりカネや人員を動員してまで征服する価値のある冒険の対象など、もはや地球上に残されていないわけで、そうであるなら昔よりスケールが小さくても自分の力で、おのれの身一つだけで軽やかに、かつシンプルに目標を達成したほうが格好いいし、意味がある、というふうに冒険の価値観が時代とともに変化したのである。そう考えると現代の冒険界がもっとも尊重する概念は〈自力〉であると考えてよい。現代の冒険においては、可能なかぎりすべて自分の力で成し遂げるのが望ましいというわけだ。

ところがこの自力という概念が現実の冒険界でどのように認識されているかというと、

はっきり言って表面的にしか理解されていない。それが最も反映されているのが、衛星携帯電話やGPSをはじめとした先端テクノロジーの利用だ。衛星電話というのは、今回は自分も使うことにしたのであまり大きな声では言いたくないが、万一の緊急時に救助してもらうことが前提になっているわけだから明白に他力本願だし、またGPSも、この地球上のどこにいるのかを機械に教えてもらう点を考えると、冒険の自力性を大きく侵害している。だからこれらの機械類は冒険の教条たる自力性と反するのだが、現実には多くの冒険家が携行している。〈ノンデポ・ノンサポート〉や〈無補給〉を標榜し、行為の自力性を高らかに謳（うた）っているにもかかわらず、現代の冒険家はその自力性を侵害する先端テクノロジーの利用にほとんど抵抗を感じていないのだ。

この事実が示すのは次のことであろう。すなわち現代においては冒険はすでに冒険的ではなく、スポーツに近い行為に変質しているということである。よく考えてみよう。たとえばGPSが冒険行為のどの部分を司っているかと言えば、それは計画全体の遂行に関する判断の部分だ。登山だろうと極地だろうとヨットだろうと、基本的に冒険活動は空間の移動行為である場合が多い。空間を移動する際に基本となるのは現在地の把握だ。なぜなら、その時点のおのれの地球上の位置を把握することで、冒険者は明日はどこまで行けそうか、明後日はどのあたりでキャンプになりそうか、といった将来の予定を決めることができるからだ。現在地が分からなければ明日以降の計画もへったくれもないわけで、空間移動的行為においては、現在地の把握こそ行動全体の骨格をささえる要の位置をしめるのである。その最重要部分の判断をGPSという機械に任せるのはどう考えても自力性の放棄なのだが、そこを問わないということは、現代の冒険家が問題にしている自力性のなかには行為の判断における自力性は含まれていないということになる。つまり、現代の冒険家は判断のような知覚や認知におけるプロセスは機械任せでもOK、重要なのは肉体運動として自力であることだ、と考えているわけだ。肉体運動のパフォーマンスにのみ意義を認めているのだから、これはスポーツ以外の何物でもない。

私がわざわざ時間をかけて自分でデポ設置旅行をおこなおうと決めたのは、冒険をスポーツから解放し、本来あるべき姿に戻したかったからである。では本来あるべき姿とは何かといえば、それは旅である。

冒険はもともとスポーツではない。むしろ冒険とスポーツは対極だ。そもそも行為がおこなわれる舞台がまったく違う。冒険とはシステムの外側にある未知で混沌としたカオスに飛び出す行為であり、一方、スポーツは競技場のような管理された場で勝敗や能力を競う行為だ。一方は無秩序な自然のなかでおこなわれ、一方は秩序だった人工的な場でおこなわれる。だから本当は両者はまったく正反対の性質の行為で、決して交わるはずがないのだが、先ほど述べたように現代では様々な理由から冒険が死につつあり、旧来冒険とされた行為がどんどんスポーツに糾合されている。

だが私がやりたいのは脱システムであり、決して疑似冒険的なスポーツ行為ではない。だから私はこの極夜の探検全体を旅に戻そうと考えた。そう、冒険とは本来、旅なのだ。

旅とは、そのとき、その場の状況で将来の予定がどんどん変わっていく時間の流れのことである。冒険もまたシステムの外側の未知で混沌とした世界に飛び出し、そのとき、その場の状況に対応して行動を判断し、その判断次第で将来が随時更新されていくわけだから、まさに旅そのものである。言い方をかえれば、冒険は未知と危険を前提にした旅の一形式だといえる。

これから私がおこなおうと考えているデポ設置旅行はかなり先行き不透明だ。シオラパルクの村人にカネを払ってボートでデポを運んでもらえば確実性は増すだろうが、しかし私は自力の観点からも、あとは個人的な面白味という観点からも、どうしても橇を引き、カヤックを漕いで自分の力でデポを運びたかった。

自分でやることで、うまくいくかどうかは分からなくなり、むしろ成否は不確実になる。本番の極夜探検はこのデポ設置旅行の成否にかかっており、デポを運ぶのに失敗すれば本番の探検計画も変更を迫られるだろう。本番の成功追求の観点だけから考えると、だからこれは愚かな行為かもしれない。

しかし私はあえてデポ設置を自力でおこなうことでこの極夜探検全体をスポーツではなく旅に戻せると考えた。つまり本番の探検をデポ設置旅行の成否という不確実性の上にさらすことで、探検の行く末はどうなるか分からなくなり旅的にすることができるのだ。行為の究極の価値はプロジェクトを成功させることにあるわけではない。準備から何からすべて自分が関わって、その関わった過程次第で最後の結果が変わってくる。その旅のダイナミズムを、この探検行為全体を動かす中心軸に据えたかったのである。それが、わざわざ時間をかけて自分でデポを運ぶ大きな狙いだった。

一回目のデポ設置旅行では、春の雪がある時期に犬とともに橇で一カ月分の食料燃料等を運ぶことにしていた。デポを置く予定のイヌアフィシュアクは百六十五キロ先にあり、往復で約三百三十キロの行程だ。昨年行ったときは初めてで厳冬期でもあったため往復四十日もかかった。今回は春だし、どんなルートかも分かっているのでそれほど日数はかからないだろうが、デポ用の物資を積んでいるので、むしろ荷は昨年よりも重たい。余裕を持って一カ月の予定を組んだので、デポ用と合わせて荷物は二カ月分、あわせて百五十キロほどになるだろう。荷が重いので、出発前に一度、氷河を往復して荷物の半分を氷床の近くまで荷揚げしておいた。

出発は大きく遅れて四月十八日になった。じつはその一週間前に一度、村を出ていたのだが、出発が遅れたのには理由があった。

二日かけて氷河を登り、そして氷床に差しかかったところで橇が壊れてしまったのだ。風でえぐれた堅い雪の段差に橇が落ちこみ、そこに百五十キロの荷重がかかり、肉抜きして骨組みだけになっていた私の〈スーパースケルトン号〉は、脆(もろ)くも板が割れてしまったのである。去年の使用感から私は木橇の強度にかなり信頼を寄せ、大胆な軽量化を図ったのだが、少しやりすぎてしまったようだ。

壊れた橇を前に私は一瞬、呆然としたが、すぐにこれは不幸中の幸いかもしれないと気をとり直した。これがイヌアフィシュアク周辺や、さらに本番の極夜探検中に壊れていたら、かなり深刻な事態になっていたはずだが、出発直後に壊れてくれたおかげで打撃は少ない。私は荷物をその場に残し、横桁を一枚はがして釘で応急修理をして、その日のうちに村に下った。村には去年使った橇が残っていたので、滑走面だけ鉄板からプラスチックのものに張りかえ、それを引いてまた十八日に再出発したのである。

翌十九日、氷河を登り切り氷床にあがると、白熊狩りから村に戻る大島さんとばったり出会った。白熊狩りの季節は三月から四月、村の周辺に白熊はあまりいないので、シオラパルクの人たちは伝統的に氷床を越えてアウンナットからイヌアフィシュアク一帯で狩りをする。六十八歳になる大島さんはこれが最後の白熊狩りだと思っているらしく、橇には日本から取材にきた新聞記者が同行していた。首尾よくアウンナットで一頭仕留めたようで、日焼けで真っ赤になった顔に満面の笑みをうかべていた。

「すごい離れたところに一頭いたから、少し上のほうを狙ってすぐに撃ったのね。撃たないと逃げられちゃうから、ダメ元でね。熊のいたほうに歩いて行ったら、何か転がっているのね。心臓に一発ね。歩測したら四百五十メートルぐらいあった」

会心の射撃だったようで、話しぶりから興奮が伝わってきた。

「どこまで行きましたか？」

「イヌアフィシュアクまで。そういえば小屋が見つかったよ」

じつはこの一回目のデポ行の最大の問題は、出発時点でイヌアフィシュアクの小屋がどこにあるのか分からないことだった。昨年探したときはまったく見つからなかったし、村人に訊ねてもいまいち判然としなかった。それが大島さんと会ったことで一気に解決した。イヌアフィシュアクには約五キロの小さな半島が海に突き出しているが、大島さんによると、その岬のほぼ先端の小さな湾の近くに小屋が残っていたという。長年、使われていなかったわりには雪の吹きこみも少なく、状態は悪くなかったそうだ。

ただ、大島さんからはもう一つ無念極まりない話も聞いた。

「角幡君のドッグフード、なくなってたよ」

「えっ！」

私は強烈なショックを受け、茫然とした。なくなったというのは昨年の旅で苦労してアウンナットまで運んだ、例の二十キロ入りドッグフードのことだ。麝香牛（じゃこううし）狩りに成功した後、深雪浅瀬がつづく地獄のセプテンバー川で重荷を引いて難行苦行の末に運んだ血と汗の結晶である。

大島さんによると、去年、私が帰国した後にカナックの数人が白熊狩りに出かけたので、たぶん彼らが無断で使ったのだろうという。イヌアフィシュアクの小屋とちがい、アウンナットの小屋は今でも使われている現役の小屋で、前室に置いた荷物は共用とみなされるが、名札をつけた荷物には手をつけないのがモラルとされる。だから私は名前や用途を書きこんだ札を付けておいたのだが、時折、モラルを無視した若い連中が勝手に人のデポに手をつける場合があるらしく、私のドッグフードだけではなく大島さんの乾パンもなくなっていたそうだ。その話を聞いたときは心の底から、誠心誠意、そのカナックの連中を絞め殺したいと思った。

あまりの衝撃で目の焦点でもズレていたのか、大島さんが「ショックだねぇ」と同情してくれ、自分のデポを使ってもいいと言ってくれた。

「余ったドッグフードをアウンナットの小屋に置いてきたから使っていいよ。たぶん十キロぐらいしかないけど、脂を滲みこませているからカロリー的には二十キロ分ぐらいになるんじゃないかな」

せっかくの好意なので、ありがたく受け取ることにした。

「あと、白熊の余った肉もあるから、それも食べていいから」

そう言い残して大島さんは村に戻っていった。

その後は順調に進んだ。すでに四月下旬となっており、北緯七十八度近い極北地域は太陽が沈まない白夜の季節に入っていた。昼間は太陽の陽射しが強く雪が重たくなるので、氷床の途中で昼夜を逆転させ、昼に寝て、夜に行動する時間割りにきりかえた。太陽の高い昼に幕営したほうがテントのなかは暖かくて快適になるし、また気温の下がる夜に行動したほうが雪が締まっていて歩きやすい。昼夜逆転は白夜の極地旅行では王道である。

首都のヌークにあわせた時刻帯とすこしズレがあるので、この地域では未明の二時から三時にかけてが、太陽の高度が一番低くなる時間となる。徐々に沈み、そして再び昇る太陽を右手に見ながら、私は風雪のなか、ひたすら北に進んだ。深夜になると風雪にかすんだ太陽が地平線を赤く染めるが、すぐにまた上昇を開始し、世界は再び明るい光と温もりにつつまれる。六分儀もＧＰＳも持っていないが、去年も通った二回目のルートなので地図と太陽さえあれば位置を見失うことはなかった。

私と犬は五日間で氷床を越え、その先のイングルフィールドランドに下り立った。ウヤミリックは前年とちがい、ケッダに犬橇で鍛えられていたため、橇引きのコツを十分に身につけていた。橇には推定百五十キロほどの荷物が積載されていたが、私自身は八十キロぐらいにしか感じない。つまり残りの七十キロ分は犬が引いていることになる。もともと白熊対策のために連れて行くようになった犬だが、これだけ引いてくれれば運搬犬としても十分に役に立つ。

イングルフィールドランドに下りると、目の端で何かがものすごい速さで走り回っていた。最初は何か分からなかったが、歩いているうちに正体が判明した。兎だ。北極兎を見るのは初めてだったが、じつに気味の悪い動きをする動物である。通常の家兎と同様、胴体は白く丸いが、なかに隠された四本の脚が妙に長く、突然、その長い脚を胴体から突き出して、馬のようにぱっぱか走りだすのである。しかも前脚より後脚の回転のほうが速いのか、本気で逃げるときは前脚を宙に浮かして二本脚で駆けるので、思わず目が点になる。最初は兎を遠くに見かけても、気持ちの悪い動物だな、ぐらいにしか思わなかったが、途中から兎に対する私の扱いは完全に変わった。

晴れやかに澄みわたった気持ちのよい朝の出来事だった。

そのとき私はテントの外でしゃがみ込み、漫然と青空を眺めていた。気づくと四羽の兎が遠くからだんだん駆け寄ってくる。私のことに気づかないのか、そのままこっちにがんがん接近してくる。ついには私のすぐ傍までやってきた。その様子を見て私は、何という警戒心のない動物だ、警戒心がないというか頭が悪すぎてこっちの存在に全然気づいていない、この様子なら容易に接近して撃ち取れるではないか、と驚き呆れた。そして、すぐにでもこの兎たちをライフルで撃ち取り、その肉を手に入れたいと切に念願した。兎だろうと何だろうと肉を調達できれば、そのぶん余った食料をデポに回すことができる。ただでさえドッグフードが盗まれたことが判明したばかりで、私はできるだけ多くの食料を現地調達してデポの量を増やしたいと考えていたのだ。

だが、手の届きそうなところにいる兎を前に、私は一歩も踏み出すことができなかった。なぜなら、そのとき私は排泄行為の真っ最中で、完全にブツが出ている瞬間だったからである。出し切るころには、さすがに兎たちも私の存在に気づき、急にはっとした表情を浮かべ、うわああ、目の前で巨大生物がウンコしてるじゃないかあああっ、といった様子で二本脚でトコトコトコトコトコーと駆け出し、瞬く間にはるか遠くへ逃げ去ってしまった。私は朝のウンコをしていただけなのに、何も悪いことはしていないのに、なにか途轍もない辱めを受けた気持ちになった。

それからというもの、兎は私にとって大事な食料になった。兎は目が悪いのか、風下から慎重に殺気を消して近づけば、容易に三十メートル前後まで接近できる。広い意味での夜行性で昼間は活動が低下し、ぐっすり眠っていてこっちが近づいているのに気づかないのも多い。的は小さく、しかも私のライフルはスコープのない一九一七年式の骨董品で、反動の激しい三十口径の大きな銃だったが、それでも二発に一発は当たった。小さいので解体も容易で、十分程度で終わる。味もよく、アンモニア臭い麝香牛とちがって、柔らかくて非常に食べやすい。臭みもないし、鍋で炒めて塩コショウを振りかけたら絶品だ。

兎を見るたびに私は追いかけまわしたが、しかしそのうち兎狩りには食料の補充以上に大きな意味があることを次第に認識するようになった。それは動物を撃つことに私自身が慣れていくこと、それ自体の意味だ。

当たり前だが、道具というのは持っているだけでは意味がない。とくに銃は生きた動物に向けて命を奪う道具なので、慣れないうちはどうしても使用するときに焦りや動揺がともなう。私はこれまで北極の旅の途中で二頭の麝香牛を撃ちとめたことがあったが、でもそれだけの経験しかなかった。そのため兎狩りを始めたときも、小動物とはいえ気持ちが昂ぶり、射撃時の基本動作を忘れがちだった。だが何度も繰り返すうちに次第に動物の命を奪うことに慣れていき、冷静に引き金を引けるようになっていく。慣れるだけではなく自分の射程範囲も把握できるようになる。射程距離が分かると、獲物との間に駆け引きが生じる。獲物が逃げるかどうか、まだその場にとどまるか、その様子を見極めながら、射程距離に入るぎりぎりまで近づく。撃つことに慣れると、こうした一連の動作がすべて冷静に処理されていくのだ。

元来、私がライフルを持ち始めたのは白熊があらわれたときの安全対策が目的だったが、ライフルを所持し、使い方の知識があるだけでは現実的な白熊対策にはならない。なぜなら、射撃に慣れないまま白熊があらわれ、冷静になれずに基本動作を誤ってしまうようでは、熊がテントに襲来する等の緊急時に適切に対処できないからである。

兎狩りを繰り返し、動物の命を奪うことで、いつしか私は、たぶん白熊が来てもいざとなったら動揺せず撃ち殺せるなあという心の担保を得ることができるようになっていた。それだけではない。万が一、長期の旅行中に何か深刻な事態が発生して食料がなくなったとしても、野生動物を殺して肉を調達し、それを食べて人間界に戻れるという自信も少しずつついてきた。兎を撃つことは私に、二重の意味で極地の旅の安全度が実質的に高まっているという感覚をもたらした。

そして狩りに慣れることで、私は自分の世界が大きくなっているという充実感も手にしていた。それはひと言でいえば自分の身体の拡張感である。狩りという試行錯誤を繰り返し、銃器に慣れることは、とどのつまり、その試行錯誤という過程、つまり私の過去であるところの私そのものがその銃器に乗りうつっているということだ。扱いに慣れることで、銃器は単なる金属でできた筒という客観的物体の限界を超えて、私にとって意味のある、私の分身のようなものに変質する。さらに銃器に慣れて兎を狩れるようになると、兎のいるその土地の意味も変わる。兎狩りをしていないときの土地は、雪と氷と岩が転がる、ただ通過する際に視界に入ってくるだけの殺風景な移動路にすぎず、存在論的には無意味である。それはただ過ぎ去るのみだ。しかし銃器で兎を狩ることができれば、その土地は殺風景な移動路から私にとっては大事な食料調達場所にかわる。私自身が憑依した銃器で兎を狩り、その兎の肉もまた私の将来の命につながるものであるわけだから、その土地は自分の生命の維持に不可欠な、私にとって非常に切実な関わりのある空間となる。命がその土地との関わりを通じて維持されることで、その土地そのものに私のなかの私的なものが憑依し、私の世界として取り込まれる。兎狩りに慣れるだけで、私はこのような拡張感と強烈な関与の感覚、それにともなう世界の拡大を経験することとなった。

兎狩りは途轍もなく深い意味をもつ行為であった。

イングルフィールドランド中央部の丘陵地帯を越えると、それからは反対側の谷間に入って海に向かって下った。四月二十五日未明、村を出てからわずか一週間でアウンナットの小屋に到着した。去年の苦労を思えば考えられないスピードである。入口を開けると前室に大島さんが残してくれた白熊の大腿骨がシートに安置されている。話に聞いていたとおり、去年のデポはほとんど持っていかれており、ドッグフードばかりか、弾丸や電池も見つからない。この惨状を目の当たりにしたことで、私は、デポ設置場所を決めるときに一番気をつけなくてはならないのは野生動物よりむしろ人間だ、という印象を強く持つようになった。そのため後にデポ設置場所を決めるとき、人間が来るかどうかが大きな判断基準となった（じつはこの心象が本番の極夜探検の結果を左右する大きな分岐点となった）。

アウンナットには小屋が二棟あり、隣の古い小屋のほうに大島さんがデポした脂漬けのドッグフードがあったので、白熊の肉とともにありがたくいただき、すぐにイヌアフィシュアクに向かった。

陸地から海氷に下りると歩行はさらに楽になった。夜間の行動中の気温は氷点下十五度から二十度ぐらいで、橇引きには快適な温度である。雪の温度も厳冬期のように低くないので、橇も軽く感じられる。雪温が低いと、橇を引いても滑走面の下の雪が融けず摩擦が大きくなり、まるで砂のうえで橇引きしているように感じられるが、これぐらいの気温だとそれほどの摩擦はない。歩行だけでなくテント生活も非常に快適だった。朝に行動を終えてテントを張ると、次第に太陽が高く昇っていき、なかはポカポカと暖かくなっていく。日向にテントを張ると、暑くて寝袋に入っていられないほどだ。濡れた衣類もその辺に広げておけば寝ている間に勝手に乾いてくれる。冬の旅のように衣類の濡れや結露に悩まされることはないし、なにより暖かいので冬のような空腹を感じることもなかった。白夜の旅は、想像していたよりもはるかに楽で快適で、簡単だった。四月二十八日早朝、村を出発してから十一日目、予想よりはるかに早くイヌアフィシュアクに到着した。イヌアフィシュアクでは五キロほどの長さの半島が海に突き出しており、大島さんの話ではその半島の先端に小屋があるという。半島の先端で定着氷にあがり、橇と犬をその場にのこして偵察に向かった。陸にあがると堅い雪が赤茶けた岩の大地を覆い、海岸線付近には多くの白熊の足跡が残されている。小高い岩に登って周囲を見わたすうちに、まもなく地苔に覆われた古びた小屋の骨組みがいくつか雪から突き出しているのが見えた。

小屋はかなり古く、木材の骨組みにベニヤ板の屋根をかぶせただけのものだった。周りや屋根は苔のマットで覆われている。手前の二軒は使用不能なほど崩壊していたが、三軒目に見つけた小屋は骨組みも屋根も周囲の苔もまだしっかりしており、何とか使用できそうだった。大島さんが使えそうだと言っていたのは、この小屋だろう。入口の扉を開けて入ってみると、もわっとした黴臭い湿気が鼻孔を刺激した。床の上には空き缶や半分腐った雑誌など汚らしいゴミが散乱し、暗くて窮屈でかなり不潔だが、荷物をデポするには問題なさそうだった。

私は近くにテントを張り、小屋にデポの荷物を運び入れた。また野生動物が入らないように小屋の修繕もおこなった。入口の上の窓ガラスがなくなっていたので、隣にある崩壊した小屋から板を剝がしてきて窓枠に釘で打ちつけ、入口の扉もロープで二重、三重に結えて開けられないようにした。これで雪も吹きこまないし、狐に荒らされることもないだろう。白熊が少し気になるが、入口は狭くて小屋の壁でもぶち壊さないかぎり入れないし、デポの食料に肉類はないのでそこまでしないだろうと判断した。一応、野生動物のきらいな灯油のポリタンクも食料と一緒の袋に入れておいた。

小屋の補修が終わると、今度は途中で獲った兎の肉を小屋の近くの大岩の陰にかくして、大きな石を積み上げ密閉した。大島さんによると、この地方では生肉でも石で完璧に密封すれば、発酵はするものの腐敗することはないらしく、ひと夏経ても十分に食べられるという。保存に成功すれば極夜用の食料にできるし、私が食べられそうになかったら犬の餌にすればいい。

デポ作業が終わっても時間が余ったので、翌日から二日間、近くの湖で兎を三羽仕留めて、さらにデポ肉を補充した。

ひとまず春のデポ設置旅行の目的は達した私は四月三十日深夜に、村に向けて帰路についた。帰りの行程はさらに楽なものとなった。一カ月分の物資をデポしたために橇の重さは半分以下になり、犬が一頭でぐんぐん引いてくれたからだ。去年の旅ではほとんど使い物にならなかったが、一年会わないうちに見違えるほどに成長している。犬の成長を確認できたことはこの旅の大きな収穫のひとつだった。このぶんなら残り二週間ぐらいになれば犬だけに引かせることができそうだ。犬が一頭で引けるなら、荷物は全部犬に引いてもらって、私が空身になって別々に歩いたほうが、チームとしての速度はあがる。おそらく残り二週間を切れば、一日三十キロは進むことができるはずだ。そうすると計算上は最後の二週間だけで四百キロ以上の距離を稼ぐことができることになる。この数字は極夜探検の計画を改めて練るときの参考になりそうだ。

太陽は日一日と高くなり、気温も高くなっていくなか、私たちは何のトラブルもなく順調に村に向けて行進していった。村に着いたのは五月七日の朝だった。氷河の上からシオラパルクの村のあるフィヨルドを望んだときは、出発時とは風景がずいぶんと様変わりしたことに驚いた。上空には冬には見られない今にも雨が降りそうな炭色の雲が広がり、海氷の上は融雪でいたるところに水溜まりができている。北の地域では冬とあまり変わらぬ寒さが続いたが、氷床をはさんで百キロ以上離れたシオラパルクではもう季節が冬から春に移り変わり、夏に向けて加速しつつある。

どんよりとした曇り空を眺めながら、カヤックの季節がやってきたことを実感した。

3

村に着くと、私は真っ先にインターネット電話で妻に帰村を報告した。二十日間の不在で娘に顔を忘れられているのではないかと心配していたが、娘はタブレット端末で私の顔を確認すると、すぐに「おとうちゃん、おとうちゃん」と反応し、私を深く安堵させた。家族と電話をしていると、私の帰村に気がついた大家のヌカッピアングアが、キッダという脂がのって抜群に美味い白身魚の塩ゆでを持ってきてくれた。彼によると、私の不在中に村の近くに白熊があらわれ、村人の二人が撃ちとめたという。昼間に、村の共同鞣(なめ)し加工場に行くと、大島さんが麝香牛の皮を鞣していたので、白熊の肉とドッグフードのお礼をした。

次のカヤックによるデポ設置旅行は六月下旬出発の予定で、山口将大君という若いカヤッカーが日本からやって来て、旅に同行して手伝ってくれることになっている。一カ月以上の時間があるので、それまでの間、私はデポ用の食料として大量の干し肉を作ることにした。

干し肉はイヌイットの言葉で〈ニック〉という。海氷が解けて本格的なボート猟の季節を迎えると、村人は連日のように海豹(あざらし)や海象(せいうち)、鯨を狩るため海に出て、大型の顎鬚(あごひげ)海豹や一角(いっかく)鯨の肉などでかなりの量のニックを作るという。それぞれの家には櫓(やぐら)があり、肉は犬に食われないようにその上に安置されるのだが、ニックも櫓で干すらしい。海豹や鯨だけではなく、まもなく飛来してくるアッパリアス（姫海雀(ひめうみすずめ)）の胸肉もニックにできるし、七月になったら湖から海にくだるチャー（北極岩魚）もニックにできる。鴨の卵だって長期間、陰干しすれば干し卵になる。要するに気温が低くて乾燥しているこの地では、哺乳類、鳥類、魚類にかぎらず、とりあえず蛋白質の塊を櫓にぶら下げて白夜の太陽に長時間晒しておけば何でもかんでもニックになるらしい。

海豹や鯨は船がないと自分で獲ることはできないが、アッパリアスやチャーなら自分でも獲れるかもしれない。とくにアッパリアス捕りは、シオラパルクの生活を扱ったドキュメンタリーでは必ずといってもいいほど登場する定番猟である。近くの猟場にテントを張り、一、二カ月にわたってアッパリアス猟をつづけるのがこの村の夏の風物詩で、大島さんによると、それこそひと昔前までは店の従業員を残して住民の姿が村から消えてしまうぐらい、全員がアッパリアス猟に繰り出していたという。

アッパリアスは、強烈な発酵臭を出すことで世界的に名を馳せるキヴィアという保存食の原料となることでも知られている。キヴィアは、数百羽のアッパリアスを、肉を抜きとった海豹の生皮に詰めていき、その上に隙間なく石を積みあげて、秋まで放置するとできあがる。三カ月ほど経って海豹の皮から取り出したときにはすっかり発酵が進んで、道端に雨ざらしとなった小鳥の死骸みたいに濡れてぐったりとしており、その体からは〈腐ったもの以外は、こんな臭いや味を出さないはずだ〉（大島育雄『エスキモーになった日本人』）と戦慄を覚えさせるほどの臭いを発するようになる。

五月十二日の朝、ヌカッピアングアが突然、私の家にやって来て興奮気味にこう言った。

「アッパリアスがやって来たぞ！」

「本当か！」

彼の口吻につられて私もつい大声を出した。彼の家に行くと、窓から双眼鏡で岩場をのぞいて「ほら、あそこ、あそこに黒い群れがたくさんいる」と教えてくれた。確かに岩場の周辺を、天空から振りかけられた黒胡椒のような細かな粒の群れが、ダイナミックに飛び回っていた。

「明日の朝はアッパリアス捕りだ、うほおっ」

ヌカッピアングアが喜びのあまり喚声をあげて奇妙な動きで踊った。と同時に、村の誰かが犬橇で海岸の定着氷をフィヨルドの奥のほうに走っていくのが見えた。

「カガヤだ」とヌカッピアングアが言った。「アッパリアスを獲りに行ったんだ」

アッパリアスが飛来した途端、村の様子はなんだか急にそわそわし始めアップテンポな感じに変わった。店に買い物に行くと店員が「アッパリアスが来たよ」と教えてくれ、大島さんに会うと「アッパリアスが来たみたいだね」と顔をほころばせた。人々の胸の高まりに呼応するかのようにアッパリアスの鳴き声は日増しに大きくなり、そのうちこの土地全体が何千、何万、何十万羽という夥しい数のアッパリアスに取りかこまれ、ザワザワとした大地を揺るがす鳴動に呑みこまれていった。

五日後の朝、私はヌカッピアングア一家に誘われてアッパリアス猟に出かけた。イラングアとウーマの若い息子二人が犬橇を操り、われわれは東に一キロほど離れたアッパリッホーと呼ばれる猟場に向かった。読んで字のごとくアッパリアスがいっぱい来るところという意味だ。

風もなく、白夜の太陽の陽射しがふりそそぐ氷原を二台の犬橇が駆け抜ける。猟場に近づくと、岩場の中央で谷がアーチ状の断崖となって落ち込み、雪解け水が小さな滝を落とし虹を懸けている。滝のまわりにはすさまじい数のアッパリアスが飛翔し、岩場全体に甲高い鳴き声が響いていた。二人の若者が操縦する犬橇は草原の上に乗りあがり、犬たちは橇を引いたまま雪の消えた草地の斜面をゆっくり登った。頭上を飛び回るものすごい数の鳥、鳥、鳥。アッパリアスは数百羽ごとにひと塊の集団をつくり、目の前の、すぐ手が届きそうな宙を、ヒューと鋭い音を立てて空気を切り裂き旋回していた。

アッパリアスは夏の繁殖期を迎えると、いずこからともなくやって来て、アッパリッホーのような急斜面の岩場の隙間に巣をつくり、卵を産んで雛を育てる。時期がくると、人々は木や竹で作った長さ三メートルほどのたも網で捕獲する。じつに単純素朴な猟で、猟場には村人たちが積み上げた小さな岩の壁がいたるところにあり、そこに身を隠して飛来するアッパリアスの動きにうまくタイミングを合わせて網をパッとかぶせるだけだ。

この日は自分の網がなかったので、私はもっぱら撮影に専念した。イラングアが岩の壁の陰に身を隠した。最初の二、三回は空振りしたが、それからは面白いように鳥を捕まえていった。鳥が網にかかると彼はケタケタケタケタと子供のような笑い声をあげ、すぐさま右手の親指で心臓をつぶして息の根をとめて、肉が悪くならないように岩陰に放り投げて、すぐにまた次の獲物にそなえて網をかまえる。目の前を大量に飛びまわる鳥の群れと、あまりにも簡単に次々と捕獲していく彼の様子を見て、私はこれなら自分でも苦もなく捕れそうだと思った。数が半端ではないだけに、よほどの頓馬でないかぎりできるだろう。

村に戻ってから、すぐに網を入手することにした。最初はヌカッピアングアに貸してくれと頼んだが、村では網を作るための木材があまり入手できないらしく、初心者はすぐに壊しがちなこともあって全然首を縦に振ってくれない。けち臭いオッサンだなと思ったが、貸してくれないものはしょうがないので、店で買える材料で自作することにした。網は一ミリの細引きで編み、プラスチックの棒を丸めて枠を作り、それを竹竿に取り付けると、村人が使うものより三倍近い重いたも網が完成した。

数日後にイラングアが彼女と一緒にアッパリッツホーに行くというので、一緒に犬橇で連れていってもらった。猟場に着き各自、岩壁に隠れると、次から次へとアッパリアスの群れが目の前を旋回していく。適当に網を出せば獲れそうに見えるが、むやみやたらと網を振り回しても一向に網のなかに入らない。鳥たちは警戒心がつよく、身体が岩からはみ出ているだけでこちらの存在に気づき、上手いこと網のぎりぎり射程圏外をかすめ、あざ笑うかのように飛び去っていく。一時間半頑張って収穫は五羽、しかもそのうちの二羽は適当に網を振り回したら偶然入っただけのものだった。イラングアはすでに三十羽ほど獲っている。コーヒーを飲んで休憩した後は、射程距離が少し掴めて四十分で八羽獲ることができた。自分で獲った十三羽に加え、イラングアが三十羽ほどプレゼントしてくれたので、この日は計四十三羽もの収穫となった。家に帰ってから三羽を塩ゆでにして夕食にし、残りの四十羽は早速、胸肉をはいで塩を振りかけ、糸を通してヌカッピアングアの櫓に張り渡して干し肉にした。

やり方が分かりもう完璧だと思った私は、翌日も犬の散歩をかねて同じ猟場に向かった。昨日の感じだと今日は三十羽は固いと思ったが、そう甘くなかった。昨日の後半はあれだけ次々獲れたのに、この日は全然網にかかってくれない。夕方まで粘って十羽獲ったが、そこで網を岩にぶつけて壊してしまった。次の猟はたったの二羽しか獲れなかった。

アッパリアス猟は簡単そうに見えるが、単純素朴な身体動作だけにそのぶん奥が深く、自分なりに動きをものにしないと捕獲数は安定しない。アッパリッホーとは反対の、村の西側にあるアチキャットという猟場に場所を移してからは、そのコツが少し分かってきて数が伸び始めた。最初は十八羽、それからは倍々ゲームとなった。六月二日は三十九羽、八日は四十二羽、十日は七十六羽、十一日は八十羽。やればやるほど要領をのみこめた。

猟場に着いたら、まずどの岩壁に身を隠すのか場所選びから始める。ポイントは身体が十分に隠れる壁を探すことだ。身体が壁からはみ出すと、鳥が網の射程圏内に入らずなかなか獲れない。また不規則な鳥の動きに対応して網をしっかりと振れるように、安定して座れるかどうかも場所選びの重要な基準だ。風向きも判断材料になる。アッパリアスは風上に向かって飛ぶ性質があるため、東風か西風かで飛んでくる方向も逆になり、網を出す身体の動きも正反対になる。斜め後ろから飛んできたり、真正面から飛んできたり、風一つで動きが急に変わり、それにあわせて網を出しやすい場所を選ばなければならない。隠れる場所を選び、少し網を振り回してみて、ダメだったら場所を移動し、安定して獲れるポイントが見つかれば、そこで四、五時間ほど粘り、いい加減獲るのに飽きたら村に帰る。それを私は連日繰り返した。家に帰ったら四羽か五羽、塩ゆでにして晩飯に食べて、残りは胸肉だけ身体から引き剝がし、塩をふりかけて針で糸を通して櫓に吊るし、干し肉にする。解体は、羽の関節にナイフを入れて手で胸肉を引っ張るだけなので、慣れたら一羽につき十秒ほどで終わる。胸肉以外の余った頭や皮や内臓はすべて犬の餌にした。ウヤミリックもアッパリアスが大好物で、私は夏の間の犬の餌を、ほぼすべてアッパリアスの臓物や皮や頭部で賄った。

　腕が上達するに従い、ヌカッピアングア家の櫓に吊るされるアッパリアスの干し肉はみるみる増えていき、祭りの山車（だし）のように賑やかになった。彼の家の冷凍庫も犬の餌となる胸肉の剝がされた鳥の死骸でいっぱいになった。その光景を見るたびに、ヌカッピアングアもイラングアも、「アッパリアス、アマッタヒウ（たくさん、いっぱい）」と苦笑した。

食料である干し肉を自分の手で生産しながら、私は、ライフルが自分の道具に変わっていくときと似た実存的手応えを感じていた。アッパリアスを自分の手で獲り、捌き、櫓に吊ることで、私はデポに使う食料の生産過程をすべて自分の手でおこなっている。その過程を通じて干し肉には私自身がのりうつっている。私が憑依している。つまり干し肉は私の過去の現実態であり、言い換えれば私そのもの、その自分の過去に他ならない干し肉を私は自分の手で運び、デポして、本番では過去そのものであるデポを回収して栄養分とすることで極夜探検という未来が切り拓かれる。このように過去の行為の結果、未来の姿が見えてくる旅的なダイナミズムが私には面白くてならなかった。

とはいえ、アッパリアスの干し肉など一羽あたり二十グラムにしかならない。カヤック行までに最低でも二十キロの干し肉を作ろうと思っていたので、そのためには一千羽も獲らなければならない計算になる。大島さんに過去最高記録を訊ねると一日九百羽獲ったことがあると言われ度胆を抜かれたが、それはもう、一分間に一羽獲っても十五時間かかるわけで、完全にギネス記録と考えられ、初心者の私が一千羽ため込むのはかなり至難の業だと思われた。

ちょうど短い春が終わり夏が近づきつつあった。海にうねりが入るたびに海氷は端のほうからばきばきと割れ、氷床から吹き下ろす北風によって沖へ流されていく。それまで村の前を覆っていた氷が次第に姿を消し、青黒い海水面が広がっていった。

海が割れるということは、村人たちにとってはボート猟の季節がやって来たことを意味している。天気のいい日に砂浜に行くと、男たちが出猟に向けて船の整備をする光景が見受けられた。整備が終わると船を海に浮かべ、割れた氷の合間を縫って沖に繰り出し、船上からライフルを構えて浮き氷の上で昼寝をしている顎鬚海豹や海象を撃ちとめる。狩りに成功すると獲物を捌き、適正なサイズに切り分けて村に戻る。ちょうどそんな季節だったので、私は村で大きな獲物がとれたときは肉を売ってもらったり分けてもらったりして干し肉の量を増やしていった。

六月三日、アッパリアス猟から帰宅して胸肉を櫓に干していると、ヌカッピアングアとウーマがライフルをかかえて慌ただしく家から飛び出してきた。

「ナルワル！」

ヌカッピアングアはそう言って、村の前の氷の割れた海面を指さした。ナルワル、つまり一角鯨だ。現地の言葉ではケラルワというが、彼は気を利かせて英語で私に教えてくれたのだろう。シオラパルクでは九月や十月になると一角が湾に入りこんでくることが多いらしいが、どうやら今回はエルズミア島あたりから季節外れの個体が迷いこんできて、氷の割れ目に姿を見せたらしい。私はすぐに防寒着を着込んで現場に急行した。すでに一角があらわれた現場の周辺には、凶悪犯を追い詰めた警察のように村の男たちが持ち場についていた。大島さんの船が一角のあらわれた海上を滑るように巡回し、ケットゥッドゥとアッパルとピーターとファーガイ（すべて村の男たちの名前）が氷の際に等間隔にならんでライフルを構えている。そこにヌカッピアングアが犬橇で登場した。私は橇に乗せてもらい、彼の隣でライフルのかわりにカメラを構えた。

すでに夜の遅い時刻だったが、白夜の太陽が眩しく輝いている。まもなくわれわれの目の前で、太古の爬虫類を思わせるぬるりと黒光りした背中が海を切り裂くようにあらわれた。即座にヌカッピアングアのライフルが火を噴いた。至近距離から二発の弾丸を浴びた一角は、鈍い飛沫(しぶき)音をあげて青黒い水のなかに姿を消した。海の表面に赤い血がゆらめいている。

ヌカッピアングアがこっちを向いた。

「どこに行った？」

「……分からん」

再び現場には静寂が広がり、大島さんの巡回するボートのエンジン音だけが響いた。五分後、隣に陣取っていたピーターが大声で私の名を連呼した。

「カク！　カク！」

目の前で一角がふたたび黒い背中をうねらせて浮かび上がり、ヌカッピアングアの銃声が轟(とどろ)いた。三発目を浴びた一角はついに潜水する力を失い、息も絶え絶えとなり漂流を始めた。ヌカッピアングアが大声で駆け寄り、小さな鉤(かぎ)で引きよせると、そこに大島さんの船が急行し、息子のヒロシが右腕を大きく振りかぶり、よく研がれたするどい銛(もり)を深々と突き刺した。

一角の体は大島さんの船で村の前に運ばれ、集まった女、子供たちの歓声と笑顔にかこまれた。村人全員が協力して一角を砂浜に引き揚げ、男たちが皮、肉、内臓と手早く捌いていった。

「カク、これを持っていって、干し肉にしろ」

ヌカッピアングアがそう言ってかなりの量の皮と肉を分けてくれた。おそらく二十キロはあっただろう。私がやったことといえば、カガヤの船が出るときに後ろから押したのと、ヌカッピアングアが鯨を仕留めたときに引き鉤を手渡したのと、獲物を浜に引き揚げる作業を手伝っただけだったが、たまたま仕留めた現場に居合わせたことで、なんとなく近い関係者っぽく見えたのかもしれない。おかげで私の干し肉の量は一気に必要量に近づいた。

そして六月十四日、ついに私のアッパリアス猟の捕獲数は三桁に突入し、百二十羽に達した。大島さんに報告すると、「次来たときは、キヴィアを作れるね」と笑った。確かにそれもいいかもしれないと私は思った。その後も三度、猟場にくり出し二百六十羽ほど獲ったので、私はこの夏で累計六百五十羽ほどのアッパリアスを捕獲したことになる。そのうち六百羽ほどは櫓に吊るし、結局アッパリアスだけで十二キロ分、必要量の半分近くの干し肉を作ることができた。一角や顎鬚海豹の肉を加えると生産量は二十五キロ以上に達し、もはや干し肉は十分、氷が解けてカヤックで漕ぎだす日を待つだけとなった。

4

六月に入ると太陽はさらに高度をあげ白夜が本格化した。村の裏には標高九百メートル前後の山が連なり、深夜になると太陽はその山蔭に姿を消す。ただ、地平線の下に沈むわけではないので、一晩中、昼とさして変わらない明るさがつづく。

夜がないことで私のなかからは時間の規律が失われ、ある日は夜に寝たかと思うと、次の日は夕方に就寝し、また別の日はアッパリアスを捕りに行って作業が夜中までかかったので翌日の昼まで寝たりと、生活のリズムはいい加減なものになっていった。食事にたいする感覚も白夜仕様になった。村に来た当初は、朝はパンと目玉焼き、昼と夜も決まった時間にご飯とおかずを食べ、日本と変わらない食生活をつづけたが、そのうち食事の時間はばらばらになっていき、腹が減ったときに適当に何かを食べるといったふうに変化して、いつの間にかメニューも、海豹肉や鯨の皮（現地語でマッタという）を、醤油をつけて生で食べるか、簡単に塩ゆでにして、冷や飯と一緒に食べるといったように、迅速にその場の食欲に対応できるメニューばかりとなった。私の生活はだんだん夜という境目を失った一元的な白夜世界に染まっていった。

本格的な白夜のもと、私は干し肉づくりに励み、カヤックによる二回目のデポ設置旅行に向けて準備を進めた。ただ旅が近づくにつれて、大きな気がかりが私の心のなかに芽生え始めていた。じつは村人の間で、私のカヤック旅行に対する危惧が高まっていたのだ。

彼らが心配したのは海象のことだった。もともと去年シオラパルクに来たときも、村人からは海象の危険性についてたびたび意見を言われていた。私としては、野生動物はこちらから不用意に刺激しなければ滅多に襲われるものではないという偏見があったので、正直あまり気にしていなかったのだが、村人の様子を見ているとどうもそんな生ぬるい動物ではないらしい。とくにこれからの季節は村の周辺で海象の数が増えるという。海に潜って二枚貝などを食料にする海象は完全に結氷した海ではなく、氷が割れて海水面が広がったところに棲息する習性があり、冬の間はシオラパルクより南に広がるノースウォーターと呼ばれる年中凍らない海で越冬する。そして夏が近づき海が温かくなると、エルズミア島やグリーンランド北部のフンボルト氷河近辺で越夏するため北上する。そのためシオラパルクの人たちは、村の周りの氷が解ける六月頃から、海象の北上が終わる七月上旬頃にかけて、ボートによる海象猟を頻繁におこなうのだが、弱ったことに私のカヤックによるデポ設置旅行も、海氷が解け出す時期の関係上、ちょうど海象が北上する六月中旬に出発しなければならなかったのである。

〈海氷が解け出す時期の関係〉というのは、次のような事情だ。

このカヤック行ではまずスミス海峡をわたり、エルズミア島側のピム島に往復してデポを運ぶ予定にしていた。大島さんの話や衛星画像のデータによると、グリーンランド—エルズミア島間の海峡のうち、ケーン海盆以北の海域は六月下旬から七月上旬まで凍りついたままだが、スミス海峡を含めた南の海域では春になると氷が解けるので、カヤックによる航行が可能となる。もし、カナダ側のピム島にデポを運ぶのなら、ケーン海盆の氷が安定しているうちに、氷のないスミス海峡を往復して決着をつけなければならない。なぜなら、もしケーン海盆の氷が壊れて流れだすと、それまで氷のなかったスミス海峡は大小無数の浮き氷で覆われることになり、そのなかには直径十キロ級の大きさの氷もザラで、とても船でわたれる状態ではなくなるからである。

「こっちの人は、氷が割れてからスミス海峡に行くようなことはしないね」

大島さんからそのような助言を受けた私は次のような二段階作戦をたてた。

まず六月中旬に村を出て、ケーン海盆の氷が割れる前にスミス海峡を往復し、ピム島へのデポを完了させる。そして一度村に戻り、ケーン海盆の氷が壊れて完全に解けるまで待機し、浮き氷が全部なくなって海がきれいになる七月中旬以降に改めて出発し、今度はイヌアフィシュアクに向かう。どちらのデポも重要だが、特にピム島へのデポが成功しなければ、本番の極夜探検で目的地であるグリスフィヨルドまで行くことは難しくなる。イヌアフィシュアクからグリスフィヨルドまでは距離がありすぎて、真ん中のピム島にデポがないと、とてもたどり着けそうになかったからだ。

計画通り極夜の探検をおこなうには、絶対に六月中にピム島にデポを運ばなければならない。しかし厄介なことに、その時期は海象が北の越夏地に向けて移動するのと重なっていたのである。

村人からは女性もふくめてほぼ全員から海象の危険性について聞かされたが、とりわけヌカッピアングアや息子のイラングアは私の顔を見るたびに計画を考えなおすよう諭した。

「海象はモーターボートにも向かってきて、牙を立てて襲ってくる。(FRPの)船底に穴を開けることだってあるんだ」

「本当か?」

「本当だ。だから襲ってきたら一頭ずつライフルをぶっ放す」

そう言って、ヌカッピアングアはライフルを構える仕種をして、右に左に発射する動作をしてみせた。

ただ、このときはまだ彼らもそれほど本気で私の旅を危惧していなかったし、その言葉には覚悟を促す以上の意味はなかったと思う。私も、いくら危険な野生動物だといっても、相当運が悪くないかぎり現実的に襲われる可能性は低いだろうと甘く見ていた。ところがある事件が起きたことで、村人たちの私の旅に対する懸念はより深刻なものにかわった。地元のイヌイット猟師が海象に殺されたのだ。

　事件を知らされたのは五月十九日だった。イラングアが朝、勤務する雑貨店に向かう前に私の家に立ちより、ソファーに座って言った。

「サヴィシヴィックの人がカヤックを漕いでいて死んだよ」

サヴィシヴィックはシオラパルクから南東に二百キロほど離れた、同じように小さな猟師村だ。

「本当？　いつ？」

「今日。海象に襲われたんだ」

その話は一瞬で私を暗い気分にたたき落とした。それまで少ないと見積もっていた、海象が人間を襲う可能性が、決してそうではないことを私に突きつけてきたわけだ。

「アーウィ、ナマンギッチョ（海象は良くない）」

彼は片言しかイヌイット語を解せない私のために紙に絵を描いて状況を説明してくれた。どうも、このサヴィシヴィックの猟師は犬橇で海氷の端までカヤックを運び、そこで一角猟をしていたところを海象に襲われたらしい。

「海象はどこにいたんだ？」

「海の下に潜っているのさ。たぶん、食べられたんだと思う」

海象が人間を食べる……？

イラングアの話を聞いて、すぐさま私は前年に大島さんから聞いた身の毛もよだつ話を思い出した。十年ほど前、同じようにカヤックで猟をしていたサヴィシヴィックの猟師が、突如水面にあらわれた海象に船を転覆させられ海中に引きこまれた。猟師の死体は海上に浮上することなく、まわりの海はただ大量の赤い血で染まるだけだったという。

大島さんによると、海象が人間を食べるのかどうかは不明だが、シオラパルク周辺の海岸では海象に襲われたと思しき輪紋海豹の死骸が時々転がっているという。海豹の死骸は牙で穴を開けられ、なかの脂肪が吸いとられており、その死亡状況から推察するに、おそらく海象は海のなかで海豹を抱きかかえ、ふんぬっ！　と牙を突きさし、抱きかかえたまま、その尋常ならざる肺活量によって、ぶおおおおっとダイソン掃除機のように海豹の脂肪層を吸引するのではないかと考えられるという。海に引っ張り込まれた人間も海豹と同じ運命をたどるのか分からないし、なぜ海象が人間を引っ張り込むのか動機も不明である。明確な理由はとくになく、ただ何となくそのとき海象の機嫌が悪くて、むしゃくしゃしていただけかもしれない。現実として言えるのは、サヴィシヴィックの猟師が襲われたときは遺体は二度とあらわれることはなく、ただ水面に血の花が咲いたということだけだ。

「海象は人間を襲うのだろうか？」私はイラングアに訊ねた。

「昔、カヤックに乗っていた頃はよく襲われたらしいけど、ウミアック（モーターボート）が普及してからはそういう例はなくなった」

考えてみると、不思議なことがひとつあった、チューレ地区（グリーンランド北西部）

のイヌイットは現代でもカヤックで鯨猟をおこなうが、どういうわけかシオラパルクの人だけはカヤックではなくモーターボートで猟をする。これまでは法的な規制の枠組みでそう決まっているのだと思っていたが、もしかしたら海象の生息数がなにか関係しているのかもしれない。カヤックによる鯨猟が盛んなカナック一帯には、海象はあまりあらわれないと聞いたことがあるからだ。

「どうしてシオラパルクの人はカヤックに乗らないんだ?」と訊くと、イラングアは思った通り、「海象が多いからさ」と答えた。

「カナックではたまに見るぐらいだけど、シオラパルクから北はそれこそたくさんいる。湾から出たら、もう海象だらけさ」

嫌な話はさらにつづいた。イラングアが出勤した後、ヌカッピアングアの家を訪ねると、家族全員で沈黙してテレビのニュース番組を見ていた。私が訪れるといつもは陽気に出迎えてくれるのに、皆、暗い表情で画面を注視している。悪い予感がして、何のニュースが流れているのか訊いてみると、サヴィシヴィックより南のグッドホーという村でもカヤック猟の人が死亡したのだという。

「たぶん、海象だ」とヌカッピアングアが不機嫌そうに目を細めた。「これで今日だけで二件だ。サヴィシヴィックにグッドホー。カナダだって海象はたくさんいて同じ状況なんだから、カヤックでは行くな」

立てつづけに伝わった剣呑なニュースにさすがに不安になった私は、自分なりに海象についての情報収集を始めた。もしかしたらカヤックの遠征の途中で海象に襲われた事例が過去にあったのではないか？　パソコンを開いて検索ボックスに〈walrus attack kayak〉と打ちこむと、気になる事例がひとつ見つかった。二〇一一年に米国の冒険家二人がエルズミア島をカヤックやスキーで一周したときに海象の襲撃を受けたらしく、しかもその現場というのが、こともあろうに私がデポを置こうとしていたピム島のすぐ南の海だったのだ。

あるウェブサイトの取材に冒険家は次のように語っていた。

〈そのときまでたくさんの海象のそばを漕いできたけど、全然こっちに注意を向けてこないので、われわれは海象という生き物にすっかり慣れていた。ところがある日、三十ヤードほど先にいた一頭が突然、海に潜った。そのまま船を漕いでいると、急にカヤックを少し持ち上げられるのを感じた。海象が私の船の下を泳いでいたんだ。本当に一瞬、十秒か十五秒ぐらいの出来事だったが、海象が私の右後ろから顔を出した。二千ポンドから四千ポンドはある雄の海象で、本当に大きかった。それまで四、五十頭の海象を見てきたけど、こんな動きを見せたのは初めてだった。海象があらわれたのは、文字通り指で目を突けそうな距離だったので——頭部は私の頭より大きかった——、私は顔面めがけてパドルを突き立てた。大きな波が起こって私の船は速力を失い、転覆しそうになった。……それから海象はまた私のほうに向かってきた。……もし海象に捕らえられて

いたら、私は内臓ごと海象に吸い尽くされていたと思う。言い伝えによると、海象が人間を殺すときは、そうするらしいんだ〉

この冒険家は遠征中、何度も白熊と遭遇し、テントの入口に鼻面を突きつけられたことさえあったという。白熊よりも海象のほうがよほど危険で、遠征中で最も危機的だったのがこの出来事だと語っていた。あんな恐ろしい目には二度と遭いたくないとも話していた。驚くのは、この談話の最後の言い伝えの部分が大島さんの話と酷似していたことだ。この冒険家がこの言い伝えとやらをカナダ側のイヌイットから聞いたことはまず間違いなく、そのことが示すのは、グリーンランドでもカナダでも地元民は、海象は人間の身体を吸いつくすと考えているという事実だ。モーターボートがなかった時代のイヌイットはカヤックと銛で海象狩りをしていただろうから、その時代に人間のほうが返り討ちにあうことも少なくなく、その生々しい記憶がこの言い伝えとやらに反映されているのだろう。

先日のサヴィシヴィックの事件について詳しい情報がないか訊くため、私は大島さんのところを訪れた。大島さんは在宅しておらず、共同作業場で皮の鞣し作業をしていた。

「サヴィシヴィックで猟師が襲われたらしいですね」と声をかけると、大島さんは水道で作業道具の汚れを落としながら、「そうらしいね」と言った。

「自分のミスだったみたいだね。話を聞くと、どうも氷の上から海象を銃で撃ったらしい。手負いでまだ生きていたのに、カヤックで銛を打ちに行ったんだって。死んだやつに近づくなら分かるけど、手負いの状態が一番危険だからね、彼は六十代のベテラン猟師だったんだけど、なんでそんなことしたのかねぇ」

「やっぱり海象って危険なんですかね」

「今の時期は、ちょうど南から北のほうに海象が移動する時期なんですよ。そのあいだ、彼らはあまり餌を食べない。そういう長い旅をしているやつが腹を空かせていて、動いている物なら何でもいいから食っちまえってのがいるんです。だからカナックの連中もこの時期はものすごく警戒していて、見張りをたてながら鯨猟をしているね」

　ということは、その旅の季節とやらが過ぎると、連中もすこしは落ち着いて、さほど危険ではなくなるということだろうか……。

「七月以降なら危険じゃないということですか」

「シオラパルクより北に行くと、餌場で固まっているから、襲ってくるなんて話は聞かないんだけど、でも分かんないから、こればっかりは。危ないやつってのは、どこにでもいるんですよ。一番危険なのは、まだ牙が十センチぐらいしか生えていないような、身体の小さな若い雄ね。人間で言えば、何をしでかすか分からないティーンエイジャー。銃なんか撃とうもんなら、怒り狂って、もう波を巻き起こしながら、すごい勢いで追いかけてくる。ボートの縁なんか牙でガシガシ攻撃してくるからね、こっちももう怖くて逃げるしかない。だから、ここより北の海象が絶対に大丈夫ってわけじゃないから、気をつけたほうがいいよ。まあ、気をつけるっていっても、どう気をつけたらいいのか分恐ろしい話なのに、大島さんはいつものようにとても楽しそうに話した。

「姿を見かけたら、あまり近づかないということでしょうか」

「でも、海に潜っていたら分からないからね」

「潜っていると見えないもんですか」

「見えないねぇ」

情報を集めたところで対処の方法は考えつかなかった。これまで私は、海象というのは陸上や氷上でコロニーを作って群棲していると思いこんでおり、姿を見かけたら刺激しないよう群れから離れればいいと安易に考えていた。だが大島さんや村人の話だと、どうもそういうことではないらしい。海に潜っていて見えないというのは、どういう状態なのだろう。海象に襲われるというシーンが具体的にイメージできず対策をとろうにも何も思い浮かばなかった。

5

カヤックの旅のパートナーとなる山口将大君がやってきたのは六月二十日だった。憐みをもよおすほど大量の荷物を携えてヘリコプターから降りた山口君を握手で迎えると、彼は坊主頭に眼鏡をかけた純朴そうな顔をこちらに向け、奥ゆかしい笑顔を浮かべた。

山口君と出会ったのは、前年の夏のことだった。極夜探検のためのデポ設置旅行を検討し始めた時点でシーカヤックの経験も、リバーカヌーの経験もほぼ皆無で、要するに水上のパドリングスポーツに親しんだことが一切なかった私は、ひとまず自前のカヤックを手に入れようと考え、何人かの知人に相談した。そのうちの一人から琵琶湖でカヤックのガイド業を営む大瀬志郎さんを紹介され、大瀬さんを通じて私は艇を購入し、彼が主催するツアーに参加させてもらってパドリングの基礎を学んだ。その大瀬さんがカヤックの練習のパートナーとして紹介してくれたのが山口君だった。

最近の若者にしては珍しく旅と冒険に根差した人生を求めていた山口君は、いつでもカヤックで海を漕げる自由を確保するために、あえて安定した会社員の道は選択せず、私と出会ったときは某大手アウトドアメーカーの小売店でアルバイト店員として働いていた。彼と最初に出会ったのは沖縄県の石垣島だ。ちょうど沖縄で取材をしていた私は、彼とタイミングを合わせて合流し、二人で石垣から西表島にカヤックでわたり、島を一周することにした。初対面の際に「もしよかったら山口君も一緒にグリーンランドをカヤックで旅しない？」と半分冗談で訊いてみたところ、驚くべきことに彼は何の躊躇いもなく「あ、俺、行きますよ」と、伊豆半島の日帰りツアーに誘われたような気軽さで即決した。正直ちょっと変わったやつだなと思った。もしかしたら私が同行者を求めていることをすでに大瀬さんから聞いて内心、勝手にグリーンランド行きを決めていたのかもしれない。何にせよ、彼の参加は私には心強いものだった。私の艇だけでは積める荷物の量はかぎられており、一人で三カ月分もの荷物を運ぶのは到底無理だと考えられたからだった。それに初心者である自分が単独で極北の海を漕いで、本当に大丈夫だろうかという経験面での不安も当然あった。

村を出発する時点で、私たちにはすでに時間があまり残されていなかった。ネット上で毎日更新される海氷の衛星画像を見るかぎり、心配されたケーン海盆の氷はまだ安定しているが、どの時点で壊れて流れ出すかは予想できない。氷が流出したらピム島までの海は無数の浮き氷に覆われ渡航不能となる。そういうわけで山口君には申し訳ないが、彼が到着したその日に、私はカヤックの組み立てにとりかかることにした。

われわれのはアルミ製の骨組みに丈夫なゴムと化学繊維からなる外皮をかぶせたフォールディングカヤックという組み立て式の船である。組み立てを終えると、船を海岸に運び、デポ用のものから順に次々と物資をつめこんだ。ピム島に運ぶデポの量は四十日分、食料が四十キロ、灯油十四リットル、ドッグフード三十五キロで、その他諸々を含めて総計百キロ近くに達した。デポにくわえて、航海用となる二十日分の食料や燃料も積まないといけない。

フリーズドライの米やラーメン、衣類等、軽いものから順番に船首と船尾の隙間にぎゅうぎゅう押しこみ、ドッグフードや灯油など重たいものは船の中心に置く。自製の干し肉も濡れないようにビニール袋につつんで船のなかに突っ込んだ。カヤックの最大積載量は人間も含めて百八十五キロだが、重量は制限ぎりぎりで、容積的には完全にオーバーチャージである。潮汐線の上から海水に浮かべるだけでもひと苦労で、この時点で山口君が来てくれなかったら一人で船を動かせなかったのは明らかだった。

村を出たのは六月二十一日、今にも雨が降り出しそうな寒い日だった。パドルをひとかきするごとに、カヤックの船首は深い色をたたえた水をゆっくり切りさいていく。海岸では村人が手を振って見送っていたが、そのうち出発のイベントに飽き、ぞろぞろ家に帰っていった。

村を離れてから、われわれは猟を終えて村に戻る三隻のモーターボート（トーマス夫妻、カガヤ夫妻、ケットゥッドゥ＆ユーソフィー）とすれ違った。いずれもカヤックで出発したわれわれに、「海象が多いから気をつけろよ」と声をかけてきた。三隻目となるケットゥッドゥと少し話したところ、彼らは昨日村を出発し、われわれがピム島へとわたる渡航地点と考えているアノイトーと呼ばれるところまで行ってきたという。大猟だったようで、ボートのデッキには解体された肉塊と、大きな牙をはやし眠たそうな目をした海象の切断された頭部が無造作に転がっている。ケットゥッドゥのオーバージェスチャー気味な身振りから判断すると、アノイトー近辺にはすでに夥しい数の海象がおり、沖のほうで背中を見せながら竜のように身体をうねらせて北上しているようだ。にこにこ顔で「ナウマット、ナウマット（「良い」という意味）」と連呼する彼の言葉を聞きながら、いったい何がナウマットなのだろう……と私の心のなかでは、灰色の煙幕のような感情が立ちのぼった。

海象が多いとの生情報を得たことから、われわれは改めて岸沿いをそろりそろりと進むことにした。ケットゥッドゥや大島さんの話だと、どうも海象は沖を北上するのが多いようだし、万一襲われたときも岸が近いほうが何となく安心だからだ。

六月下旬の北緯七十八度近辺の海はカヤックを快適に漕ぐには、季節が少々早すぎたようだ。はっきり言って気温も低いし海水も冷たすぎる。曇天がつづき雨が降ることも少なくなく、夏のグリーンランドという言葉から想像される、白夜の太陽が燦々と降りそそぐ爽やかで乾燥した大地といった様相は、ほぼ皆無である。気温が低いだけではなく冬にできた海岸の定着氷もまだ思いっきり残っており、見た目の雰囲気も荒涼としていた。

漕いでいると海水から冷たさが伝わってきて二、三時間で足が冷え切る。海水温は三度、防水生地で全身を密封したドライスーツを着ているので海水がその内側に浸入してくることはないが、それでも転覆したら低体温症で動けなくなるまで長い時間はかからないだろう。実際、救命胴衣やドライスーツを着ていないイヌイットの猟師が転覆すると、瞬く間に心臓麻痺になり、そのままずぶずぶと沈んでいくらしい。

沈（転覆）だけは何があっても避ける、というのがわれわれの合言葉だった。

二日目にシオラパルクのある半島の岬を回りこむと、次の岬、またその次の岬と、順次新しい陸地が見えてくる。このあたりの地形は大きな岬が剣竜の背中のように次々と海に突き出した複雑なフィヨルドを形成している。村を出発して次の岬はネケ、その次はピトラフィと呼ばれる地だ。岬と岬のあいだに広がる湾の奥には巨大な氷河が落ちこみ、クルーズ船の観光客なら溜息をついて大喜びするに違いない壮観な景色をつくりだしている。海は海鳥の鳴き声で賑やかで、繁殖地を飛びたち小魚を食べにきたアッパリアスの群れや、鴨の編隊が絶え間なく飛びかっていた。

ネケの岬をすぎると沖合に大小無数の氷山が浮かんでいた。自然と海象への警戒心が湧いてきたが、いる気配は感じられなかった。

出発した次の日はピトラフィで幕営するつもりだったが、隙間なく海岸に張りついた定着氷にはばまれ、上陸は不可能だった。この時期の定着氷は海水に洗われて下部がえぐれており、オーバーハングした壁のようになっている。満潮にならないかぎり乗りあがることはできないので、陸地に上がるには沢の流れで定着氷が切れているところを探さなくてはならない。疲れた身体にムチを打ち、ピトラフィからさらに五キロ漕ぎ進んで、ようやく小さな氷河の砂州で定着氷の切れ目が見つかった。

翌日は朝から雨だった。かなりの強雨で出発は見合わせたかったが、氷河から流れる小川が増水し、カヤックの繋留場所まで押し寄せてきそうだったので、遅い時間からやむなく漕ぎだした。

漕ぎだしてまもなく山口君が呑気な声を出した。

「あれ、海象じゃないですか?」

「え、どこ?」

たしかに数百メートル先で浮かぶ氷山に黒い影が見える。

「本当だ、黒いねぇ」双眼鏡をのぞいてそうつぶやくと、山口君が、「そうじゃなくて、すぐそこですよ」と言った。視線をうつすとわずか五十メートルほど先で顎鬚海豹らしき巨大な海獣が、ひょっこり黒い顔を海面からのぞかせている。悪戯好きそうな眼差しでわれわれを眺め、すぐに身体を回転させ、ドプリという音を残して海のなかに潜っていった。

「あれは、海豹じゃないかな……」

「かなり大きかったですけど」

「顎鬚海豹はデカいやつだと三メートルぐらいあるからなぁ」

「かなりこっちに興味がありそうな感じでしたね」

それからしばらく背後からドボンという音が何度も聞こえた。われわれのことが気になるらしく顎鬚海豹が後をつけているのだ。海豹だと分かっていても、背後から追い立てられるのは気持ちがいいものではない。われわれは刺激しないようになるべく静かにパドルを漕ぎ、一応、いつでも陸地に逃げられるように岸に近づいた。

村で情報収集したところによると、この時期、南から沖合を泳いできた海象はピトラフィ付近で沿岸に近づき、陸沿いをアノイトーやピム島方面に向かって北上する。つまり海象と出くわすとしたらピトラフィから先のエリアだ。そう聞いていたので、前日にピトラフィを越えたあたりから、われわれの警戒感は少しずつ高まっていた。

この日は私のカヤックの船底に穴が開きかなりの浸水があったので、十キロ少々進んだところにある大きな湾の入口で幕営した。昼間は久しぶりに気持ちのいい青空が広がったが、夕方から暗くて重たい雲が広がり、夜間は小雨がぱらついた。翌日は午前中に岸を離れ、目の前の大きな湾を突っ切って近道することにした。この日も上空には雲が広がり、前方には熱帯雨林の大河のような茶色い海が広がっている。ここだけではなく湾内は氷河から流れる細かな土砂のため、どこも濁っている。その濁り切って透明度がゼロの水のうえに、同じく氷河から崩れおちた美しい氷山が無数に浮かんでいる。われわれは氷山の間を縫うようにして北西に進んだ。湾の中央部を突っ切っているので、岸からはかなり距離が離れていた。岸から離れると海象の危険地帯に入りこんでいるかもしれず、落ち着かなかったが、漕ぎ進むうちに切り立った海岸が近づいてきて、それだけで危険地帯から脱した気がして安心できた。

海岸は崩壊した岩に覆われた断崖で、アッパリアスの格好の住処（すみか）になっていた。そこから十五キロほど先に進むと、天狗の鼻のように海に突き出した顕著な岬があらわれる。ウッダッハヤ（アレキサンダー岬）だ。この岬の付け根は大きな氷河に取りかこまれており、その氷河から風が吹き下ろすと、最悪の場合、高さ二、三メートルの大波が立つという。風が強いときは絶対に越えてはいけないと村人から注意されていた今回の行程随一の難所だ。ただ、この日は上空に雲が広がってはいるものの、風はほとんどなく、追い潮にも乗っており、コンディションとしては悪くなかった。

ウッダッハヤの手前には小さな島があり、その小島の外側から岬の先端に出れば、距離を短縮して少し楽できる。そもそもウッダッハヤとは海象がたくさん休憩するところからつけられた地名なのだが、まる一日、海象の危険海域を漕いでも、襲来の危険性どころか存在の気配すら感じられなかった。それがわれわれに少し大胆な行動を決断させた。やはり野生動物と危険な遭遇をすることなど滅多にないことなのだ、北海道の人が羆（ひぐま）を必要以上に怖れるのと同じで、シオラパルクの人たちも考え過ぎなのだ、という気に私はなっていた。海象に襲われないのなら少しでも楽したほうがいい。

「どうするか。沖に出るのはちょっと嫌だけど、小島を外から回り込んでいこうか。近道になるし」と私が言うと、「そうですね」と山口君も同意した。「潮も追い潮だし、行きましょう」

われわれは沖に出てショートカットし、手前の小島を外から回り込みウッダッハヤを越えることにした。

ウッダッハヤが徐々に近づき、巨大な壁となって沖に立ちはだかった。潮はきわめて順調で、パドルは抵抗を感じることなく船を静かに前に進めていく。さきほどまで濁りきっていた海の色は、いつの間にかにとても澄み切ったものにかわり、深くて美しい暗緑色の水がわれわれをとりかこんだ。水がきれいになったので、山口君がコクピットから針のついた釣り糸を垂らしてトローリングして漕ぎ始めた。ちょうど北極岩魚が海におり始める時期なので、うまくいけばかかるかもしれない。われわれが目指すウッダッハヤの手前の小島は、灰色の岩場で武装したかのような険しい島で、荒涼としていた。近づくにつれて、あの、シオラパルクの猟場をしのぐほどの夥しい数のアッパリアスが、小島の断崖と周辺の空で蠢いている。鳥たちの鋭い鳴き声が風景の隅々から響きわたり、ざわつく巨大な鳴動となって空間を埋め尽くし、われわれの鼓膜を重く震わせた。すさまじい数の鳥たちに圧倒され、同時に透き通ったエメラルドブルーの海の色に見とれながら、われわれは切り立った島の外縁を目指して無言でパドルを漕いでいた。

そのとき世界は完璧な調和に満ちており、心は平安に満たされ、崩壊のきざしは一切なかった。危険を感じさせる兆候はまったく存在しなかった。このまま何事もなく平穏無事に岬を回航できることは疑いえなかった。確実にそう思われた。だが、ちょうど海上で羽を休めていた鴨の群れが、われわれの接近を警戒して一斉に飛び立ったとき、調和していると思い込んでいた世界は全然調和していないことが判明し、一瞬で巨大な亀裂が走った。

「やられたああっ！」山口君の叫び声が後ろから響いた。「海象にやられたっ！」

うそだろっと思い、彼のほうを振りかえると、その瞬間、私の背筋は凍りついた。パドルを動かす山口君のわずか二、三十センチほど背後で、ガサガサとした乾いた皮膚感の、土気色をした醜い化け物が、定価約八十万円もする高級フォールディングカヤックに乗りあがり、短い牙を突きたてていたのだ。

刹那の光景が目に焼き付いた。海象は愚鈍そうな顔でカヤックを転覆させようとしている。山口君を海のなかに引きずり込もうとしている。海象と山口君はあり得ないほどの近さで、下手したら肩を組んで歌い出しそうなほどの距離で隣り合っており、私から見たら両者の顔は重なっている。それぐらい近くにいる。ところがその緊迫した事態とは対照的に、山口君はいつもの純朴そうな顔でのんびりとパドルを動かそうとしているように見える。すぐ背後に危機的な化け物を背負っているのに、休日の三浦半島カヤックツアーみたいな危機感ゼロの顔で漕いでおり、焦りというものがまったく感じられない。そのことが逆に私に死のリアリティを感じさせた。無表情に近い淡泊な顔で漕いでいる彼の様子が、なにか、突然死に接近した人間に特有の、認識が事態に追いついていない状況を示している気がして、戦慄をおぼえたのだ。山口君、死ぬかもな、と思った。

べつに普段の私は海象に恨みがあるわけではないが、このときの海象はあまりに死の影を背負っていたので、私には海底のヘドロが固まってできあがった気持ちの悪い土色の化け物にしか見えなかった。

「島に上陸しよう！　早く！」

山口君がそう叫ぶまでもなく、私はすぐ島の岸に舳先(へさき)を向けてパドルを回転させた。

だが焦り、混乱したせいか、われわれのカヤックは不格好に衝突した。海象はいったん海に潜って姿を消したが、すぐにまた顔を出して追いかけてきた。われわれは再び竦(すく)みあがり、また必死になってパドルを漕いだ。

五十メートルほど進んであたりを見渡すと、海象の姿は見えなくなっていた。海は静けさをとりもどし、アッパリアスのざわめきだけが響いている。

「やられたー、くそーっ！」山口君が叫んだ。「ラダーのワイヤーが切れて動かない。船、沈んでませんか？」

横につけて彼の艇を調べると、船を安定させるために両側に空気をため込むゴムチューブの部分がすっぱりと切り裂かれている。だが本体にダメージはないので、多少不安定になるだろうが、漕げない状態ではない。正直、これぐらいの損傷で幸運だと思った。

「とりあえず島に上陸しよう」

そう確認し、われわれは島に向かって再び漕ぎ始めた。ところが、少し漕いだところで背後を振り向くと、海象が再び海面からぬっと顔をつき出して、無表情な目で私のことをじっと見つめていた。

海象はまだ立ち去っていなかった。

海象と目が合い、私はぞっとした。そして、まさか……と思った。

悪い予感は的中した。海象は標的を変えたのか、水に潜ったかと思うと、今度は巨体をうねらせて私めがけてまっしぐらに泳ぎ始めたのだ。私はほとんど恐慌状態に陥った。

恐怖に駆られた私は、すぐに必死にパドルを動かし逃げだした。あり得ない力で漕ぎ始めた。自分が助かることしか頭になかった。かりに海象の気が変わって山口君のほうに行けば、彼の艇は不安定になっており速度が出ず逃げられないだろうから、助けなければ彼は死んでしまう、などと殊勝なことを考える余裕は一切なかった。私は山口君をその場に置き去りにし、一目散に逃げだした。一キロほど先には岩場で武装したかのような例の小島があるので、島に向かって一心不乱に漕いだ。かつて経験したことがないほど全身に力をみなぎらせて、あらんかぎりの力で小島に向かった。早く島に上陸しなければ、早く、早く……。

と、そのとき、私は自分の艇のまわりを、ゆったりとした大きな波が等間隔で追い越しているのに気がついた。もしや……と思い、漕ぎながら背後をちらっと振り向くと、危惧した通り海象が竜のように雄々しく巨体をうねらせて、波を巻き起こしながら、こちらに迫ってきているではないか。恐怖は倍加し、襲われる、襲われる、と頭が死の予感に満たされ、異様な緊張感で歯が少し震えた。と同時に村で大島さんから聞いた話がフラッシュバックした。ひっくり返されたら終わりだ。海に落ちた瞬間、海象は私を海中に引きずり込み、前脚で抱え込み、ふんぬっと牙を胸に差し込み、肺から心臓から横隔膜から何から何まで吸引するに違いない。海に大量の血が漂い、それで終わりだ。小さな牙の海象だった。ティーンエイジャーだ、何をしでかすか分からないティーンエイジャーだ。捕まったらやばい、殺される。凄まじい量のアドレナリンを分泌させながら、火事場の馬鹿力としか言いようのない勢いで私は必死に逃げ続けた。

ふと気がつくと百メートルほど先に例の小島の海岸が近づいていた。少し冷静になり周囲を見やると、追い波はおさまり、海象の姿もすでに見えなかった。浮上してくる気配もなかった。十分に威嚇したと判断したのか、どこかにいなくなったようだ。どうやら逃げ切れたらしいと分かり、私は心の底から、間違いなくこれまでの人生で一番深く安堵した。つい今しがたの混乱が嘘のように海は凪ぎ、気づくと再びアッパリアスの鳴動が耳に入ってくる。振り返ると、はるか後方で山口君が小さな点となって寂し気にぽつんと海上に浮かび、相変わらずスピードの出ないカヤックをおたおたと漕ぎ進めていた。まだすこし怖いので、しばらく様子をうかがい、もう大丈夫だと判断したうえで、私は、彼を置き去りにした事実など存在しなかったかのように山口君のところに颯爽と引き返した。

「沖に出た途端、やられましたね」

「まったく何の予兆もなかったな。恐ろしい」私は平静さを装った。

「最初の襲撃のあと、海象に釣針が引っかかったみたいで糸がすごく重たくなったんですよ。それで釣り道具は捨てちゃいました」

「そうなんだ。もしかしたら、釣針が目障りで襲ってきたのかもしれないね。まったく、生まれて初めて見る生きた海象が、あれとはなぁ。とても友達にはなれそうもないな、あの動物とは」

山口君が最初に襲撃されたときの様子を話してくれた。海象が乗り上げたときは船が急激に傾き、バランスを崩しそうになったが、その瞬間、彼はパドルで水面をバチンと叩き転覆するのをかろうじて防いだという。ブレイスという技術だ。ブレイスが成功しなければ彼は海中に引きずり込まれ、サヴィシヴィックの猟師のように血祭りにあげられていただろう。

小島の海岸は岩壁に囲まれ上陸は難しかったので、われわれはウッダッハヤの付け根にある氷河の脇までゆっくりと艇をすすめた。海象に追い立てられたときの緊張感からか、手足が少しぶるぶる震え、全身に張りつめた感じがまだ残っている。上陸してテントを張ると、湿ったボタン雪が降り始めた。山口君は定着氷の上でカヤックをばらして、切り裂かれた側面部の修理を始めた。側面のゴムチューブが十センチほど裂けていたが、本体が損壊しなかったのは不幸中の幸いだった。修理が終わり、テントのなかで一息つきながら、われわれは思い思いに今日の出来事を振りかえった。

海象が恐ろしいのは、こちらが一切の対応をとれないことだ。海象が飛び出してくるまでは何の予兆も感じられなかったし、牙を突きたてられても、こっちは水上なので動きに限界がある。ライフルはデッキに固定しており、パドルを手放すことができないため瞬時の応射も不可能だ。山口君みたいにブレイスで転覆を防いで、あとは逃げるしか対処のしようがない。村人が白熊よりも海象に警告を発する理由がよく分かった。たしかに白熊は危険かもしれないが、陸上で遭遇するかぎり、即座に身体を動かして応射するなどの対応をとることができる。だが、海上で襲ってくる海象には瞬間的な対応がとれないので圧倒的に危険なのである。

艇の修理はうまくいき物理的には旅を再開できることにはなった。しかし、いつ海象に襲撃されるか分からない不安のなかで、これからしばらく海を行かなければならないことを思うと、正直言って私は胃袋がひっくり返りそうな不快感をおぼえた。これまでも雪崩に埋まったり、滑落して奇跡的に大木に引っかかって死ななかったり、凍っていない海水の上をそうとは知らず歩いたり、何度も危険な目に遭ってきたが、海象による襲撃ほど恐ろしい体験はない。今までに感じたことのない恐怖だ。ピム島まで向かうリスクについても改めて考えなければならない。四十キロあるスミス海峡のど真ん中で船に穴を開けられたら、生還する望みはほぼ皆無だろう。いつあらわれるか分からないし、襲われたら終わり。海象だらけの氷海を漕ぐのは地雷原を歩くのに近い行為に思える。

「なんか本当に化け物って感じでしたね。突然ぬるってあらわれて、海に引きずり込もうとする。妖怪海坊主とかって、ああいう生き物がモデルなんだろうなぁ」と山口君がつぶやいた。

まったくその通りだと思った。

6

翌日は夕方までみぞれが続いたので一日停滞し、二十六日から航海を再開した。久しぶりに空は晴れわたった。アッパリアスがざわめくウッダッハヤを周回し、海象の危険を避けるため、できるだけ岸から離れないように進んだ。岬の付け根まで来ると、百メートルほど前方に二頭の海象がじゃれつきあい、ドプンドプンという音を立てて巨体を回転させているのが見えた。まじかよ……と思いつつ、あまり刺激しないように岸を目指してゆっくり進んだ。海象はこっちに向かってくる様子も見せず、そのまま海のなかに潜ってどこかに消えた。

潜るとどこに行ったのかはまったく分からない。

しばらくすると前方にまた一頭、海象が泳いでいるのが見えた。すぐに海中に消え、それからあらわれる気配はなかった。

「カヤッカーって鮫のことをすごく警戒するんですけど」と山口君が言った。「襲われたって話は聞いたことがない。でも海象は本当に来ますね。カヤックに乗っていて動物に襲われたのは初めてだったから、ショックだったなぁ」あまりショックそうではない穏やかな顔でひとりごちている。

ただ、餌場で海底に潜る海象を何度か見るうち、基本的には大人しい性格の動物なんだろうなあと印象が少し変わっていった。

青空に恵まれ、汗でドライスーツのなかが蒸れてきた。天気は人間の行動心理に支配的な影響をおよぼす。これまでの寒い日々とちがって、暖かい陽気のもとでのパドリングとなり、襲撃で萎えていたモチベーションも急速に回復していった。前日のテントのなかでは、今回はピム島行きを延期し、村に戻って誰かに伴走船をお願いして再挑戦しようか、などと冒険＝自力との信条をあっさり返上するような気弱な案まで私の口から飛び出したが、そんなトラウマも太陽の陽射しをあびるうちに癒えていく。突き抜けるような青空の下で船を漕いでいるうちに、気持ちはだんだん前向きになってきた。

その日は一気に三十キロほど進み、イータという昔の集落跡地のある深い入り江に達した。入り江の近くには鴨の繁殖地となっている小島があると聞いていたので、立ち寄ってみた。時刻は午後九時を回っていたが、われわれの時間観念は白夜仕様になっており、到着がおそくなり就寝時刻がずれこんで明日の出発がおくれても、そのぶん行動終了時刻を後ろにずらして、いざとなれば次の日もその次の日もどんどんずらせばいいだけなので、全然気にならない。私は小島に上陸して緑色の卵がならんだ巣が無数にあることを確認したあと、定着氷の上に集まる親鳥にねらいを定めて一羽だけ頂戴し、帰りぎわに巣をまわり、合計十個の卵を頂いて島の対岸で幕営した。

　翌日（二十七日）、翌々日（二十八日）とも天気は良かったが、向かい風がなかなか強烈で大きな前進はできなかった。とくに二十八日はひどい白波が立ち、小さな岬を少し回りこんだだけで行動を終えた。次の日になると風はおさまり絶好の日和となった。西のほうに目をやると、目指すエルズミア島の雄大な山並みが海峡の向こうに浮かんでいた。なだらかな白い氷床からいくつもの氷河が海にすべり落ち、すぐにでも漕ぎつけられそうなほど近くに見える。大きな岬を回りこむと風も波も完全にやみ、海面は凪いで鏡のようになり、外の風景を反射した。水の透明度も高まり底まで見通せるほどだ。海岸には解けかかった巨大な定着氷の残骸が今にも落ちそうな状態でへばりついている。アッパリアスのいない完璧な静寂さのなか、パドルだけが静かに水流をかきたてた。

　数日間、好天がつづいたせいで、気分はさらに前向きになり、楽観的にもなってきた。それに海象も見慣れた。あれ以来、海象の姿は頻繁に見かけたが、ぶほおっ、ぶほおっと鼻面をだして潮を噴き上げるだけで、襲ってきそうな気配はまるで感じられない。むしろ平和主義、非暴力主義的でリベラルな生き物に思えてくる。先日の一頭はやはり、たまたま腹をすかせて異常に機嫌が悪くなった若い雄と運悪く遭遇しただけで、人間でいえば街中でイケイケの鬼ぞりヤンキーと肩がぶつかり「ぶち殺すど、われ！」などと因縁をつけられたようなものなのだろう。当たり前だが、すべての海象が怒り狂って襲ってくるわけではないし、あんなことはそうそう起きることではない。晴れわたった青空のもと、もう海象は襲ってこないんじゃないか、もしかしたら友達になれるんじゃないか、ピム島にわたれるんじゃないかと思えてきた。

また、ぶほおっ、ぶほおっと近くから聞こえた。海象が頭と背中だけを出し、四、五回鼻から潮を噴き上げたかと思うと、巨体をうねらせて海中にもぐって姿を消した。

「まったく豚の鳴き声みたいだな」

「特に危険性は感じないですねぇ。精神的に成熟した大人の海象って感じでしょうか」

「やっぱり前の海象は釣り糸に興奮して、威嚇してきたのかもね。そういうことにしとこうか」

海象の恐怖が和らぎ、ピム島へ行く気分が高まってきた。天気もよく海も凪いでおり、今がチャンスかもしれない。

「よし、明日、ピム島に向かうか」

「そうしましょう」山口君が嬉しそうに声を弾ませた。

その日のうちにわれわれは、灰色の露岩が複雑に入りくんだ海岸を漕ぎ進み、渡航予定地点であるアノイトー付近に達した。定着氷の切れたところから岩場に上陸し、カヤックを引きあげ、海面から五メートルほどの高さのところにある小さな岩棚にテントを張った。海峡の対岸にはエルズミア島の陸塊が広がり、氷床、氷河、岩場の様子まで詳細に観察できた。目指すピム島は黒々と海から険しく隆起し、もはや目と鼻の先という感じさえした。テントを設営したあと、裏の丘に登って北の海峡の様子を偵察したが、危惧された氷の決壊はまだ始まっていないようだった。

海峡越えのリスクは海象だけではない。たとえば風ひとつとっても大きなリスクとなる。海峡の幅は約四十キロ、そのど真ん中で強風が吹き出し白波が立ち始めたら、逃げ場がないだけに一気に窮地におちいることになる。その意味でカヤックのような人力小舟で氷海の海峡わたりをするのは、冬に橇を引いて徒歩旅行するよりはるかに危険度が高い。しかも日本での航海とちがって天気予報や天気図が入手できないため、いつ、どの方向から風が吹き始めるか、先のことはまったく読めない。つまり天気の変化に関するかぎり運と勘にたよるしかないわけだ。はっきりいえば、一か八かのロシアンルーレットである。

また、往復しなければならないという事情も大きな障害だった。かりに好天をつかんでピム島にわたれたとしても、もう一度同じチャンスが到来しないかぎりグリーンランド側に戻ってくることはできない。もし、ピム島滞在中に海峡の氷が流出したり、強風で海の荒れが収まらなければ、われわれはシオラパルクへの帰村を断念して、デポの食料と燃料を携えて五百キロ先のカナダ・グリスフィヨルドの村に向けてカヤックで漕ぎださなくてはならなくなる。それはそれで面白そうな旅ではあるが、今年の極夜の探検は不可能となるので、決断には大きな逡巡がともなった。

偵察した感じでは海峡の氷は大丈夫そうに見えたが、すでに六月末であり、いつ崩壊してもおかしくない。ピム島は小屋がないため、デポの設営にも時間がかかる。白熊の手の届かない適当な岩壁を見つけて、ボルトを打ちこんで支点をつくり、頑丈な樽に物資を詰めこんでロープで吊るさなければならない。それを考えると最低でも二、三日はピム島に滞在しなければならず、海峡往復には最低でも五日、天候や海が悪化したときのことを考えると十日は欲しいところだ。シオラパルクまでの帰路の行程や、残りの食料などを計算すると、許された時間はそれほど多くなかった。最終的にわれわれは、今後三日以内にアノイトーを出発できないのなら今回はピム島への海峡わたりを断念し、八月に延期するという方針を固めた。

ところが、その方針はそれから一日と経たないうちにひっくり返った。

その晩から天気が急に荒れ始めた。昼間は無風だったが、夕方から南風が急に強まり、テントがばたばたと激しく揺れた。波も強まり、テントのすぐ下では白波が威圧的な音ではじけ、飛沫をまきちらした。そして翌朝未明のことだった。波の音がうるさくて熟睡できなかった私は、寝袋のなかで、ザブン、ドドドーと岩場に打ち寄せる海の鳴動に耳を傾けていた。満潮は午前三時ごろ、次第に大きくなる波の音を聞いていると、潮位が高まり海がテントに迫ってきているのがよく分かった。波が岸ではじけ、ひっきりなしに飛沫がテントに飛んできてバシーッという激しい音を立てる。時折、岩壁にへばりついていた定着氷の残骸が大波の衝撃で崩壊し、ガシーン、ドーンと重機が建造物を破砕したみたいな恐ろしげな音を轟かせた。

ザブン、ドドドー、バシーッ、ザブン、ドドドー、ガシーン、ドーン！

テン場は海から十分な高さを保ったはずなので何の不安もなかったが、しかし、そのような威圧的な轟音を小一時間ほど聞いているうちに、私は、いくら何でも海の音が近すぎるんじゃないかと心配になってきた。寝袋から出るのが面倒だったので、しばらく躊躇ったが、さすがに音の威圧感に耐えられなくなり、一応、確認しておくかと、テントの入口から外をのぞき見た。その瞬間、顔面から血の気が引いた。荒れ狂う海面がテントの下、わずか七十センチのところに迫っていたのだ。

まずい！　船は無事か？　カヤックはテン場より少し低いところに置いたはずだ！

反射的に私は外に飛び出し、カヤックを確認しに向かった。テント横の岩場を越えて船が見えたとき、またしても顔面から血の気が引いた。海はカヤックの置き場所まで上昇し、二艇とも激しく波に翻弄され、ギーギーと憐れな音を出して岩場の隙間に押しこめられていたのだ。すぐに舳先をつかみ一メートルほど上に二艇とも引っ張りあげた。だが、ショックだったのはカヤックではなく、むしろデポに用意した物資のほうだった。あろうことかカヤックの横に置いていた十五キロ入りドッグフード一袋が波にさらわれ、無情にも海に浮かんでいるではないか。私はすぐにドッグフードを海から引きあげたが、どっぷりと海水を含んでしまい、もう使えそうになかった。そしてあたりを見渡し、もう一袋あった二十キロ入りのドッグフードを探した。しかし見あたらなかった。海のほうを眺めたが浮かんでいる様子も見えない。呆然とした。何ということだ、ここまで運んだのに流失させてしまった……。

すぐにテントに戻って山口君を叩きおこした。

「おい、船が流されるぞ！」

「へ、船が流される……⁉」

二人でコックピットのなかに入りこんだ水を掻き出して、さらにカヤックを上のほうに引っ張りあげた。

「まずい、ドッグフードが流された」

山口君の顔にも衝撃の色がうかんだ。

「完全に潮汐線の上に来ていますね……」

「くそっ、これで今回のカナダ行は無理だな」

山口君にカヤックの損傷の有無を調べてもらう間、私は近くを歩き回ってドッグフードを探しまわった。強烈な南風にあおられ、海は沸騰するように激しい白波が立っている。海峡は大時化（しけ）となった。海岸の岩と岩の狭間にドッグフードが入りこんでいないか逐一見て回ったが、まったく見つからない。沖に浮かぶ白い物も双眼鏡で確認したが、崩壊した定着氷の塊しか発見できなかった。カヤックが流されず、大きなダメージがなかったのは幸運としかいいようがないが、デポ用のドッグフードを流失させてしまった以上、今回無理してピム島にわたる積極的な動機は失われてしまった。

テントのなかは沈鬱な空気につつまれ、われわれはしばらく言葉を失った。大潮になるとこの周辺の海域では約三メートルの潮汐差が発生し、海の動きがかなり大きいことはもちろんわかっていた。だが、この日はまだ大潮ではなく、大潮まであと五日もある。ここまで海面が上昇するのはおかしな話で、おそらく気圧低下や強風で高潮気味になった可能性が高い。とはいえ、このような事態を引き起こしたのは基本的には自分たちのミスであることに疑いはなかった。これまで船の繋留地点を決めるときに参考にしていたのは、定着氷の位置だった。定着氷というのは冬の間、満潮から干潮にかけて海面が下がるときに岸や砂浜に海水が少しずつ凍って徐々にできていく氷である。つまり定着氷の上っ面は冬季に一番潮位が高くなったときの上限なので、基本的にその上まで海水がくることはない(この判断自体、誤っていたことをわれわれは後に思い知らされるのだが)。しかし、このとき上陸していたのは急な岩場の海岸で、まわりの定着氷はほとんど解けて崩落していた。そのため、われわれは目測で安全地帯を判断して、船をひきあげたのだが、結果的にはこの高さが十分ではなかったうえ、あたりに支点も見つからなかったためアンカーロープを取ることを怠っていた。

翌日はさらに南風が強まり、海は全面的に激しい波が立っていた。ドッグフードを失っていなくても、この天気ではどちらにしてもピム島への渡航は無理だった。強風のため岩場に張ったテントのポールがひしゃげ、フライの一部がちぎれたので、岩場を少し登ったツンドラの平坦地にテン場を移動した。それにしてもこんなに頻繁に海が荒れるようでは、次に来るとしても最低で十日分の余裕をみこんで日程を組まないと海峡往復には乗り出せそうにない。そのことを把握していなかった時点で、今回、われわれには海峡往復に乗り出すだけの知識も経験もなく、挑戦権を有してなかったと言える。

ただ、基本的には海峡往復の延期を決めはしたものの、その決定を再度くつがえせるチャンスがないこともなかった。もしかしたらイータに戻れば、利用可能なドッグフードが見つかるかもしれなかったのである。

イータとは往路でわれわれが鴨を仕留めた入り江の奥にある集落跡地のことで、アノイトーから四十キロほど戻ったところにある。以前は人が住んでいたが、地形的に氷河からの吹きおろしの風が非常に強いため皆移住し、今では昔の住宅や公共の小屋などが三軒ほど残っているだけだ。

そのイータに、じつは英国の遠征隊がデポした食料や燃料が大量に残されているという話を私は聞いていた。この遠征隊は〈ダーク・アイス・プロジェクト〉と銘うち、私と同じように極夜の時期に、なんとカナックから北極点をめざすという大それた目標をかかげていた。その距離約千五百キロ。当然、途中でデポを設置しなければならず、彼らはヨットで物資を運んで、イータと、それから私と同じようにイヌアフィシュアクにデポを備蓄していた。ところが二〇一三〜一四年冬のシーズン、彼らは出発してからまもなく海が十分に結氷していないという理由で計画の続行を断念し、その結果、イータとイヌアフィシュアクには彼ら四人が使うはずだった数カ月分の物資が放置されたのである。この話を大島さんから聞いた私は、緊急事態のときに使うことがあるかもしれないと考え、前年にカナックに立ち寄ったときに遠征隊のメンバーと面談し、使用許可をとりつけていた。

彼らも確か私と同じように白熊対策として犬を連れていこうとしていたはずなので、イータにドッグフードがあってもおかしくない。山口君にその話をすると、おおっと声をはずませた。まずはイータに向かいデポの有無を確認する方針が決まり、われわれは今回運んできたデポ物資をとりあえずアノイトーに残置することにした。カヤックから食料や灯油を運びだしてスポーツバッグに詰めこみ、ビニールシートを上からかぶせ、狐に荒らされないように周りに十分石を載せて固定した。イータにドッグフードがあればこのデポはすぐに回収するし、なければ七月以降におこなう二回目のデポ設置旅行のときに回収して、ピム島か、イヌアフィシュアクに運ぶことになるだろう。

翌七月二日、ひどい濃霧のなか、われわれはイータに向かって船を漕ぎだした。荷物が軽くなった勢いでその日は一気に四十キロ進み、往路で鴨をとった入り江のキャンプ地まで戻った。入り江の奥はまだ海氷で覆われていたため、翌日は海岸と定着氷を十キロほど歩いてイータに向かった。

われわれが期待していたのはドッグフードだけではなかった。筋肉量の豊富な白人男性三人をふくむ計四人が、氷点下五十度にもなる極夜の時期に数カ月間の旅を続けようと考えていたわけだから、イータには相当な量の蛋白源が残されているはずだ。たとえば、お湯を含ませるだけで食べられるサーロインステーキや、脂たっぷりのイベリコ豚ベーコン等々だ。今回のカヤック行はデポ物資を大量に積まなければならなかったため、行動用の食料をかなり切りつめている。そのぶん雲丹(うに)や蟹やムール貝といった海の味覚を大量に現地調達できるのではないかと期待していたが、意外なことに海産物は昆布以外は絶無という状況で、結局、われわれは米とスープと中華三昧で味付けしたわずかな缶詰肉だけでハードな行程をこなさなければならず、予想以上の寒さが続いたこともあり、正直、かなり飢えていた。私は荻田君とカナダ北極圏を旅したときにイタリア人冒険家から分けてもらった食料のようなものが、イータにはあるのではないかと夢想していた。あのときのイタリア人の食料はパスタや肉や野菜や小麦粉がラザニア風味で味付けされており、想像を絶するほど美味かった……。

イータに着くと白い壁のきれいな公共の小屋と、古い木造の民家が二軒立っていた。周囲の岩場にはアッパリアスが賑やかに飛びまわり、丘の上の草地では麝香牛の群れがのっそりと草を食(は)んでいる。村の奥にある小さな湖には北極岩魚が生息し、夏になると海にくだるという。動物がゆたかで狩りや釣りをするには申し分のない恵まれた土地に思えた。天然の牧場みたいな場所である。

大島さんから英国隊のデポは公共の小屋の隣の民家の入口にあると聞いていたので、到着した瞬間、荷物を放りだしてすぐにその小屋に向かった。板の隙間から大きな青いプラスチックの樽が見えた瞬間、われわれの口からはおおおっと勝鬨(かちどき)のような声があがった。即座に、近くにあったスコップやバールで入口の板を引っぺがし樽を外に持ちだした。しかし、蓋をあけて中身を見た途端、がっかりだった。樽のなかにはステーキもベーコンも見当たらず、オート麦をチョコレートで固めたグラノーラバーみたいなお菓子ばかりで、あとはカレーやビーフストロガノフといったフリーズドライ食品が少々、ミルクもコーヒーもナッツもドライフルーツもなければ、イタリア人がくれたようなラザニア風味の食料パックも見当たらなかった。

グラノーラバーを食べたが、甘いだけでぼそぼそしており全然美味いと思えなかった。

「なんだ、これ」と私は吐き捨てるように言った。「やっぱり英国人はダメだな。こんなもんばっかり食って本当に北極点まで行けると思ってんのか？　ちょっとなめてるんじゃないの」

「逆にスゴい精神力ですよね。これで耐えようっていうんだから」

「やっぱり物色するなら英国人じゃなくてイタリア人の食料にかぎるな」

他には大量のガソリンがあるだけでドッグフードも見当たらず、この時点でわれわれはピム島行きを延期し、一度村に戻らなければならないことになった。

その翌日の晩、われわれはイータからウッダッハヤを越えて、岬の付け根の氷河の脇でキャンプをしていた。周辺から流木を集めて焚き火をおこし、石板の上に麝香牛の肉をのせた。熾（おき）になった流木の煙のなかで、肉が脂をにじませじゅうじゅうと旨そうに焼けている。

　肉は前日キャンプに戻る途中に手に入れたものだ。斜面に麝香牛の群れがいたので、私は帰路の食料の補充と、また、一カ月後におこなう二回目の航海の食料にするために一頭撃ちとめたのである。かなり大きな雄で、解体には三時間以上を要した。必要なぶんだけ肉を運び、持ちきれなかった肉は、太陽の熱で腐らないよう上に隙間なく石を積みあげて保存し、次のデポ旅行の食料にするつもりだった。

　この麝香牛は色々な点で強烈な印象を残す個性的な一頭だった。麝香牛はどの個体も独特の酸っぱいアンモニア臭がするものだが、この雄は過去に私が撃ちとめた獲物とは比較にならないほどの悪臭の持ち主で、アンモニア臭という次元を完全に超越しており、本来なら一番美味いはずの舌も、ヘビースモーカーで歯槽膿漏で胃酸過多の中年男が一週間歯磨きを怠ったすえに出した吐息みたいな強烈な臭さが口からただよってきて、思わず吐き気をもよおすほどだった。ただ体臭がひどかったものの、肉質自体は過去最高の逸品で、脂がたんまりのっていてナイフを入れると高級松阪牛みたいなきれいなサシが入っていた。これほど肉に脂の入った麝香牛を見たのは初めてである。臭いというものはどんなに強烈でも数日経てば鼻が慣れる。初日こそあまりの悪臭に眉をひそめてぼそぼそと食べていたが、時間が経って臭いに慣れてくると、ちょうど肉も熟成されてきて最高に上等な肉に変貌した。

　その肉をわれわれは焚き火の上の石板でジューージューと焼いていたわけだ。石焼ステーキである。

「美味い!」山口君が絶句した。

「本当だ。この食べ方が正解だったのか」私も唸った。

「こんな美味い焼肉、日本でも食べたことがないですよ」

「どうせ君は牛角しか食べたことがないんだろ。言っておくけど、牛角は日本で一番美味い焼肉屋ではないからね」

「まさに開高健の世界ですね」

海には静かなさざ波がたち、沈まぬ太陽が心地のよい日差しを投げかけていた。青い海の向こうに雄大な白い氷河が滝のように落ちこみ、切り立った台地がまわりを荒々しく取り囲んでいた。それまでの空腹を完璧に満たしたわれわれは、英国人のグラノーラバーをデザートに食後の紅茶を楽しんだ。いろいろ大変な目に遭った旅だったが、最後にわれわれを待っていたのは豪勢な景色のなかでの最高の贅沢であった。

と思ったが、旅はそのまますんなりと終わらなかった。

翌日の早朝、私は、ザザザー、ドプーンとうるさく耳の近くで鳴り響く潮騒(しおさい)の音で目を覚ました。時計を見ると午前四時半、まぶたが重たく、寝袋のなかは乾いた温もりにつつまれ、外に出るのはかなりの決心を要する。しかし、どこか既視感をおぼえる状況でもあるし、一応、先日のこともあるので私はテントの外を確認してみることにした。テントは定着氷よりもかなり上に立てたし、本当に一応の用心、ちょっと神経質かもしれないと自嘲してしまうぐらいの用心のつもりで、私は入口から外をのぞいてみた。そしてその瞬間、またしても顔面が硬直した。テントを張ったときには二、三十メートルは離れていたはずの波打ち際が眼前に迫り、潮が定着氷を覆いかくして、そのはるか上にまで達していたのだ。

しまった、カヤックは氷の上に置いていたはずだ——。

反射的に寝袋を脱ぎすてて外に飛びだした。テント脇にまで迫った海を沖合まで見わたしたとき、私は衝撃のあまり腰を抜かしそうになった。カヤックは二隻とも岸を離れ、海上をゆらゆら漂っていたのだ。

すぐに山口君を叩き起こした。

「やばいっ！　流出したっ！」

「へ……流出……⁉」

波打ち際に駆けよると、一隻はすでに三百メートルほど沖に運ばれており、もはや回収は絶望的、もう一隻は五十メートルほど沖に浮かんでいた。選択肢はなかった。私は何も言わず即座に地面で乾かしていたドライスーツを拾いあげて、手足を突っ込んだ。

当然、山口君も同じ動きをしているはずだと思ったが、どういうわけか彼はぼけーっとカヤックを眺めるばかりで、準備をしようとしない。この緊急事態に何やってんだこいつは、と私は訝(いぶか)しんだ。

「早く、ドライスーツ着て！」

「いや……、じつはドライスーツもライジャケもカヤックのなかなんです……」

何ということだ。私はドライスーツを着込んではいるが、それはいわば見せかけ。当然、山口君のほうが若いわけだし、家族もいなくて独り身であるわけだから、妻子をかかえた私より命の値段もはるかに安い。私としては、彼が気を遣って「いいっすよ、角幡さん、俺が行きます」と言い出すものだとばかり思っていたのだが、くそおっ、自分で行くしかないようなのだ。山口君のひと言で覚悟を決めた私は一気にドライスーツに身を包み、救命胴衣に腕を通して前を閉じた。ドライスーツを着るといっても、水温は二度か三度しかないわけだから、安全に泳ぎつけるとはかぎらない。私にはこれほどの冷水を泳いだ経験はなかったし、山口君からも最初に「絶対に沈しないでください」と言われており、低体温症になる可能性はきっと少なくないにちがいない。イヌイット猟師が転覆すると、一瞬で心臓麻痺になりずぶずぶ沈んでいくような海なのだ。しかし危機的状況に私の脳内ではアドレナリンが大量に噴出していたし、絶対に回収するという決意がキャンプファイヤーのように燃えまくっていたので、救命胴衣を着用し終わった瞬間、何の躊躇いもなく走りだし、海にざぶんと飛びこんだ。

泳ぎ始めてまもなく、下半身に突き刺すような冷たさが一気に流入してくるのが分かった。くそお、ドライスーツを着ていてもこの冷たさか、と最初は思ったが、しかしすぐに、これはちょっとおかしいぞ、と異変に気づいた。ドライスーツに穴でも開いているのだろうか……。海水はどぼどぼと凄まじい勢いでスーツのなかに流れ込み、下半身は一気に冷え、毛細血管が収縮して足の動きが鈍くなっていく。必死に手足で水をかきながら、私は、はっと気がついた。もしかしたら社会の窓を閉め忘れたのではないか……。

顔を上げてカヤックの位置を確認したが、まだ二十メートル以上離れていた。おそろしく遠い。皮膚の感覚は完全に失われ、着実に足の芯のほうまで冷水の影響が及んでいくのを実感しながら、私は社会の窓を閉め忘れたことを確信した。私は普段から比較的、社会の窓を閉め忘れるタイプの人間で、たとえば山手線のなかで社会の窓を閉め忘れたことに気づいたときも、〈あ、今日も閉めてなかったのか、おれは〉と思うぐらいで、全然、恥ずかしいという感覚や反省がないものだから、翌日も同じように閉め忘れてしまうことさえある。そうした恥やモラルに無頓着な平素の態度が、今、極北の氷海を泳ぐというこの極限的な非日常的場面で、私を窮地に追いこもうとしていた。

まもなく足はほとんど意思の命令をきかなくなり、手だけで水を掻いて進むような状態となった。身体の推進力が失われたせいで、顔に波をかぶり、水が何度も口のなかに入りこんでくる。だが、カヤックはもう目と鼻の先だ。船に摑まれば何とかなる。その思いだけで私は動かない足を無理やりばたつかせ、腕を回した。あと二十センチ、十五センチ……。心臓はまだ大丈夫なようだが、足があそこまでもつだろうか……。自分でも不思議なほど冷静に身体の限界を見極めながら、そろそろやばいと感じじつつあったところで、ついに船の舳先を摑むことができた。これで泳がなくても海底に沈む心配はなくなった、と一息つくことができたが、危機はまだ続いた。船首を手繰り寄せ、コックピットのほうに身体を移動させたものの、まだ下半身は水のなかである。カヤックを動かすにはそこから船の上に乗りあがらなければならないのだが、そのためにはバタ足で体を一気に上昇させる必要がある。足は完全に冷え切り、脳からの指揮命令系統はほとんど機能しなくなっていたが、私は余力をふりしぼって足を必死に動かして、なんとか上半身だけコックピットに乗りあげた。ゼェゼェと肺が激しく酸素を求めてくる。上半身だけ艇の上に横たえた状態で、しばらく休んだ。だがここまでやっても、まだ身体は船と交差した状態にあった。船を前に進ませるには、少なくとも身体の向きを船と同じ向きにずらさなければならない。普段なら何の造作もない動きだが、冷えきった身体には気の遠くなるような難題だった。波は小さかったが、それでも船は上陸したときに両脇のゴムチューブの空気を抜いているので、バランスが非常に悪い。身体をずらしている途中で転覆したら、おそらくもう艇の上に乗りあがる余力は残っていないだろう。私は絶対に、何が何でも転覆しないと心に誓い、細心の注意をはらい、全身全霊で身体をじわじわと右側に旋回させて、まだ水につかったままの足を艇の上に運んだ。五センチ動かしては休憩して息を整え、また五センチ動かしては船のバランスを保ち、考え得るかぎり最高度に慎重な動作をつづけた。そして、ついに両足を船の上に乗せることに成功し、ほっと安堵したが、だがそれもつかの間、厄介なことに今度は左足がコックピットに引っかかって動かせなくなってしまった。足は冷えきって意思のきかない金属の塊のようになっており、無理やり動かして船が転覆したら、もはや溺死は免れない。じりじりと一センチ単位で身体を動かし、波の翻弄にバランスを保ちながら、ようやく足を引き抜き、ついに両手両足で船をまたぐ状態に持っていくことができた。冗談抜きで絶体絶命の攻防だった。

「そこから手で漕いで進めませんかー」山口君から大声でアドバイスがとんできた。言われなくてもそのつもりだった。この状態からコックピットに座るなど、もはや死を懸けた曲芸を試みるようなものだ。だが、手で水を掻いてみたもののカヤックはなかなか進まない。なんとかパドルだけ抜き取り、うつ伏せの状態のまま漕いでカヤックを前進させた。浜が近づくと山口君が衣類を着たまま海に入りこんできて、船首のロープを摑んで海岸まで引っ張ってくれた。ふらふらと船から降りその場で両膝に手をつくと、全肺胞が酸素を求めてきて、私はむせかえるように激しく呼吸を繰りかえした。

私はゼーハーゼーハー喘ぎながら渾身のジョークを飛ばした。

「社会の窓を閉め忘れていたよ」

仮にこの後、下半身の冷え切った血液が心臓に流入し死亡していたら、これが私の生前最後の言葉になっていたはずだ。私の妻から「主人は最後に何を？」と訊かれたら、山口君は「角幡さんはこう言ってました。社会の窓を閉め忘れていたと」と答えねばならなかった。つまりこの一言は私の命を懸けた捨て身のギャグだったわけで、それだけに、えーまじですか、笑えるな〜と彼には言って欲しかったのだが、状況があまりに危機的すぎてまったくシャレになってなかったのだろう。山口君は私のひと言に何の反応も示さず、真剣な眼差しで回収したカヤックに飛び乗り、あっという間に沖に浮かぶもう一隻の回収に向かった。

暖かい衣類に着替え、コンロに火をつけ、テントのなかの温度を目いっぱい上げても、低体温症になりかけた私の身体の震えはなかなか収まらなかった。

「定着氷の上に乗せて安心しちゃいましたねぇ」

「まさかここまで潮があがるとは思わなかったな。これからはどんなときも絶対にアンカーをとるようにしよう」

この日はちょうど大潮の時期にあたっていた。もちろんそれは分かってはいたが、これまで通り定着氷の上にカヤックを運べば問題ないと判断してしまったのだ。しかしよく考えると、定着氷は春になって気温が上がると徐々に解けていくわけだから、大潮になると氷の上まで潮が被るのは当たり前である。

「干満差三メートルはだてじゃないですね。岩場だからタイドラインも分かりにくいし」

「こんなに必死で身体を動かしたのは、海象に追いかけられて以来だよ。まあ、ついこの前だけど」

7

村に戻ったのは七月八日だった。それから二度目の航海に出発するまで、まだしばらく時間があった。再び海に漕ぎだすには、グリーンランド—カナダ間の海峡の氷が崩壊して浮き氷となって流れだし、さらにその浮き氷も解けて海がきれいになるまで待たなければならない。だが、デンマークの国家機関がネット上に公開している衛星画像を見るかぎり、海峡の氷にまだ崩壊する気配は見られず、スミス海峡の北で円弧をえがいて安定していた。

北極岩魚が湖から下って海を回遊し始めたため、私は村の海岸に網を仕掛けて簡単な漁を始めた。漁網の仕掛け方はイラングアに教わった。網を引き上げると大量の昆布とともに北極岩魚が一、二匹かかっていた。獲れた魚はその日のうちに三枚におろして刺身にして食べるか、航海中の行動食にするため塩をふって天日干しにした。北極岩魚の肉は美しい橙色に輝き、一週間も干せば鮭トバのように脂のたっぷりのった干物にかわった。一回目の航海で行動食を削りすぎていたことを反省した私は、二日間アチキャットでたも網を振り回し、北極岩魚にくわえてアッパリアスの干し肉も増量した。

それと同時に今回の極夜探検の計画全体の見直しも進めた。計画とは日本出発前に月の運行を調べて作成した、あの五カ月におよぶ壮大な計画のことだ。ピム島にデポを運ぶのに失敗した以上、二度目にうまく運べる勝算はない。実際に現場の海を漕いでみた実感として、グリーンランドとピム島を往復するのはかなりハードルが高そうだ。片道だけなら一度の好機を摑めばいいだけだが、往復となると二度の好機を摑まなければならないので、困難度は五倍にも十倍にもふくらむ。しかも衛星画像を調べるかぎり今年は氷が崩壊するのが遅く、崩壊しても例年より遅い時期まで浮き氷が残り、海がきれいにならない可能性が高い。

　村に戻ってくる航海の途中、私はピム島にデポできなかった場合はどうするか、そのことばかり考えていた。デポを運べなければ、冬に最終目的地であるグリスフィヨルドを目指すことはできない。だとすると今年は極夜探検を断念するか、あるいは別ルートを考えなければならないわけだが、しかしこのあたりの地理を考えると、現実的にはグリスフィヨルド以外のルートを選ぶのは難しい。なぜならエルズミア島にはほかに集落はないし、逆にグリーンランド側にとどまっても、イヌアフィシュアクより北は荒涼とした大地と氷床が広がるばかり、入域にも法的な制約がある。となると、あとは途中でエルズミア島にわたり北極海を往復するぐらいしか考えられない……と、そこまで考えたとき、そうだ、その手があった！　と私は爆発的に閃いた気がした。

　北極海までの往復。じつはそれは今回の極夜探検のルートを決めるときに、グリスフイヨルドに向かう現行案とならんで検討したプランだった。ただ、そのときはエルズミア島には向かわず、グリーンランド側の沿岸域を北上する線でばかり考えていた。グリーンランド側を北上すると北極海手前のホールランドから先は国立公園に指定されており、沿岸海域もふくめて立ち入り禁止となっている。法的制約があるので最終的に北極海往復ではなくグリスフィヨルドに向かう案に決めたのだが、しかしよく考えてみると、グリーンランド側ではなく途中でエルズミア島にわたって北上すれば、別に立ち入り禁止区域など存在しないので、北極海を目指すことに自然環境以外の障害は何ら存在しない。シオラパルクを出発してイヌアフィシュアクを経由し、極夜の闇のなかをエルズミア島にわたって北極海をめざして北上する。そして最後に再びシオラパルクに戻ってくる。この案は、考えれば考えるほど素晴しいもののように思えてきた。

カヤック行から村に戻りすぐに具体的な検討に着手した。もし本当に北極海往復に計画を変更するとしたら一時的にカナダ領に入域するわけだから、無人の荒野を行くとはいえ一応、当局に問い合わせておく必要がある。また、先ほど私はカナダには立ち入り禁止区域はないと書いたが、エルズミア島沿岸を北上して北極海に出たらアラートという軍事施設があり、さすがにその周辺に立ち入るには入域許可が必要だろうから、それも確認しなければならない。すでにピム島にデポを運ぶ予定にしていた関係から、私はバンクーバーに在住する日本人コーディネーターを介してカナダ当局と連絡をとっていたので、この二つの件についてすぐに問い合わせを依頼した。

それと同時に、実際に本当に北極海まで往復が可能なのかどうかも、地図と資料を開いて詳細に分析した。グリーンランドーエルズミア島間の海峡は、イヌアフィシュアクの北のケーン海盆で一度大きく膨らみ、その北でケネディ海峡と名前をかえて、幅約三十キロの細長い水路となって北極海につづいている。北極海まで往復するとしたらこのケネディ海峡を通過することになるわけだが、その場合、デポを集積するイヌアフィシュアクから北極海まで何キロの距離があるかが実行可能かどうかの目安となる。五十万分の一の地図に定規をあてて厳密に距離を測定したところ、イヌアフィシュアクからエルズミア島の北極海沿岸の岬まで往復で千キロほどの道程だった。シオラパルクからだと往復千四百キロにもなる。

千キロか……。

私はすこし考えこんだ。極夜という状況下で千キロという距離はかなり厳しい数字だ。だが、最終的に私は不可能ではないと判断した。その根拠は往復という点にあった。

往復するということは、往路の要所、要所で帰りの物資をデポできるということだ。つまり、ちょうど一世紀ほど前に北極点に初到達したピアリーや南極点に初到達したアムンセンが採用していた〈極地法〉と同じシステムで旅できる。この〈一人極地法〉がとりわけ今回の極夜探検で有効だと思われた背景には、犬の成長があった。春のデポ旅行で十日分の物資を載せた橇を一頭で引いたときの様子をみると、おそらく二週間分ぐらいの物資なら犬にまかせて、私は完全に空身で歩くことができるだろう。空身だと一気に速度が上がるので、一日三十キロの行進が可能となる。一日三十キロ進めれば、単純計算で二週間で四百二十キロだ。往路の途中で二週間分の物資を二カ所にデポすれば、帰りは最初から最後まで三十キロで進めることになり、一気にイヌアフィシュアクまで戻ることができる。つまり往復千キロといっても、往路の五百キロさえ乗り越えれば、帰りは犬に橇引きをまかせられるので、ある意味、楽勝、机上の計算では十分に踏破可能な距離に思えた。

距離的には不可能でないと考えた私は、さらにルートを詳しく検討するため、日本から持ってきていた二冊の英書を開いてみた。一冊はデンマークの探検家クヌッド・ラスムッセンの『グリーンランド・バイ・ザ・ポーラーシー』だ。一九一七年春から夏に、犬橇でグリーンランド側沿岸を北極海まで往復したときの探検記である。白夜の旅なので、季節的には私が考えている極夜とは正反対の時期にあたるが、ルート自体は大部分、私が考えているところと重なっている。彼の記述で私が重視したのは、自分がまだ足を踏み入れたことのないイヌアフィシュアクより北の陸地の海岸の氷の状況だった。ラスムッセンの探検記には、イヌアフィシュアク以北の沿岸はかなり広い定着氷が発達し楽に犬橇を動かすことができるといったことが何カ所かで書かれており、それが事実なら、グリーンランド側沿岸を北極海まで前進することは可能であるように思われた。

もう一冊の本はライル・ディックという研究者の『マスクオックスランド』というエルズミア島に関する地誌で、このなかで詳述された米国のロバート・ピアリーの探検の記録が非常に参考になった。

執拗と言えるピアリーの北極遠征で、私の極夜探検ともっとも関係があったのが一八九八年から九九年にかけての探検だ。本書をくわしく読むまで知らなかったのだが、驚くべきことにピアリーはこのとき、極夜の時期の真っ只中にこの細い海峡を犬橇で北上しようとしている。つまり、私がやろうとしている極夜の探検にかなり近いことに、彼は百年以上前に挑戦していたわけだ。

ピアリーのルートはラスムッセンのルートの対岸にあたるエルズミア島側だ。彼は極夜期間中のなかでも一番暗い十二月から一月に、ドゥルビル岬という北緯七十九度三十分——イヌアフィシュアクからケーン海盆をはさんで西北西に約百十キロ——の地点から、約三百三十キロ北の、かつて英国の遠征隊が建てたコンガー基地という小屋まで前進した。暗いだけでなく、ルート状況も絶悪だったようだ。エルズミア島の海岸線は断崖が切りたっているうえ、岩場の麓の定着氷は幅がせまく、うねうねと曲がりくねっており、至るところで海から巨大な海氷が乗りあげ前進を阻むらしい。ピアリーと彼が雇ったイヌイットは月明かりを頼りに斧で氷を叩きわりながら、定着氷と海氷の間のひどい乱氷帯を何度も往復して北上を続け、十七日かけて憔悴しきった状態でコンガー基地にたどり着いた。この探検で、ピアリーは凍傷で足の指の八本を失った。

ピアリーの探検が教えてくれるのは、エルズミア島側の海岸は非常に状態が悪く、移動には困難がともなうということだ。彼の記述の内容を、私は前年の経験からリアルに想像することができた。

グリーンランド－エルズミア島間の海峡は、北極海からの多年氷が流れ込み大変な乱氷帯となるため、海岸にできる定着氷を移動するのが現実的である。定着氷は潮の干満で海面が上下して海岸に徐々に張りついてできあがる不動の氷で、英語で〈アイスフット＝氷の道〉と呼ばれるように、状態がよければ表面が真っ平らな高速道路のような氷ができる。しかし当然ながら完全に道になるわけではない。特に十二月から一月にかけては潮位が高いらしく、大潮の時期に満潮を迎えると、定着氷の上に潮がかぶって割れた海氷がゴロゴロと転がり落ちてくる。

前年の犬との偵察行で私は何度も定着氷を歩いたが、場所によっては海から乗りあげた青い浮き氷で埋めつくされ、前進できないところがあった。特に岬や海岸が切り立った場所は定着氷の幅が狭く、海から押しよせた氷で突破が困難な場合が多い。そしてこうした海からの浮き氷は一辺が二、三メートル、推定重量数トン級の巨大なものばかりで、海から乗りあげる瞬間に居合わせたら圧殺されることは避けられない。しかも、定着氷と海氷の境目は潮の干満で上下し、海氷が砕けて足の踏み場のない乱氷帯が延々とつづき、定着氷上を移動できなくなったからといって簡単に海氷に戻れるというものでもないのだ。

グリーンランドより全体的に標高が高く険しい山々が連なるエルズミア島は、海岸の傾斜もきつく定着氷の状態も悪いにちがいない。おそらくピアリーは極夜の闇のなか、月明かりだけをたよりに狭隘な定着氷を前進し、乗りあげた浮き氷に行く手を阻まれては斧でかち割って突破し、それが無理な場合は大量に積載した橇の荷物を下ろし、乱氷帯を数時間かけて越え、割れ目で海に落ちないように結氷の甘い海氷を慎重に前進していたにちがいない。定着氷の上で寝泊りするときは、海面が上昇して巨大な氷塊が転り落ちてこないか不安に怯えていたはずだ。

双方の記録を読むかぎりラスムッセンが使ったグリーンランド側の定着氷をたどって北上したほうが、はるかに効率は良さそうに思える。私はできるかぎりグリーンランド側を北上してからエルズミア島側にわたり北極海を目指すというルートで、大まかな日程を組んでみた。

まず、次のカヤック旅行で物資をすべてイヌアフィシュアクに集積させ、北極海往復のベースキャンプのような場所にする。極夜がおとずれた十一月上旬頃にシオラパルクを出発し、十二月上旬にイヌアフィシュアクに到着。同地に一カ月ほど滞在し、近くで海豹や兎などを獲って食料を補充したり、百キロ北のワシントンランドを往復して前進デポを設営したりする。一月上旬にイヌアフィシュアクを出発し、グリーンランド側の沿岸を北上する。出発時の橇重量は約二百三十キロだ。ワシントンランドの南部で帰路の物資を一度デポし、さらに同中部でも帰路の物資をデポする。どこでエルズミア島にわたるかは難しい問題だが、衛星画像の過去データから判断すると北緯八十一度近辺が適当だろう。エルズミア島にわたった時点で橇重量は百五十キロに減っているので、移動速度は増し、約十日間で北極海に面したユニオン岬に到着できるはずだ。到着予定日は二月二十六日。そこからはデポを回収しながら往路を引きかえし、イヌアフィシュアクには三月下旬に戻ってくる。

具体的な計画が煮つまっていくにしたがい、気分は激しく高揚した。特に北極海を往復するというルートのなかに込められた思想と意味に、自分自身、魅了された。このルートのなかには、私がその道をたどらなければならない必然性が感じられたのである。

じつはこれまでの計画では、私自身、グリスフィヨルドに向かう積極的理由を見出せていなかった。なぜグリスフィヨルドに向かわなければならないのか、その理由を自分でもはっきり説明できなかった。なぜなら目的はあくまで極夜世界を探検することであり、グリスフィヨルドは、他に適当な目的地がないからそこに行くという消極的理由にもとづく便宜上の目的地にすぎなかったからだ。また終着点であるグリスフィヨルドが出発地であるシオラパルクより南にあることにも、私は極夜的に何か釈然としないものを感じていた。極夜というのは北に向かい緯度が高くなるほど長くなるし、闇も深くなる。ところがグリスフィヨルドに向かう計画だと途中で南に方向転換することになるため、洞察の対象である極夜そのものから逃げるようなルート取りにならざるをえないのだ。さらに移動距離についていえば、極夜期間中より極夜が明けてからのほうが長くなる（前半は荷物が重く、どうしても歩くスピードが出ないので、これは致し方ないのだが）。極夜を経験することが目的なのに、ルートの大半が極夜明けというのでは、行動の目的を十分に表現したルート内容とはいえない、そんな思いがずっと離れなかったわけだ。

ところが、北極海往復ならこうした矛盾や目的地の無意味性がたちどころに解消される。北極海へ北上を続ければ、昇りくる太陽から逃れて極夜の闇のさらなる深奥に向かうことになり、私が今回の探検に対して込めている思想や態度がうまく表現されているように思えたのだ。

それだけではなかった。この北極海往復には、極夜云々といった今回だけにかぎられる一時の目的性を凌駕する何か、自分自身がこの二十年間、探検という名のもとに追い求めてきた行動を貫く根源的な何かが表現されているようにも思えた。

それは何か。この二十年間、自分は何をやりたかったのか。それは結局のところ、世界の最果てに行きたいという、ただそれだけではなかったか。学生時代に探検部に入部したとき、チベットの奥地の峡谷の空白部に単独で潜入したとき、無数の湖沼や水路が散らばる人跡未踏のツンドラ地帯を横断したとき、そのときどきで私は行動の目的を掲げたが、しかし、それらの目的はただ、世界の最果てに行きたいという漠然としたひと言で集約できるものだったのではないか。極夜こそ、私が行きたいと望む世界の最果ての、ひとつの究極のかたちだ。これまで私は極夜を探検する理由について、現代人の認識領域の外側に飛び出したいとか、新しい土地に到達することに代わる探検のテーゼを表現したいとか、いろいろと抽象的で観念的な事柄をならべたててきたが、しかし、それらはすべて、これまで私が探検に求めてきたこの世界の最果て性を、地理的物理空間ではなく状況空間のなかに移しかえたことをしめす言葉にすぎなかったのだ。

極夜を抜けて北極海へ。このルート構成に込められているのは、まぎれもなくこの世界の最果て性であり、それが私に異様なほどの興奮を巻き起こしていた正体だった。極夜という状況的かつ観念的な世界の最果てのなかに身を置き、グリーンランドとカナダという二つの国家の支配の及ばない、つまり現代社会における最大の支配体制である国家権力のエアポケットにするりと潜り込み、誰もいない無人の氷の海峡を北上し、文字通り世界の果てである地球の陸上のうちの最も北の場所にたどりつき、北極海をのぞむ。これほど自分で追い求めてきた思いが表現されたルートはほかにない。

私は資料を開き、エルズミア島北端にあるアラートという軍事施設の日の出の日付をしらべた。アラートで初めての太陽が昇り極夜が明けるのは、二月二十七日。このとき私が立てた計画では北極海に到達するのは二月二十六日。何という偶然だ。

陸地の果てにたどりつき北極海をのぞんだ瞬間、南から四カ月ぶりの太陽の光を浴びる。そんなことがあれば、最高だ。

8

カヤックによる二度目のデポ旅行に出たのは七月二十二日だった。

いろいろ検討した結果、極夜探検の目的地をグリスフィヨルドから北極海往復に変更したため、カナダ側にデポする計画はとりやめて全物資をイヌアフィシュアクに運ぶことにした。衛星画像を確認すると、グリーンランド—エルズミア島間の氷は至るところで大きなひび割れを起こしており、あと一週間もしたらバラバラになって流れ出しそうな気配だった。ただ、それでも氷の流出は例年にくらべてかなり遅れていた。一回目の航海でデポを置いたアノイトーに着くまでに氷は解けて流れだすだろうが、状況次第では途中のどこかで待機し、海が開くのを待たなければならないかもしれない。いつ、どこまで行けるのかも不透明なので、航海の予定は余裕をもって四十日間ほどを見積もった。

とはいえ、運ばなければならないデポの物資は前回同様、大量にあり、四十日間の航海に十分な食料をカヤックに積みこむことは難しい。そこで航海に必要な食料は最低限のぶんだけ用意し、一カ月前にイータにデポした麝香牛の肉や英国隊が残したグラノーラバー、それに網漁で北極岩魚を獲るなど現地調達を前提に出発することになった。

昼間は風が強く海には白波がたっていたが、夕方になるとだいぶ落ち着いた。それから荷物の積みこみをおこなったため、出発は夜遅い午後八時過ぎとなった。もちろん白夜の真っ盛りなので、夜に漕いだところで行動には何の影響もない。むしろ、ちょうど満潮から引き潮となり、潮がフィヨルド内で反転して追い潮となるので、非常に漕ぎやすい。追い風にもあおられ、われわれはすいすいと調子よく漕ぎすすんだ。

今回使ったパドルは一回目の航海のあとに急遽、カガヤという愛称の長老猟師に作ってもらった幅八センチの細いグリーンランドパドルである。お調子者で愛嬌のあるカガヤは、植村直己が約四十年前に北極圏一万二千キロの旅をおこなったときに、彼の橇を製作したこともある器用な人物だ。数日前に「出発までにはまにあう」と確約されたのでパドルの製作を依頼したのだが、一向に作り出す気配を見せず、前日の夕方に急かしにいくと呑気にテレビを見ている始末だったので、私は出発を数日遅らせることを覚悟したが、彼は夜中に急に作業を始めたかと思うとわずか一晩で見事な流線フォルムのパドルを二本も拵え、われわれを驚かせた。そのカガヤが一晩で作ったパドルを漕いで海岸線をひたすら北西に向かって進んだ。

初日は村から十五キロほどの砂州で泊まり、翌日は濃霧のなか次の岬であるネケまで進んだ。子育て中のシロハラトウゾクカモメの群れが上空を飛びかい、甲高い鳴き声をあげてわれわれに威嚇の急降下をくりかえす。海岸の断崖では相変わらずアッパリアスの群れが飛びまわり、雛のために小魚を腹に詰めこんでは巣にもどる。時折、目の前で氷山が崩壊して巨大な音が鳴り響き、われわれをドキリとさせた。

漕ぐのに疲れると、適当な海岸に上陸して行動食を食べて腹を満たした。行動食はカロリーメイトやビスケット、ピーナッツやアッパリアスの干し肉などだ。村で作った北極岩魚の干物は、バターを塗った乾パンの間にはさむと抜群に美味い。一カ月前とくらべて海況はかなり好転していた。あの恐ろしい海象は、七月中旬以降はすでに北上の旅を終えてアウンナットより北のエリアに移動しているため、出発の際に村人から危険性を指摘されることもなかった。海水温もあがり、足の冷えや寒さもあまり感じない。むしろ晴れて陽射しの眩しい日は暑いぐらいで、ドライスーツのなかは汗でずぶぬれだ。定着氷の残骸もすべて解けさって浜がきれいに露出しており、前回のように氷が切れて上陸できる地点を求めて右往左往することもなかった。

難所であるウッダッハヤに到達したのは、海象の襲撃をうけた前回と同じく、出発から四日目のことだった。一カ月前は夥しい数のアッパリアスが騒々しく飛びかっていたのに、どういうわけか今回は一羽も見当たらず、死んだ岬のようである。岬の手前の小島を外側から回りこんで越えようとしたが、その手前がひどい向かい潮になっていた。アノイトーまでの海岸は岬とフィヨルドが複雑に入りくみ、いたるところで潮が反流したり淀んだりしている。ひどい向かい潮になると、海はどっぷりと淀み、泥のなかにパドルをつっこんでいるように重くなる。しばらく汗みどろになって潮と格闘し、ようやく潮の淀みを越えてパドルが急に軽くなったと思ったら、今度は岬の付け根にある大きな氷河から強烈な風が吹き始めた。

波頭から白い飛沫がはじけ飛ぶ。カヤックのデッキには干し肉をつめこんだプラスチックの樽や漁網が積載されているので、風が吹くとそのあおりをもろに受ける。逆風のなかを必死に漕いで、前回海象に襲われた小島の内側に逃げこんだが、島の外側はひどい白波がたち、ウッダッハヤの岬のほうから大きなうねりが入りこんできた。われわれは小島に上陸し、カヤックを絶対に安全だと思える高さの岩盤のうえに引きあげ、流出させないよう長いロープを岩に巻きつけアンカーをとった。

翌日になると風はすっかりおさまり、海は落ち着きを取り戻していた。出発後わずか一時間足らずでウッダッハヤを越えて広々とした大きな湾に差しかかった。

沖を流れる浮き氷が初めて見えたのは、その湾の中央部でカヤックを停めて休憩しているときだった。はるか先の水平線に、蜃気楼みたいにうすぼんやりとした白い影が、エルズミア島の陸地にかさなるようにして連なっている。

浮き氷が見えるということは、村を出発したときにはまだ支持力を保っていたケーン海盆の氷がついに崩壊したということだ。氷が流れ出すと風向き次第では船が囲まれ、動けなくなる心配がある。氷がどのような挙動を見せるかで、われわれの命運は決まる。

浮き氷の登場は否応なしにわれわれの緊張感を高めた。

ただ、浮き氷はそのあとも沖でうっすらと白い線をつくるだけで、沿岸は快適な海面状態がつづいた。眩しい陽射しが照りつけ、われわれは追い風、追い潮に乗り一気にイータをめざした。イータには一カ月前に石積みした麝香牛の肉のデポがあるし、小屋には英国隊のグラノーラバーも残されている。北極岩魚も海を回遊している時期だから、網を張れば簡単に獲れるだろう。食料を最低限しかもってこなかったわれわれにとって、イータでの食料調達はこの航海の大きな楽しみのひとつだった。

ちょうどイータのフィヨルドの手前から西風が強まり、後ろから大きなうねりが押寄せてきた。うねりに乗ってわれわれは勢いよくフィヨルドに突入した。フィヨルドに入ると、私は肉のことばかり考えていた。ここで真っ先にやらなければならないことは、一カ月前に石積みした麝香牛の肉を回収することである。記憶のなかにしまい込んだ風景を掘り起こしながら私はカヤックを漕ぎ進めた。肉を置いたのは、たしか、イータの昔の集落跡地から奥に五百メートルほど入ったところにある赤茶けた岩場の近く、すぐ隣にアッパリアスが群棲するガレ場があったはずだ。われわれは海岸に接近し、目を凝らして目印のために立てておいたケルンを探した。

そのとき、不意に三隻のヨットが、フィヨルドに姿をあらわした。すでに文明世界の外側に飛び出したつもりになっていた私は一瞬、目を疑った。三隻とも長さ二十メートルほどの最新鋭の艤装を施した立派な船で、セールをたたんでエンジンを回し、王者のごとく悠然と入り江の奥に向かって機走していく。これほど北の海域にあらわれたということは、おそらくグリーンランドからエルズミア島にわたり、南下してランカスター海峡を抜けてアラスカまで北西航路を帆走するつもりだろう。だがイータは北西航路のルートからはかなり北に外れている。その航路外にある集落跡地にわざわざ彷徨いこんできたところをみると、もしかしたら浮き氷に前進をはばまれて、エルズミア島にわたれなかったのかもしれない。ということは沖の氷の状況は相当に悪いということだ……。

ヨットの背中を見ながら、われわれは再び肉の場所を探した。まもなくケルンを見つけると、カヤックを下りてナイフと袋だけ手に持って斜面を登り、肉をデポした石積みに向かった。頭上では二羽のカラスが旋回し、現場周辺には麝香牛の足や胴体や頭部の白骨がころがっている。肉の石積みのまわりには無数の蠅がぶんぶんと飛び回り、途轍もなく不快な異臭が立ちこめていた。

嫌な予感がした。あの麝香牛はひときわ体臭のきつい牛だったが、私の嗅覚を刺激したのは、とてもそんなレベルには収まらないひどい腐臭だ。外側の石を順番にどかしていき、最初にあらわれた肉を見たとき、思わず口から悲鳴に近い叫び声があがった。肉はすっかり毒素にやられて緑色に変色し、その表面では何百、何千という夥しい蛆虫(うじむし)がおぞましく蠢いている。

「これは……発酵のレベルを超えて、完全に腐っているな」

「やっぱり石の置き方じゃないですか。もっとしっかりと石を隙間なく積まないとダメでしたね。ここは日当たりもいいし……」

石を取りのぞくたびに、ぼろぼろと蛆虫がこぼれおちる。大きい蛆虫、小さい蛆虫、細い蛆虫、太い蛆虫。多種多様の白い蛆虫がうねうね、もぞもぞと動くさまは、おぞましいことこのうえない。今回の航海の食料はこの肉をあてにしていただけに、腐敗していたのはショックの一言だった。石をすべてどかして他の肉の様子を確認してみたが、そんなことをしても視界のなかで蠢く蛆虫の数が増えるだけだった。だが、表面の肉がだめでも内側の肉は大丈夫かもしれない……。腐敗臭を我慢し、蛆虫にまみれた肉にナイフを突き刺して、一枚、一枚、どかしていくと、奥にある肉のなかには、部分的にではあるが、腐敗せず蛆虫もついていない新鮮な赤い肉が何枚か見つかった。

「これ、腐った部分を切り取れば、なんとか食べられないかな」

「いやあ、これは無理でしょう」

山口君は抵抗がありそうだったが、肉を食べないと力が出ないし、それに殺した麝香牛にも申し訳がたたない気がする。臭いを嗅いでみると到底食えそうにない悪臭を放っているが、これは腐敗臭ではなく発酵臭の範囲内に収まっていると最大限肯定的に解釈し、私は大丈夫そうな肉を選んで腐った部分を切り落とし、隙間に入りこんだ蛆虫をほじくり出してビニール袋に保管した。

食えそうな、というか食っても死ななそうな肉をすべて回収すると、カヤックに戻って再びフィヨルドの奥にあるイータに向かった。西風はさらに強まり、カヤックはバランスを崩しそうになるほどの風とうねりに押された。漕いでいるあいだも、船体に詰めこんだ肉から異様なまでの発酵臭というか腐敗臭が、断続的に鼻腔を刺激する。集落跡地に着くと、三隻のヨットが停泊地を探して移動を繰り返していたが、適当なところが見つからなかったのか再びフィヨルドの出口のほうに移動していった。

カヤックを接岸させて上陸したわれわれは、真っ先に小屋に残されていた英国隊のデポを回収しに向かった。肉が腐敗していた以上、英国隊のデポの重要性は、われわれのなかでさらに比重を増していた。だが、小屋の板を剝がしてみると、一カ月前にあったはずの英国隊のデポは誰かに持ち去られ、ほとんどなくなっていた。村に滞在しているあいだに、猟にきたカナックの住民が持ち去ってしまったのだ。麝香牛の肉と同様、あてにしていた英国隊のデポもないと分かり、われわれはひどく落胆した。

ひとまず強風のなかでテントを張り、なかに入って晩飯の支度をした。晩飯のおかずは、先ほど回収した麝香牛の発酵肉だ。強烈な臭いで自己主張する肉を限界まで薄く切り、鍋に入れて徹底的に火を通し、味付けの濃い韓国料理の調味料を大量にぶち込み、おそるおそる口のなかに入れた。だが、どうしても耐えがたい臭いに箸がすすまず、全部を食べきることはできなかった。山口君はほとんど手をつけていない。正直いって、臭くてまともに食える代物ではなかった。

翌日は風が強くてカヤックを漕ぎだすことはできなかった。テントから外の様子を見ると、強い西風が止むことなく吹きつづけ、沖合を南に漂っていた浮き氷が風にあおられて一気にイータのフィヨルドのなかに流れこんできていた。岸にもすでにかなりの量の氷が漂着している。この航海もやはりスムーズにいかないかもしれない……。湾内の様子を遠望するかぎり、フィヨルドの外側も北からの浮き氷で埋め尽くされていることが予想され、そのまま氷が居座るようなことになると長期停滞も覚悟しなければならないだろう。

長期停滞に備えるためにも、ひとまず腐肉や英国隊のデポにかわる食料を調達しなければならなかった。一番簡単なのは網を張って北極岩魚を獲ることだが、沖から次々に浮き氷が流れこむ現状を考えると、網を張ることは難しい。と、そこに外で散歩をしていた山口君がもどってきた。

「麝香牛の群れがいますよ」

「まじで？」

すぐにライフルに弾を装塡してとびだした。牛たちは氷河から流れる小川の河岸で平和そうに草を食んでいる。成獣が五頭に、まだ身体が成長しきっていない若い個体が二頭、それに子牛が二頭だ。様子を見守っていると、群れは次第に河岸段丘の裏側にまわりこみ、私からみると、うまく死角から接近できそうな位置に入りこんでいく。身をかくして気配を消して近づき、段丘から慎重に顔を出し子牛を狙った。大きな銃声とともに子牛は一瞬でひっくり返り、全身を痙攣（けいれん）させて手足をばたつかせた。ほかの牛たちは何が起きたのか理解できず、混乱に陥り、白目をむいて口から泡を吹く子牛を残し、混乱状態でドドドドという重たい響きをたてて丘のうえに向かって逃げていった。

子牛を仕留めたことで、当面の食料問題は解決した。小屋の英国隊デポはほとんど持ち去られていたが、不幸中の幸いか、ガソリンだけは十分な量が残されており、それを使って子牛の肉を塩ゆですれば行動食も十分に確保することができる。ひとまず食べ物の心配が解消されたわれわれは、心理的にある程度の余裕をもって風が止むのを待つことができた。

翌日になると風は止み、昼過ぎにはそれまで視界を遮っていた霧も晴れて快晴となった。われわれは集落跡地を後にして、再び前進することにした。白夜の陽射しは強烈で、ドライスーツのなかで汗まみれになりながらパドルを動かす。フィヨルドの出口が近づくにしたがい、沖に浮かぶ氷の白い影が水平線を埋め尽くしているのが見えてきた。湾口部に三本のマストが立ち並んでいるのを見ると、どうやら三隻のヨットは氷で沖に出ることができず、停泊したままのようである。

先に進んでいた山口君がパドルの動きを止めて、こちらに視線を向けてきた。フィヨルドの湾口には氷が隙間なく押しよせており、これ以上、沖には進めそうもないらしい。

「けっこう大変なことになっているね」

「そうですね。前回、キャンプしたところまでは行けそうな感じですけど……」

氷に波が殺されて、水は海底まで見通せそうなほど透きとおっている。わずかに開いた氷の隙間に船体を滑りこませて、私は岸沿いをできるだけ先に進もうとした。しかし氷と氷のあいだの通路は次第に幅がせまくなっていき、まもなく行き止まりとなり、われわれは近くの浜への上陸を余儀なくされた。

カヤックを下りて少し小高いところに登って様子を偵察したとき、その圧倒的な光景にわれわれは呆然とした。

周囲の海を埋め尽くす凄まじいまでの氷、氷、氷。足元の陸地から対岸のエルズミア島まで氷が海峡を覆い尽くし、白い大地のような景観を作りだしている。先日、何事もなく通過したウッダッハヤも完全に氷にとりかこまれていた。

「こりゃ、どうしようもないな」と私はつぶやいた。「十日間は氷待ちを覚悟しなきゃいけないかもしれない」

「十日ですか……？」

「十日で動ければいいけど……」

こんな大量の浮き氷、いったい何日待てばなくなるというのか。それともここで終わりなのか？　例年だとケーン海盆から流れ出した浮き氷は七月下旬から八月にかけて解けてなくなる、というのが、われわれが事前に衛星画像をみて分析した予測結果だった。ところが目の前の個々の浮き氷の厚さは二メートルも三メートルもあり、ちょっとやそっとでは解けそうもない。大量の氷が密集することで海水温も低下し、氷のさらなる長期保存に拍車をかけることにもなるだろう。

もう、じたばたしてもしょうがない。カヤックを安全なところに引き上げて、長期滞在の覚悟で快適な場所を選んでテントを立てた。七月二十九日のことだった。

その日から浮き氷の動きに翻弄される日々がつづいた。われわれは毎日のように沖の氷の状況を偵察するため、幕営地の裏の小高い丘に登り海の様子を観察した。翌日も海は岸から沖まで完全に浮き氷に覆い尽くされ、どう見ても、到底、漕ぎだせる状況ではなかった。しかも、遠方にうっすら見えるアノイトーからさらに北の海は、隙間のない白い氷原状態のように見え、とてもではないが一カ月や二カ月で何とかなりそうな状況には見えない。あまりの氷の量に、私は、イータから徒歩で脱出する事態も想定しなければならないとの気持ちになった。

ところが翌日、再び丘から偵察すると状況はうってかわり、光景は希望のもてるものに変化した。晩から吹き始めた南風の影響でびっしりと張りついていた氷が分離し、沖合に漕ぎ進めそうな隙間が広がったのだ。その次の日はさらに氷の融解が進み、テン場の前の海を覆っていた浮き氷の隙間が一気に大きくなり、イータから八キロほど先にあるリトルトン島まで進めそうに見える。丘に登り北の様子を見てみると、やはり海岸沿いは通路のように海が開いていた。

浮き氷の状況は一刻一刻変化し、われわれは半日ごとに一喜一憂させられた。あまりに変化が大きいため、どの状態を信じていいのか全然分からない。氷の動きに影響をあたえる要因のひとつは潮の動きで、上げ潮になると氷は岸にゆっくり押しよせ、引き潮のときは離れていく。この単純な潮の動きにくわえて、氷は風向きひとつで一気に動くし、また陽射しで急速に解けて氷同士の間に大きなスペースもできる。氷の動きに影響を与える変動因子はいくつもあって、それらが組み合わさって高次方程式をつくっており、それによって全体の挙動が決定されるので、二時間後に海がどのような状況になるのかさえほとんど読めなかった。

氷が挙動不審である以上、われわれは二つの選択肢のうちのいずれか一方を決断しなければならなかった。すなわち、目の前で隙間が開いたらそのたびに漕ぎだし、少しずつでもいいからじわじわ進むか、あるいはかなり先の話になるだろうが、当初の予定どおり、ケーン海盆から吐き出されてくる浮き氷が解けてきれいになくなってしまうのを待つかのどちらかだ。

冒険のセオリーとしては〈行けるときに行く〉というのが鉄則だ。実際、この日は夜になっても氷の隙間が広がったままだったので、われわれは鉄則にしたがい翌日出発することに決めた。ところが翌朝目が覚めると再び強い南西風が吹き始め、沖のほうから氷がざざざざーっと激しく動き、ぶつかりあう音が聞こえてくる。一応予定通り出発できるように準備を始めたが、ついさきほどまで広々としたスペースの開いていた五キロ先の岬の周辺に、強風にあおられた浮き氷が次々と押し寄せてきて、あっという間にぎゅうぎゅうに埋め尽くされた。出艇は不可能だ。それは海というよりほとんど川のようだった。われわれは悄然として再びテントを立て直し、焚き火を熾してコーヒーを飲み始めた。すると、まったりとしているうちに今度は激しい日射しで氷が解けたのか、あるいは満潮の動きで隙間が広がったのか、つい一、二時間前はぎゅうぎゅうと密に押し寄せていた岬周辺の浮き氷が、いつの間にかみるみると縮小し、隙間ができて群青色の爽やかな開水面が広がっている。わけが分からなかった。氷に隙間ができたことで再びわれわれの間では出発するか否かの議論がまきおこったが、結局、風も強いし、時刻もすでに午後六時を過ぎているので、もう少し様子を見ようということで意見がまとまった。だが、一度逃したチャンスは二度と訪れない。翌朝、目が覚めると、昨日開いた岬周辺には浮き氷や巨大な氷盤が再び押し寄せ、取り付く島がすっかりなくなっている。氷の動きを見ていると、ただただ溜息しか漏れてこなかった。

それからも同じことの繰り返しだった。毎日のように丘に登って偵察する。周辺の浮き氷が解けて隙間が広がり始め、出発できるのではないかと期待が高まる。しかし翌日になると沖から浮き氷が次々と補充されて埋め尽くされる。そしてそれが解けて小さくなると、また新しい氷が潮に流されてやってきて隙間に補充される。われわれは先日、撃ちとめた子牛の肉を朝、昼、晩と毎食たべながら、文庫本を回し読みして、氷がなくなるのを待ちつづけた。いつの間にか、浮き氷の隙間を見つけてうまいこと外海に出たのか、例の三隻のヨットはどこかにいなくなっていた。そのうちわれわれは、じたばたしても無駄だということを自然と悟った。多少、氷のあいだに隙間ができたところで、潮や風向きひとつであっという間に押し寄せるのだから、下手に動くとカヤックを潰される危険がある。そうである以上、もはやわれわれは自らの主体性を押し殺し、煩悩を滅却し、もうどうにでもなれという心境で、解脱というか自暴自棄というか、とにかく自然の大いなる流れに身をまかせて、そのときが来るのを待つよりほかなかった。

ある意味で、この〈待つ〉時間のなかには、自然のなかを旅することの本質がひそんでいたようにも思える。それは、あくまで主は自然の側にあり、われわれは自然が時折垣間見せるわずかな〈緩み〉をみつけて、そのすきをついて行動するしかないという、人間が生き物であるかぎり最終的には従わなければならない自然にたいする従属性だ。

氷待ちをしているあいだ、私は十九世紀の極地探検家が属していたのに近い世界にいる感覚にとらわれた。二十世紀後半の現代の冒険家が容易に極点に到達できるようになったのは、十九世紀の極地探検家より肉体的にすぐれているからでもないし、戦略的に洗練されているからでもなく、単に、出発地点まで航空機で運んでもらえるようになったからにすぎない。要するにテクノロジーに依存して航空機を使うことで、百年前の探検家が通過しなければならなかった蒸気船で氷海を突破するアプローチの部分を除外できるようになった、それで簡単に極点に到達できるようになった、それだけのことにすぎない。だが、現代の冒険では切り捨てられた、この蒸気船による氷海の航行こそ、じつは北極探検の世界で一番危険でスリリングな、ある種のハイライトでもあった。氷海を進む途中、彼らは必ずといってもいいほど氷に取り囲まれ、ギシギシとうなる不気味な軋み音で船が破壊されるのではないかという恐怖を感じた。横暴な自然に対してなす術もなく、ただ氷から解放されることを祈っていたのである。実際に氷の圧力で船が破壊され極限的な脱出行を強いられた隊はいくつもあり、生還をはたすことができず荒野に骸をさらした男たちが何人もいた。そう考えると、現代の冒険家は飛行機を使うことで、氷に取り囲まれ、骸になってしまうという恐怖と不安から解放されはしたが、逆に効率的な手段を手に入れたせいで、氷に囲まれて怯えるという北極が提供してくれる最も北極的な経験を失ってしまった、ともいえる。

　現代では省略されがちな極地探検の中間プロセスを復活させてわざわざカヤックでデポを運んだことで、私は、今の時代の冒険家が喪失した北極の本質的な北極性に身を投じることができている気がした。われわれが強いられた、この浮き氷が開くのを待つ時間には、北極という自然環境が本来もっている融通の利かなさ、人間の側の計画や意図を無意味化させる傍若無人さが表れており、われわれはそれに身を委ねるしかなかった。とはいえ、このように不安のなかでひたすら待つのは、北極の本質を知ることができるという意味では非常に喜ばしいことではあるが、精神衛生上は良くないので、もちろん私は、氷よ、早く解けてくれ、とっととどこかに消え失せてくれ、この世からいなくなってくれと祈らずにいられなかった。

　当初は快晴つづきだった天気も悪化してきて、停滞を始めて一週間が経ったころに低気圧が通過した。空はひどい色の暗い曇天で、テントのポールがひしゃげるほどの南西風が吹きすさび、一日中雨がふりつづけた。雨により浮き氷は解けて一気に容積が小さくなり、今度こそ出発か！との機運が今いちど高まった。だが、翌日になるとまた、われわれを暗澹（あんたん）の底に突き落とす絶望的な量の新鮮な浮き氷がやって来て、周辺の海を白い沙漠に変貌させた。つぎつぎと沖から補充される浮き氷は、まさに無限という概念が現実化したかのようだった。地図を見たところ、グリーンランドーエルズミア島間の海峡の幅は平均五十キロほどで、それが約五百キロつづくわけだから、単純計算で二万五千平方キロメートルの氷が存在していることになる。それが次々と西風に乗ってわれわれのキャンプ地周辺に流されてきているのだから、融解速度が補給量に追いつかないのは当然だ。そのうち氷に囲まれることにも慣れ、われわれは浮き氷の動きを淡々と受け流すようになった。

好機が訪れたのは、イータ近辺で停滞を始めてから二週間近くが経った八月七日のことだ。その日は肉の残量が少なくなってきたので、丘に登り何か獲物でもいないか探すことにした。だが斜面を登り始め、いつものように背後をふりかえると、浮き氷の間隔が開いているように見えた。もちろん開くのは毎日開くのだが、その日は過去に例がないほど氷の隙間が大きくなっているように見えたのだ。もう少し上まで登り、沖のほうを見やる。氷がばらけて海が開け、少なくとも五キロ先の岬までは確実に漕ぎだすことができそうだ。とはいえ岬の先がどうなっているかは分からない。氷で行き止まりとなり不安定な場所への上陸を余儀なくされるかもしれないし、上陸できずまたここに戻ってこなければならないかもしれない。戻ろうとしても開氷面がふさがって退路が絶たれて、行き詰まるリスクもかなりある。それぐらい氷は短時間で読めない動きを見せ、われわれを取り巻く環境は一変する。

だがそれでも、われわれは待ちつづけた〈そのとき〉がついに来たのだと直感した。いや正確に言えば、そのときが来たのではなく、そのときが来たことにした。いい加減、もう待ちきれなかったのだ。

「よし、行こう」と言うと、山口君も「行きますか」と即答した。

われわれは狩りを中止し、すぐにテントに引き返して出艇の準備を始めた。出発は午後七時半、ちょうど潮が満ちるカヤックの出しやすい時刻だった。

われわれは夜の太陽の光で煌(きら)めく、青く透明な浮き氷のあいだに船体を滑らせた。青い氷盤のうえで海豹が寝そべっている。夏至から一カ月以上経過していたが、夜の太陽の陽射しはいまだに強く、パドルを漕ぐうちに額から汗が吹き出した。岬が近づくと、浮き氷の様相が変化した。巨大な氷山が岸辺で胡坐(あぐら)をかくようにどっかりと居座り、浮き氷の大きさも一辺が二メートルも三メートルもある巨大なものが多くなった。上空には雲が広がって気温が低下し、パドルを伝ってくる水の冷たさで手が急に冷えてきた。

岬を回航すると、われわれはリトルトン島との間に形成された長さ四キロのせまい海峡に入りこんだ。海峡のなかは北から途切れることなく流れこむ浮き氷がひしめきあい、潮流の本流部分は川のような強い流れとなって氷を運んでいる。海岸の近くは流れがないので浮き氷は止まっているのだが、反対に潮流の上の氷は川のように流されている。鈍色（にびいろ）の空のもと、白い氷が一定の速度で整然と流れ下る様子は、氷の死体が運ばれる無言の葬列を思わせ、どこか薄気味が悪かった。そして時折、止まっている氷と流されている氷がぶつかり、ギーギーと痛みに震える悲鳴のような軋み音が不気味に鳴り響く。こんな気味の悪い氷の流れに巻きこまれてはたまらない。われわれは海岸沿いにできた氷のない幅数メートルの水路をさかのぼった。だが、まもなく漕ぎすすめると隙間は完全に閉ざされ、近くの、上部に小さな滝がかかる小さな流れの脇から上陸することを余儀なくされた。

二十メートルほど登った岩場の途中に平坦な場所があったので、そこにテントを張ることにした。普段なら絶対にテン場にしないような急傾斜の岩場の途中だが仕方がない。この日、前進できたのはわずか八キロ、たった三時間ほどのパドリングだったが、ついに脱出できたことで気分は悪くなかった。

9

翌日はリトルトン島との間の海峡に大きな氷盤が詰まって出発できなかった。だが、その一方で待ちのぞんでいた北風が吹き始め、海況に大きな変化がうまれた。北風により沿岸にびっしりと張りついていた浮き氷が沖のほうにひき離されていったのだ。海岸の岩場を登って偵察するとアノイトーの手前まで海は完全に開いている。目の前でスタックした氷盤さえ取りのぞかれれば、一気に距離を稼げる状態となり、次の日の出発を想像すると、夜のあいだは興奮して眠ることができなかった。翌朝、目が覚めると、懸案だった氷盤は夜中に砕けて流され、目の前の海峡は浮き氷ひとつない完全なオープンウォーターにかわっていた。ついに氷がなくなったのだ。私は、ギシギシと威圧的に圧力をかけてくる浮き氷の恐怖から船が解放された十九世紀の極地探検家のように、興奮した。

非常に寒い日で、出発直後は向かい風のなか、冷たい波飛沫（しぶき）をあびて船を漕いだ。われわれがいたのは、イータでの停滞中に山のうえから何度も眺めて、どこまでも埋め尽くす絶望的な浮き氷に何度も嘆息をもらした湾だった。その湾が今、目の前に氷のない快適な水路となってあらわれている。

もちろん、まだ油断はならなかった。これより北に行くと海岸線は北から東に向きをかえ、いよいよスミス海峡に入りこむことになる。スミス海峡はグリーンランドとエルズミア島との間に浮かぶ無限の浮き氷が吐きだされる、いわば漏斗（ろうと）の口だ。今でこそ北風により浮き氷は海岸からひき離されているが、スミス海峡に入ると海岸線の向きは逆に北風で氷が押しよせる方角に変わるため、再び進めなくなる可能性が高い。

徐々に増え始めた浮き氷のなかを漕ぎ進めた。風も音も消えた静寂な海に、パドルから落ちる滴だけが小さな音を立てる。海岸線の断崖には、いったいどうやって持ち上がったのか不思議なほど高いところに巨大な浮き氷が引っかかっていた。この日は一気に三十キロ近く進み、一回目の航海で物資を置いたアノイトーのデポ地までたどり着いた。デポを見にいくと、干し肉の一部が黴にやられていたこと以外、特に変わったところはなく物資は無事だった。翌日、黴の処理をした後、すべての荷物をカヤックに積みこみ、午後三時頃にアノイトーを出発した。

まもなく干潮となる時刻だった。八月中旬になっても、グリーンランド極北部ではまだ夜が暗くなる気配は見られず、われわれは常に太陽を基準にした時計時刻ではなく、潮の干満時刻にしたがって行動時間を決めていた。岬や入り江が入り組んでいるので一概には言えないが、基本的にグリーンランド北部の海岸は干潮から満潮に向かう上げ潮時のほうが追い潮になるため、カヤックを漕ぎやすい。したがって、潮が引ききった干潮時に出艇するのがタイミングとしてはベストだ。いうまでもなく潮は月の重力によって発生する自然現象であり、その意味で白夜の世界においても、われわれの行動を支配するのは太陽ではなく、月だった。二十四時間姿を消さない太陽は、いつの間にかわれわれにとってはそこにあるのが当たり前の、いてもいなくてもどっちでもいい存在になりさがり、実質的な影響力を失っていたが、それに対して月は、太陽の光で姿こそ見えないものの、潮の干満作用を発生させることによって、見えないところからわれわれの行動に強い影響力をおよぼし、われわれの生活のリズムを支配した。

アノイトーの岬を越えると、それまで辺りを覆っていた濃霧がゆっくりと晴れ出し、薄もやにさしこむ柔らかい陽光に無数の氷が照らしだされた。静寂を打ち破ってアッパリアスの群れが小さな鳴き声をあげて飛びかう。浮き氷の合間にできた水路でゆっくりとパドルを動かしていると、突如前方の空に鮮やかな虹の橋がかかった。白い浮き氷、陽光をはじく水面、静寂のなかに響く鳥の鳴き声、そして虹。信じられないほど幻想的な光景に、うっとりしながらパドルを動かした。

しかし、景観の美しさに感嘆できたのも、そこまでだった。アノイトーの先で、それまで十分なスペースのあった浮き氷の密度は徐々に高まり、まもなく目の前に巨大な氷盤があらわれて行く手をさえぎったのだ。われわれは沖から氷盤を回り込もうとしたが、いくら前進しても氷盤の切れ目は見えず、霧で視界も悪いため、一旦陸地のほうに戻って岸沿いから越えようとした。だが岸沿いも氷盤との間に浮き氷が詰まっており前進する隙間はない。

いずれにせよ霧が晴れて視界が開かないかぎりルートは見つからないので、一度、上陸して様子をうかがうことにした。

いったい、あの氷盤の大きさはどれぐらいあるのだろうか。一週間や二週間で解けそうな氷ではない。もし、十キロも二十キロもある巨大な氷盤だったら、イヌアフィシュアクどころか、その手前のアウンナットまで行くことさえ難しいのではないか……。

この頃になると私は、イヌアフィシュアクなどという贅沢なことは言わず、なんとかアウンナットまでデポを運べれば御の字だ、と考えるようになっていた。冬の極夜探検ではアウンナットに立ちよってからイヌアフィシュアクに向かうので、最悪アウンナットにデポを置くことができれば本番の極夜探検は実行できるからだ。最低でもアウンナット、そこから先は状況次第というのが、このときの私の偽らざる気持ちだった。

上陸して一時間ほど天気待ちすると、次第に霧が晴れ始めて沖のほうまで見わたせるようになった。小高いところに登って確認すると、海はどこもかしこも氷だらけだが、懸案の氷盤の大きさは数キロほどしかなく、沖から回り込めば越えられそうだった。氷盤を越えさえすれば、所々に浮き氷の間隔が広まった通路がつながっており、もう少し先までは前進できそうに見える。

われわれは再び浮き氷ひしめく海にカヤックでのりだした。沖から氷盤を越えると、次の岬に向かって幅の広い水路がつながっている。この浮氷帯ではどこで行き詰まるか分からないが、先のことは考えずに目の前の水路を前進するしかない。時折、氷の上で昼寝をする海豹を横目に見ながら、何度もあらわれる大きな浮き氷や氷山に右往左往しつつ、スペースを見つけて突破した。人間世界から隔絶された、こんな浮き氷まみれの海を進むなんて、正直、常軌を逸している。たまたま風がなく、潮の動きも小さな時期なのでよかったが、これが大潮だったら氷と氷にはさまれて船を動かせなくなるかもしれない。絶好の海況に恵まれたからこそできる強行突破だった。

その日はたっぷり深夜零時まで漕ぎつづけ、小さな沢が流れこむ岸辺に上陸したが、このテン場から先で、海には浮き氷の増加だけでなく、さらにもう一つの悪条件が加わることになった。

海の表面が凍り始めたのだ。

岸の近くは沢から淡水が伏流して流れこんでいるためか、海の表面が一センチほど凍りつき、パドルでばきばきと氷を割らなければ進めない。翌日はさらに気温が低下したせいか、表面の氷はより厚みを増した。パドルで強引に氷を割って勢いをつけて前進しても、船首の底が氷にぶつかってすぐに止まってしまう。たまたまデポの目印用に旗をたてるため竹竿を持っていたので、それで氷を割って道をつくり、何とか岸から離れることができた。

沖に出ても海の表面は至るところで凍結していた。とくに浮き氷の密度が高いところでは、表面の海水温が低いのか、あるいは塩分濃度の関係か、海のど真ん中に川氷のようなばきばきとした氷が張っている。試しに海水を舐めてみると、あまり塩辛くない。イングルフィールドランド周辺は全体的に風の吹かない無風エリアである。風が吹かないうえ、表面には大量の氷がどっかりと重しとなって浮かんでいるため、海水が上下方向に拡散されずに塩分濃度の高い水が深いほうに沈降し、表面の水が淡水化しているのだろう。アウンナットまでは残り二十キロ少々、明日になれば海の状況がまた一変するかもしれないので、私はなんとしてでもその日のうちにたどり着き、本番の極夜探検を実行できる保証を得ておきたかった。

浮き氷の隙間は広く開いているところもあれば、用水路のように狭まっているところもある。広い水路を気持ちよく漕ぎ進むうちに狭い水路に入りこみ、行きづまって右往左往しながら次の出口を探し、時々凍った表面を割りながら突進する。痺れるパドリングがつづいた。

非常に寒い日だった。快晴ではあるが、パドルを握る手が冷えて痛くなってくる。陸のほうを見やると、シオラパルク近辺ではすでに解けてなくなっていた定着氷が、ここではまだびっしり岸に張りついている。冬季に押しあげられた巨大な海氷もいまだ解けずにごろごろ転がっている。スミス海峡を越えると気候帯が変わり、夏でも一段階気温が低いのかもしれない。定着氷の残骸は凄惨な気配をまとい、見ているだけで気持ちが寒々としてくる。肌を突き刺す寒さのなか、浮き氷のなかを彷徨い、表面に張った薄氷をばきばき割りながら進むうち、私の心のなかには、今日中にアウンナットに着けるという確信より、こんな寒い海を漕ぎ進んで本当に大丈夫なのだろうかという不安が兆し始めた。気がつくと表面が凍っているだけではなく、いつの間にやら水のなかには氷の薄片がゆらゆらと漂ってもいる。パドルを入れると、メラメラッと音がする。嫌な感じがした。水中を漂う氷の薄片は、要するに海氷の胎児だ。つまり寒さのあまり海が全体的に凍結し始めているというわけだ。このまま凍結が進むと、海表面全体が厚さ一センチの薄氷に覆われ、じきに動けずに閉じこめられてしまうかもしれない。急速に数を増やす顎鬚海豹（あざらし）も、私の不安を助長した。海豹たちは大胆に海面から顔を突きだし、不敵に背後を付けまわしては、ドボンという大きな音を立てて潜り、われわれをびくっとさせる。海豹が増加したということは海象（せいうち）がいる可能性も高い。村の人たちはこの季節は海象は北上していると言っていたが、すでにわれわれは連中の越夏地帯に足を踏みいれているのではないか……。

　海は波ひとつなく湖のように静まりかえっていた。その海の無表情さがどこか不気味だった。しだいにアウンナットの小屋のある湾が見えてきたが、沖では急速に薄墨を引いたような濃霧がたれこめ、あれよあれよという間にこちらに押しよせてきた。われわれはあっという間に深い霧のなかに閉じ込められた。視界が閉ざされ、突如手探りで進まなければならなくなり、様相は一気に荒涼としたものにかわった。浮き氷の迷宮、寒さ、凍結する海。それにくわえてガスにも巻かれ、どこに水路が開けているかも分からず、何もかも見えなくなり、すぐ近くにあったはずの海岸の断崖も霧の向こうに消えてしまった。われわれは寒さに震えながら、ゆらゆらと氷の胎児が浮かぶ海のなかにパドルを出し入れし、半径百メートル以内しか見えない混沌とした氷の迷宮を、コンパスの針と勘だけをたよりに闇雲に漕いだ。まだ明るいが、時間的にはすでに夜更け、そろそろ日付が変わる頃だろう。今日もかなり長い時間を漕いだはずだが、まだ小屋には着かない。小屋はどの辺だろう。くそ、霧で何も見えなくなってしまった……。

そのときだった。不意にドッパーンと、ド派手な炸裂音が響いて魚雷がうちあがったみたいな激しい水柱が立ちのぼった。そしてその瞬間、わずか五十センチばかり目の前で土塊(つちくれ)色の巨大な化け物が、うぬーっと薄気味の悪い姿で飛び出してきた。私は思わず腰が抜けそうになり、わあああぁぁぁー……と張りのない情けない声をあげた。神が造りたもうた被造物のなかで最大の失敗作といえるこの生き物は、個体としては前回襲ってきたものよりもはるかに大きく、牙も長くて、全長十メートルはあるんじゃないかと思われるほどの巨体の持ち主に、そのときの私の目には映った。あのときの映像がフラッシュバックし、瞬間的に私は、襲われる！　と戦慄した。

だが、威勢よく飛び出してはきたものの、海象のほうも逆に水面上で、なにか当てが外れたかのような不思議そうな顔をして、ただ眠たそうな愚鈍な目をキョトンとこちらに向けてくるだけだ。

一瞬、私と海象の視線が交錯した。

その刹那、私の頭には、ふと、村で読んだ海象に襲われた米国人カヤッカーのネット記事が電光のごとく閃いた。たしか彼は飛び出してきた海象の顔面めがけてパドルを突きたてて追い払ったと語っていたのではなかったか……、と思い出すのと同時に私の身体は素早く反応し、カガヤ製作のホワイトアッシュ製パドルを思いきり振りあげ、目の前にいる海象の、ドロンと濁った目ん玉めがけて、おらあああっと渾身の力で突きたてた。

たしかな手応えを感じた途端、海象はデコピンをくらった子供みたいにびっくりした顔をして、ヌラヌラした巨軀をひるがえして、はた迷惑なほどの爆音と飛沫を残して海のなかに消えた。

「海象だああぁぁ」と私は叫んだ。

　思い切り声をあげたつもりだったが、恐ろしさで半分腰が抜けていたのか、夢のなかでの叫び声みたいな気の抜けた声になってしまった。

「岸のほうに行きますか」

　山口君がやって来て、そう言った。私は恐怖で心臓がバクバクと高鳴り、声を出すことができず、コクンと頷(うなず)き返した。一目散にそこから逃げ出したが、まだどこか腰が抜けそうな虚脱感が残っていて、パドルにうまく力を伝えることができない。なんとか、もう安全だというところまで逃げて、われわれは手を休めた。

　パドルで撃退したと話すと、山口君がゲラゲラと笑った。ここは別に笑うところではないのだが……と私は思った。

「やっぱり、いるんだな。これだけ氷があると、うようよしているかもしれない」

「恐ろしい海ですね」

「まったく、あいつらときたら……絶滅を願わずにはいられないよ」

　周辺は霧が漂い暗い海と浮き氷の迷宮しか見えない。視界もなく、あたりは静寂につつまれ、海象がいつまた姿をあらわしてもおかしくない不気味さが漂っていた。

10

しばらく漕ぐと、海岸の縁にへばりつく定着氷の白い線が濃霧の彼方にうっすらと見えてきた。目を凝らすと浜の上は小石まじりの段丘になっており、見覚えのあるアウンナットの地形が広がっている。浮き氷の合間に水路を見つけて接岸を試みると、たまたま満潮で潮位が定着氷よりも高かったため、うまいことカヤックを岸まで乗り付けることができた。時刻は深夜零時をとうに過ぎており、真夜中だった。めらめらと凍りつく薄気味悪い氷海からようやく岸にあがることができ、私は何とかアウンナットまでデポを運べたことに心底安堵した。これでひとまず本番の極夜探検を実行できる最低限の準備はととのったわけだ。

上陸地点から二百メートルほど歩くと小屋が見つかった。アウンナットに到着したのは八月十二日未明、疲労も濃いため、一日休息することにし、旅の食料を追加するため小屋の周辺や近くの谷間をうろついて兎を捕獲した。海は相変わらず浮き氷が多かったが、翌日になると氷は沖に追いやられ、岸沿いが開いたので出発することにした。しかし、準備をしているうちに、ついさっきまで開いていたはずの岸沿いに浮き氷が潮にのってみるみる流れこんできて、あっという間に隙間がないほど埋めつくされてしまった。小屋の脇の岩場に登って海の様子をみてみたが、とても漕ぎだせる状態ではなかった。

「これは行ける状態じゃないなぁ。氷が解けるのを待つしかないんじゃないか」

山口君はうーんと唸った。

「ちょっと漕げる状態じゃないですね」

午後になり潮が引き始めると状況はまた変わった。氷が沖に流されたのか、いつの間にか全体的に密度がゆるみ、十分カヤックを漕ぎだせるスペースができている。それを見て、明日こそは出発しようと意見がまとまったが、深夜になって次の満潮の時刻がくると再び氷が続々と流れこんできて、海はまた氷の墓場と化した。海は数時間単位で様相を一変させ、われわれはイータのときと同じように氷の動きに翻弄された。たまたま到着したのが大潮の前後だったことが、余計われわれの混乱を大きくした。干満差が大きいため、潮がひとたび満ち始めると氷が川のように流れこんできて出発は絶望的になるが、潮が引き始めると今度は全体的に氷が緩み、いかにも簡単に漕ぎだせそうな状態に見える。そんなサイクルが延々とくりかえされ出発のタイミングをつかめなかった。

到着から三日たった八月十五日に無理にでも一度、漕ぎだしてみることにした。氷は常に動くわけだから、コンディションの悪い時間帯に漕げないようでは五十キロ先のイヌアフィシュアクまで行くことは難しい。再び荷物をまとめて小屋を掃除して、定着氷の上から船を出した。

海は、昼時の満潮時刻に氷が押しよせてきたまま、ひしめきあっている。氷と氷の間は広くても一、二メートルしかなく、その隘路をぬって船を進めようとするが、右に曲がったあと、一旦、バックして舳先の方向を変えて次の氷をかわす、といった状態がつづき一向に前進できない。氷はゆっくりではあるが常時動いており、さっきまで開いていた氷と氷の隙間も数分後には閉じている。出発から三十分後、氷盤と氷盤の間をすり抜けようとしたところ、それが間に合わず、船が氷盤のあいだでロックされて動けなくなった。やむなく船から氷盤におりて舳先を動かして脱出したが、沖を眺めてみると、その先も氷は密集しており、状況が改善しそうには見えなかった。このまま下手に海上に留まれば、氷に取り囲まれて前進もできなければ小屋にも戻れなくなる危険があり、結局、そこから退却せざるをえなかった。

「これじゃあ、冬に橇で往復したほうが、よっぽど安全だな」

私がそう言うと、山口君が苦笑した。

アウンナットから先の航海をどうするか、われわれ二人の間では若干の見解の相違があったと思う。私個人としては、アウンナットに着いた時点で、冬の極夜探検は実行できる状態になったので、無理してイヌアフィシュアクに行く必要はないと感じていた。アウンナットにデポを置いても、冬に橇を引いてイヌアフィシュアクまで運べば問題ないからだ。アウンナットからイヌアフィシュアクまでは約五十キロ、一週間もあれば橇で十分に往復できる距離だし、安定した定着氷の上を歩くだけなので、浮き氷がひしめく海をカヤックで運ぶよりリスクははるかに低い。

私が何より恐れていたのは、カヤックでデポを運ぶ途中で氷に前進をはばまれて、わけのわからない浜への上陸を余儀なくされ、アウンナットにも戻れなくなり、そこにデポを置かざるをえない事態に陥ることだった。小屋のない浜に野ざらしでデポを置けば、極夜の暗闇のなかで発見するのは至難というか、ほぼ不可能となり、計画全体が瓦解する。したがって運ぶなら絶対にイヌアフィシュアクまで行かなければならないのだが、それを今やるか冬にやるか、どちらが確実か考えると、冬のほうが確実というのが私の判断だった。でも、山口君はちがった。彼にとっての本番は、今のこのカヤックの航海だった。彼は、私のデポの準備という名目でここまで来てくれたわけだが、しかし、本心としてはやはり極北の海でカヤックを漕ぐのが目的だったのだと思う。最初の目的だったカナダへの海峡往復が中止となった時点で、今度の旅は彼にとっては不本意なものになっていたのに、それが次の目的地であるイヌアフィシュアクも断念ということになると、やりきれない思いがするにちがいない。それは痛いほど分かった。だが目の前の海を見るかぎり、やはり無理はできない。

ただ私にも、できればイヌアフィシュアクに行きたい理由がないわけではなかった。というのも、イータにもあった英国の遠征隊のデポがイヌアフィシュアクにも残されているので、それを見つけておきたいという気持ちがあったのだ。

英国隊のデポについては、一年前にカナックで彼らのリーダーと面会して使用の内諾を得てはいたが、前年の旅でもこの年春の橇によるデポ旅行の際にも、イヌアフィシュアクのどこにあるのか発見できていなかった。大島さんも白熊狩りのときに探したが、見つからなかったという。今では地元の人は誰もイヌアフィシュアクに行かず、英国隊のメンバーしかデポの位置は知らないので、私は村に滞在中に彼らのリーダーに改めてメールを送り、デポを置いた場所のＧＰＳデータを教えてもらい、地図のうえに印をつけておいた。英国隊のデポがあれば、万が一、本番で緊急事態が発生したときに非常食として使えるので、夏のうちに発見しておきたかったのだ。

ぶほおっ、ぶほおっと海象が鼻面をだして潮をふきあげていた。氷に覆われた海を見ながら、私は言った。

「自分のデポはここでもいいんだけど、イヌアフィシュアクに行って英国隊のデポを見つけておきたいというのは、あるんだよね。冬に探しても暗くて見つからないだろうから」

すると山口君が妙案を披露した。

「英国隊のデポを見つけるだけなら、歩いて行けばいいんじゃないですか」

「あっ」と、私は素っ頓狂な声をあげた。「その手があったな」

地図で確認したところ、内陸を歩けば片道六十キロ。湿地や谷や渡渉があるだろうから、往復で五、六日だろうと推測された。

「しかし、歩いていくと、カヤックでイヌアフィシュアクまで行く時間は、もうなくなるだろうけど、それでもいい？」

「帰ってきてチャンスがあるなら行きましょう。六日後にはだいぶ氷が解けているかもしれないし」

こうしてわれわれは一度、アウンナットを離れて徒歩でイヌアフィシュアクに向かうことにした。

八月十六日、カヤックのデッキに固定していた防水ザックに最低限のキャンプ道具と、アウンナットで獲った兎の肉など六日分の食料をつめこんで出発した。アウンナットの湾に流れこむ川を渡渉して、しばらく内陸のほうに入りこんでいく。谷沿いはとがった岩石が堆積し、その上をツンドラの苔が覆っている。イングルフィールドランドの地形は、沿岸は急傾斜の断崖や斜面になっているが、内陸に入ってしまえば、標高四百メートルほどの平坦でだだっ広い高原がつづき、氷床からの雪解け水でできた川がいくつも流れている。それらの川は沿岸の急傾斜地では深い峡谷となって抉(えぐ)れており、その峡谷部を避けるため内陸部に入りこみ平坦地を横断してイヌアフィシュアクを目指すことにした。

川沿いの丘から派生する尾根を登って台地の上にあがり、無数の青い池が広がる湖沼地帯に出ると、兎がそこらじゅうで跳びはね、足元は柔らかいツンドラの植生がつづいた。翌日も内陸台地をひたすら東北東に歩いた。快晴で陽射しがつよく、風もないため、半袖でも汗が吹き出てくる。途中でグランドキャニオンのように荒涼とした峡谷が台地に切れこんでいた。崩壊した岩のガレ場を慎重に谷底まで下り、対岸のガレ場を登りかえし先に進むと、今度は二十頭以上の麝香牛が群れた湿地の広がる浅い谷があらわれた。谷を下ると流れは大きな川に注ぎ込んでいた。川は暗緑色の水をたたえた深い峡谷となっており、両脇は濡れて青黒く光った側壁がつづいている。この側壁を突破できなかったので、われわれは一度、峡谷の脇を登りかえして、上流をしばらく歩いたところにある流れのゆるい浅瀬から飛び石伝いで対岸にわたった。

三日目の夕方、凍りついた湖を越えて台地の縁にたどりつくと、急崖の下に馬蹄形の半島があらわれた。イヌアフィシュアクだ。半島の周囲は思ったより氷が少なく、青い水面が西日をうけて輝いている。私にとっては前年の冬、この年の春につづいて三度目のイヌアフィシュアクである。三回も来ると、さすがに自分にとって特別な場所になったという感慨がある。地元のイヌイットもほとんど立ち寄ることもなくなったこの場所に、自分は三回も来ている。グリーンランド北部の辺鄙(へんぴ)で何もないこの土地こそ、私にとっては秘密の探検基地なのだ。

三度目ではあったが、今までは冬と春の、雪と氷に覆われた白いイヌアフィシュアクしか知らなかっただけに、地面の岩盤がむき出しになった眼下の半島の光景は、どこか新鮮だった。半島を見下ろしながら、私は英国隊のデポがある場所に目星をつけた。半島の付け根の細くくびれたあたりに比較的大きな池があり、地図の目印を見ると、デポはちょうどその池の一キロほど北にあるようだ。英国隊も極夜の時期に回収するつもりだったのだから、何も特徴のない場所にデポを置くわけがない。近くに目立つ丘や何かの目印があるはずだ。

半島におりたち、くびれの部分にある池の畔にテントを立てた。英国隊のデポは六十リットルの青いプラスチック樽を八個も並べたものだと聞いていたので、すぐにでも見つかると期待していたが、ざっと見わたしてもそれらしきものは見当たらなかった。それからしばらく山口君と二手に分かれて周辺の土地を徹底的に探した。あたりには赤茶色に焼けた露岩の大地がひろがり、所々が小高い丘となって隆起している。GPSデータから落としたポイントのあたりは岩の小山になっており、丹念に探したが発見できず、それからは周囲の丘に登っては麓を歩きまわった。丘の裏側やきれこんだ湾の窪地になった場所、また海岸に覆いかぶさった庇状の岩場の下もふくめて、視界の届かない空間も隈なく見てまわったが、やはりデポはなかった。山口君は半島の先まで見に行ったようだが、合図がないところを見ると、やはり発見できていないらしい。

リーダーと面会したときにはデポの写真まで見せてもらったので、ないはずはなかった。GPSデータに誤りがあったのか、それともそもそも他人のデポをあてにするという魂胆がやはりあさましかったか……とそんなことを考えながら歩いていると、ふと、思いもよらない場所に明らかに人の手による構築物が目に入った。傍に行くと岩が山積みとなり、その隙間からプラスチック樽の青い色が見え隠れしている。

このデポが置かれたのは二〇一三年八月で、二年もの月日が経過していたが、周りの石積みが崩れていないところを見ると、状態は設置当時のままで白熊にも荒らされていないようだ。発見場所はGPSデータとはかなりズレた、半島の付け根のくびれた海岸線の一番奥まったところだ。前年、犬と初めてこの地に来たときに通過した場所だが、まったく気がつかなかった。当時は雪に埋もれてしまっていたのだろう。

大声で山口君を呼び、早速、二人で石をどかしてデポの中身を物色した。

人生長いといっても、北極の荒野のど真ん中で他人の食料を物色することほど興奮することはない。樽のなかにはイータにあったのと同じグラノーラバーやフリーズドライ食品が大量に入っていたほか、ナッツやチーズも見つかった。ただ、人の食料を勝手に漁っておいてなんだが、中身はイータで見つけたのとほぼ同じで、正直期待外れ、極夜探検中の補助食に使えるかなぁといった内容だった。

収穫はむしろ食料よりも燃料系で、こちらはそれこそ宝の山だった。ガソリンは推定で七十〜八十リットルあり、これだけあれば少なくともイヌアフィシュアク滞在中は暖かいテント生活を送ることができそうだ。またドッグフードも二十キロ入りの袋が四袋もあり、犬一頭なら百日間は耐えられそうである。春の橇デポ旅行と今回のカヤックデポ旅行で運んだ分を合わせると計百五十キロ、これだけあるとウヤミリックのほかにもう一頭増やして二頭引きで旅をするのも悪くない。犬については後程じっくり考えることにし、村に戻るまでの行動食として必要なぶんだけ抜きとって、再び石を積みあげ、極夜の闇のなかでも発見できるように赤布をつけた竹竿をつきさしておいた。

翌日は、春に運んだデポの状態を確認するため、半島の先端にある小屋まで歩いた。途中、春には見つからなかった崩れた小屋や墓場らしき石の枠組み、木の十字架などが転がり、この北の最果てのような場所で生きていた人間の痕跡を垣間見る思いだった。デポした小屋のまわりにも、この前来たときには雪に隠れて見えなかったスコップや壊れた火器などが散在している。

小屋に近づくと、扉を縛りつけていたロープの一部がスパッときれいに切断されていた。他にも細引きで何カ所か縛っていたので扉は開けられていなかったが、明らかに狐か白熊が漁りに来たことを物語っていた。幸いなことに、小屋のなかのデポ物資は荒らされていなかったものの、近くの岩陰にデポしておいた兎の肉のほうは岩が崩されてきれいになくなっていた。岩は五キロ以上はある大きなものばかりだったので、明らかに白熊の仕業である。

デポが大丈夫なことを確認し、われわれはアウンナットへの帰路についた。往路と同じルートをたどってツンドラの湖沼地帯を歩き、途中で数千匹の兎が群れ、一塊になって白竜のように大地を疾走する驚嘆すべき光景と出くわした。アウンナットに戻ったのは八月二十一日だった。

出発前より氷がだいぶ小さくなっており、カヤックで漕ぎだせそうに見えなくもなかったが、最終的にデポをアウンナットに置いて、村にもどることにした。

アウンナットには小屋が二つある。今も地元民が春に白熊狩りに来るときに使用する比較的新しいしっかりした小屋と、もうほとんど使われなくなった古い小屋だ。前年のドッグフードのように地元民に持ち去られるのが心配だったため、私は二つあるうちの古い方の小屋にデポを置くことにした。入口に打ちつけられたベニヤ板を鉄の棒で引っぺがすと、なかはガランとした何もない空間が広がっていた。われわれはカヤックからすべての物資を運びだし、食料や干し肉、衣類・弾丸・電池やその他装備をスポーツバッグのなかにまとめ、ドッグフードやポリタンクに入れた大量の灯油と一緒に積みあげた。最後に荷物をロープでまとめて私のものであることを示す荷札をぶら下げ、白熊が寄りつかないように灯油を振りまいておいた。

この小屋に置かれた物資こそ、五月に干し肉を作り始めて以降、この三カ月間でおこなってきた活動の全成果だった。必ずしも事前に計画していた通りの結果にはならなかったが、私は自分が成し遂げたことに満足していた。ここにあるのは食料や燃料という単なるモノではなく、私が海象に追いかけまわされ、氷の動きに一喜一憂させられながら苦労して運んだ食料、燃料だ。つまり、このデポは私のこの三カ月間の過去や生きた経験の蓄積なのだ。

ここ数年の北極の旅をつうじて、私は、私という人間の生は、自分自身と外の世界との関わりのなかにしか存在しないことを感じるようになっていた。私により運ばれたこのデポは、私と世界との関わりそのものであり、私自身の分身、私自身が拡張してのりうつった私の外側にある延びた手足だ。この自分の分身であるデポをイヌアフィシュアクとアウンナットに備蓄することで、これらの土地とも私は切実な関わりを持つようになっており、土地もまた私という人間の世界のなかに組みこまれている。この三度のデポ設置旅行をつうじて、私には自分自身が属する世界が広がったというたしかな手応えと、同時に世界が広がることで自分自身の身体と精神も広がったという内的感覚があった。その私の手により広がった世界を土台に、広がった私が、自分の分身であるデポを回収して、いよいよ私の世界の外にある、私がまだ関係できていない未知の極夜世界を旅する。準備がととのった段階で、私の心は目の前のカヤックの旅をはなれて、完全に冬の極夜探検のほうに向いていた。

11

われわれはアウンナットを離れて村への帰路についた。つい一週間前まで、はたして無事に脱出できるのか、と疑念が生じるほど海には浮き氷があふれかえっていたが、いざ漕ぎだしてみると氷はずいぶん小さくなり、快適な水路がひらいていた。荷物がなくなり船も軽くなったうえ、追い潮にも恵まれ、この日は一日で五十五キロも漕ぎ進んだ。ただ、浮き氷に悩まされることはなくなったが、そのかわり氷床から吹き下ろす強風に悩まされた。フィヨルドを横断するときは必ずといっていいほど氷河から吹き下ろす風で海が荒れて白波が立ち、北からも大きなうねりが入りこみ船尾が不安定に大きく揺さぶられた。

そして夜は次第に暗くなってきた。

アウンナットの小屋にいるときから、私は、夜遅くに目が覚めて窓から外の様子を眺めるたび、太陽が地平線近くまで下がり、北の空が夕焼けに染まることに奇妙な落ち着きのなさを感じていた。考えてみると、すでに八月下旬、夏至から二カ月ほど経っており、暦のうえではもうすぐ太陽は地平線の下に沈み始め、夜の闇がやって来る時期にさしかかっている。ところが、私のほうは三月にシオラパルクに来て以来、もう四カ月以上、二十四時間フルに明るい白夜世界で過ごしていたので、夜が来るというのがどういうことかよく思い出せなくなっていた。

「そろそろ夜が来るんじゃないの」

「そうですね」

「なんか……怖くない？　夜ってどんな感じだったっけ」

「いやぁ、あんまり思い出せないですね」

深夜、薄闇がかかる空を見上げながら、私は山口君とそんな変な会話をかわした。われわれにはまだ夜のある生活の準備が整っていない。夜の闇が来るということは、一日の行動に制限が生じて夜の時間帯にカヤックを漕げなくなるということだ。これまで二カ月以上、潮の干満にしたがって、好きな時間に出発して深夜の十二時や一時まで漕ぎつづけて、疲れたら浜に上陸して未明に就寝するという、いかにも白夜的な都合のいい時間割で航海をつづけてきたが、夜が来るとそんなこともうできなくなる。夜が来てもこれまでどおり、航海をつづけることができるのだろうか？　じわじわと迫りつつある夜に、われわれは漠然とした薄気味の悪さを感じていた。アウンナットから南下して緯度を下げたことで、夜間の薄暗さの進行具合がさらに加速したように感じられ、白夜が終わりを告げつつあることがいよいよ切実に感じられてきた。

八月二十八日午後十時、シオラパルクまであと二日という地点にあるネケの地に上陸した日のことだ。テントを張り終え、夕食を食べ、俺の身体は今、発情期を迎えた野生動物のように臭いなと馬鹿なことを考えながらお茶を飲んでいたとき、われわれは衝撃的な自然現象を目の当たりにした。衝撃的といっても普段の非白夜世界にいれば全然普通のことなのだが、長いこと白夜世界で過ごしたわれわれには、それは衝撃的と呼んでさしつかえない光景だった。

いったい何かと言えば、月があらわれたのである。しかもまったく欠けたところのない素晴しく黄色い完璧な満月だった。

満月は闇に沈んだ水平線のわずか上で、薄墨色の細く棚引くちぎれ雲を引きずり、奥ゆかしげに柔和な光をはなっていた。三月にグリーンランドに来て以来、じつは私は一度も月を見ていなかった。それだけにこのときの月の姿は、強烈に私の心に食い込んだ。私は三年前、極夜の真っただ中のカナダを彷徨したときに突如背後にあらわれた、あの満月を思い出した。目の前の満月は、あのときの満月のように全世界を支配しているかのような万能感はなく、むしろその光はどこか優しく朧げで、十年来の友人が不意に家を訪ねてきたようなよそよそしさがあった。しかし予期せぬところにあらわれて、ぐいっと心をわしづかみにして世界が根本的に変容することを告知する役割は、あのときの満月と同じだった。

月だ。ついに月があらわれたのだ……と、私はしばらくその姿に見とれた。月は私にとっては極夜世界からの使者だった。これからは坂道を転げ落ちるように暗闇の影響力が強まり、二カ月もたたないうちに太陽の昇らない暗黒の世界に突入するのである。

シオラパルクには八月三十一日に到着し、山口君は九月四日にヘリコプターでカナックに向かい帰国の途についた。ありがとうと握手をかわし、ヘリに乗り込んだ彼の姿を見送ったとき、ついに長い準備が終わったのだと実感された。それからは日々、寒さと暗さ両面から冬の極夜が確実に近づいてきた。秋になると村では夏のように青空が広がることが滅多になくなり、湿り気のある重たい雲から大粒の雪が降ることが多くなった。いつしか村の細い道や草のしげった斜面は白い雪におおわれ、海の色もどことなく暗い紫がかった色に変化した。夜の濃さも一日ごとに深まっていき、村の様子は、いかにも沈鬱で寂寥(せきりょう)とした北極の冬の色合いが濃くなっていった。

夕方になり日が沈むと、周りの家からオレンジ色の室内灯の光が漏れてくる。その暖かそうな光が私には少し羨ましかった。といっても、べつに家族の団欒(だんらん)や温もりが恋しくなったわけではない。私の借家には電気が通っておらず、夜になるとロウソクやランタンですごさなければならなかったので、単純に暗くて仕方がなかったのだ。じつは三月に村に来てから、夏まではヌカッピアングアの持ち家を借りていたのだが、途中で息子のイラングアが彼女とその家に住むことになり、私はカナックに住む別の人物の持ち家に引っ越さなくてはならなくなった。ところが、その引っ越し先の家がひどい家で、以前借りていた人物が電気代や電話代などを踏み倒してそのままになっているとかで、国営電力会社から電気の供給をストップされていたのである。極夜の闇が近づく世界最北の村で、私はただ一人、電気の通っていない生活を余儀なくされる憐れな人間となっていた。もちろん、同様の理由から電話線も使用不能となっており、ネットも使えず、日本の妻とのやり取りも携帯電話にかぎられた。スカイプも使えず、娘の顔はもう二カ月ぐらい見ていなかった。

とにかく日に日に世界は暗くなり、あとは村にとどまり極夜探検の出発を待つばかりとなった。

浜には氷山が砕けた氷が漂着しており、朝一番でその氷を取りにいくことから村での一日は始まる。家には水をためるアルミの甕（かめ）があり、拾った氷はそのなかに放りこみ、鉄の棒でくだいて飲料水にする。日が高くなり暖かくなると、モーターボートのエンジン音が外から聞こえてくるので、窓から様子を眺める。秋になって海豹が村の近辺の海にあらわれるようになり、住民たちが毎日、ボートで海豹狩りに出かけているのだ。夕方や夜になると、狩りから戻ってきた男たちが浜で輪紋海豹を解体する光景が見られた。彼らは海豹の肛門から口にかけて包丁を入れて、手慣れた動作で前脚と後脚をくりぬいて器用に皮を剝いでゆく。解体した肉や脂のうち、自家消費するぶんは自宅に持ち帰り、残りは大きな木箱に入れて保管する。ボートを浜から海に下ろす作業や、浜に陸揚げする作業は単純な力仕事で人手がいるので、私もなるべく手伝った。そうすると肉や内臓を分けてもらえ、店で高い金を出して食肉やドッグフードを買わなくて済むからだ。

ある日、村の湾内に一角(いっかく)の群れがまぎれこんできた。一角の来訪を知ると、家のなかでゴロゴロしていた男たちは慌ててボートに乗りこみ、村の目の前で派手な捕り物劇を展開した。ボートのスピードをあげて獲物に近づき、銛を打ちこんで次々とライフルでとどめを刺していく。エンジン音が轟き、ライフルの音がパンパンと威勢がよく鳴り響くと、高台で狩りを見守る女子供から歓声があがる。一角が浜に揚げられると、まわりに集まった村人たちにマッタ（一角の皮）がふるまわれ、解体が始まった。解体を手伝うと、私のところにも大量の肉や内臓がまわってきて、自分の食事も犬の餌もすべて海豹と一角の肉でまかなえるようになった。

極夜探検の出発まで二カ月あまりとなり、残された準備は春に壊れた橇の製作、それに新しい毛皮服と毛皮靴の加工だけとなった。

橇をどの材で作るかについては、春に氷床で橇が壊れて村に戻ったさい、インターネットで情報を集めて自分なりに吟味しなおしていた。

前年とこの年の春に使った橇は、特殊家具の製造販売会社を経営する登山仲間に協力してもらい、日本で作ったものだった。最初にシオラパルクに来たときの一号機は軽さと強さの観点から檜を選び、長さ百九十センチ、高さ二十センチ、厚さが四センチの材に、十センチ四方の肉抜きを三カ所ほどこして作った。この一号機は前年の二月から三月に氷床を越えてイヌアフィシュアクまで行った偵察探検の際に使用したが、百キロ以上の荷物を載せて定着氷から海氷の上に叩き落とすような激しい使い方を四十日間つづけたにもかかわらず、一向に壊れそうな感じはなかった。そのため次の二号機は厚さを二・五センチに削り、十センチ四方の肉抜きを九カ所にほどこして、さらなる軽量化をすすめた。スーパースケルトン号だ。しかし軽量化を徹底しすぎてしまい、氷床の固く抉れた雪面に片側のランナーが落ちただけで荷重に耐えられず木目にそって割れてしまったのだった。

橇が壊れたことがきっかけで、私は改めて材の選定から見直しをすすめた。そもそも私が現代の極地探検では主流であるプラスチック製のボート型橇ではなくイヌイット式の木橇を使うことにしたのは、万が一、探検中に壊れても修理できるということが最大の理由だった。しかし実際に壊れてみて分かったのは、いかに木の橇とはいえ、氷点下四十度の寒さのなかで完全に修理して復活させることは難しいということだった。五カ月にもおよぶ探検で使う以上、基本的には壊れないことが第一の条件であり、木材選びで優先すべきは、やはり軽量さよりも頑丈さだ。今まで使っていた檜材も厚みを三センチ以上にすれば悪くはないように思えたが、木目に沿って割れやすいことが心配といえば心配だ。ネットでいろいろ調べた結果、硬いうえ粘り気と弾力性があり、曲げに強いという特性がある山毛欅(ぶな)材が橇には一番適していると考え、群馬の知人に材を調達してもらい、山口君が来るときに運んできてもらっていた。

段ボール箱の梱包をひらいて新しい山毛欅材の板をとりだすと、密度の高い硬木特有のずしりとした感触が伝わってきた。長さ二メートル、厚さは二・五センチだが、四センチの檜材よりもはるかに重く感じる。橇作りで重要なのは先端のカーブの形状だと聞いていたので、まずは材にカーブを鉛筆で描いて、ヌカッピアングアの家に持っていき、角度が適正かどうか見てもらった。ヌカッピアングアは少し離れたところから顔をしかめ、険しい目つきでしばらくじっと眺めたあと、「ナウマット」と笑顔で言った。英語で言えばgood、つまり合格ということだ。その鉛筆で描いたラインに沿って鋸で切断し、鉋をかけて表面を滑らかにしていく。

ヌカッピアングアによると、カーブの角度が悪いと雪面の凹凸の衝撃がもろに伝わり、橇を引くときに重たく感じるため、衝撃が吸収されるように滑らかにカーブを描くことが大事らしい。鉋をかけていると、面倒見のよい彼はことあるごとに様子を見にきて、滑走面を手で撫でて出来具合を確認した。内心、もう完璧だろと思っても、彼には私には分からない細かな凹凸が分かるらしく、何度も削るように私に指示した。

橇の大きさについてはかなり頭を悩ませた。これまでは全長一・九メートルの大きさの橇を使っていたが、極夜探検では最大で二カ月以上の荷物を載せることになるため、おそらく一台では荷物を載せきれない。プラスチックの小さい橇を予備に持っていくことも考えたが、最終的には一・五メートルと一・三メートルの小さい木橇の二台を製作することに決めた。二台にすれば、乱氷帯等で重い橇を動かせなくなったときに取り回しがよくなる。一台に大量の荷物を載せて乱氷帯にぶつかると、いちいち荷ほどきをして半分に分けて尺取虫みたいに往復して運ばないといけないが、最初から二台にすれば一台ずつ分けて引けばいいだけで、荷ほどきする手間が省ける。旅の終盤になって荷物が少なくなれば、不要な予備機のほうを捨ててしまえばいい。日本から運んだ山毛欅材は一・五メートルの本機のほうに使い、一・三メートルの予備機のほうは店で売っていた松材で作ることにした。

先端のカーブがきまると、つぎに強い衝撃を受けても板が割れないよう、三カ所ほど釘穴のあいた小さな金属板を両側からかしめて取り付け補強した。補強を終えると、今度は組み立てたときに二枚の板がわずかに内側に傾斜するように鉋で滑走面を削っていく。連日、少しずつ作業を進めていくうちに、徐々に二台の橇がかたちになっていった。

雨や雪の日は屋外作業はできないため、そんなときは家のなかで毛皮服や毛皮靴の製造、修繕をした。靴は去年、大島さんの奥さんのアンナさんに作ってもらった海豹の毛皮靴が軽くて暖かく、市販の防寒ブーツより優れていたので、極夜探検でもそれを使うことにしていた。ただ、靴底の毛皮がスキーの金具との相性がよくなかったため、市販の防寒ブーツをネット通販で取りよせて、靴底だけ張りかえることにした。慣れない手縫い作業に苦戦し、出来上がっても大きさが合わなかったりして、この靴の加工作業だけでも数日を要した。一方、毛皮服のほうは、竪琴(たてごと)海豹の傷物の毛皮を大島さんから格安で譲ってもらい、それでズボンを作った。ゴアテックスのズボンにかわる行動中の装備だ。ゴアテックス素材の衣類は透湿性が悪く、どうしても内側で汗が結露して霜だらけになるが、海豹の毛皮なら防風性は高いし、生地が呼吸して内側の水分を外に発散するので結露も少ないはずだ。型紙に沿って毛皮を裁断して生地を表地と裏地に切りわけたら、あとは糸と針でひたすら縫いあわせていく。途中まで完成してヌカッピアングアの家で試着してみると、生地の裁断がまずかったのか、股間の部分がもっこりと大きく飛び出している。「俺の股間にぴったりだ」と言うと、ヌカッピアングアと奥さんのパッドがゲラゲラ笑った。

橇についても毛皮品についても言えることだが、既製品ではなく、わざわざ自分の手で作ることにしたのは、現場で破損したときに補修が可能だという実用的な意味があったからである。木の橇なら釘やロープで応急修理できるし、毛皮品に穴があいたら予備の毛皮を縫いつければもとどおり使える。しかしプラスチックの橇や既製品の防寒ブーツではそうはいかない。今回は長い旅なので、装備はある程度壊れることを前提に考え、修理しながら旅をするぐらいの気構えでないと対応できないと思っていた。

だが実際に作っていくうちに、私のなかではそうした実用的な面よりも装備を自分の手で作るという、そのこと自体が持つ意味のほうが大きくなっていった。自分で装備を作るということは、壊れたときの責任を自分で被るということだ。橇が壊れたら最悪、遭難・死亡の可能性がでてくるわけで、橇の製作はそのまま自分の命に直結し、その自分の命を統御できているという感覚が自由の感覚につながっていく。

自分で作ったモノで旅をすることの面白味は、橇や毛皮品という完成品のなかに、製作の過程が埋めこまれている点にもある。製作の過程とは私自身の手足による作業の過程であり、それはつまり私自身の過去の時間にほかならない。自分で装備を作ることで、私と装備のあいだには固有の関わりが生じ、その関係をつうじて装備のなかに私という人格の一部が宿る。当然、自分の人格が宿った装備は、単なる客観的なモノという次元をこえて、自分自身の実体が拡張した、自分の肉体の一部にひとしいという感覚をもたらす。とくに今回のような冒険行で装備を自作した場合、冗談抜きで装備の出来に命がかかっているので、装備への憑依感覚は非常に鋭いものがあった。

実際の極夜探検では自分が作った橇や毛皮品に慈しみを感じながら旅をすることになるだろう。それは何度も言うように拡張感だ。六分儀で位置を出したときや、ライフルで動物を撃つのに慣れたとき、アッパリアスを捕まえて干し肉を作ったとき、はるばるカヤックを漕いでデポを運んだとき、それらの行為中に感じられたのと同じ拡張感を、私は橇づくりや毛皮品づくりのときにも感じた。というより、この時期、私の拡張感は絶頂に達していた。二年前から始まった準備、とりわけこの半年近くかけておこなった活動により、私の人格は六分儀に宿り、ライフルに宿り、アウンナットに宿り、イヌアフィシュアクに宿り、英国隊のデポに宿り、そして今また橇と毛皮品にも宿りつつあった。もちろん犬にも宿っていた。イヌイットの慣習にしたがい、夏の間、私はウヤミリックに餌をあまり与えず痩せさせておいて——地元の人はあまり食べさせると動けなくなるという理由で、夏は一週間に一回ぐらいしか餌をやらない——、秋になって寒さが深まってきてから一気に大量の肉や脂を与えて太らせた。冬が来て寒さが本格化すると、いくら餌を与えても太らなくなるので、秋のうちに身体を大きくしておくのが重要だと村人から教わっていたからだ。このように犬の面倒を見て、しっかりと旅を共にできる身体づくりをしてやることで、犬にも私は拡張していた。道具や土地やデポや犬に深く関与することで、私の〈私性〉はそれらに憑依、拡張し、私の世界は形成されていき、その世界は過去にないほど広がっていた。とても拡張的で、世界形成的な日々だった。

早く旅に出たくて仕方がなかった。自分が乗りうつった道具や犬、すなわち私の過去三年間の準備過程の全結晶であるそれらとともに、同じように何度も訪れることで過去が結晶化したアウンナットやイヌアフィシュアクという土地を早く訪れたかった。それらの装備や犬と旅して、なじみ深い土地でデポを回収することで、私は自分の過去の全過程を回収し、それを元手にして極夜探検という未知なる新しい可能性の扉を開くことができるだろう。外を見わたせば夜はどんどん長くなり、闇の濃さも深まりつつある。ふと気づくと村の前の海岸線の砂浜は波がしみこんで堅く凍りつき、潮がひくと薄い氷が広がっている。定着氷だ！　と私は思った。ついに定着氷もでき始めたのだ。いよいよあと一カ月で極夜だ。村人たちはガンガン、海豹を獲った。一角も獲った。私は肉や内臓をもらって、それをガンガン食べて、犬にもガンガン食べさせて、犬もどんどん大きくなっていった。出発の準備の最終段階となり、私の世界形成感は過去最大級に膨張していた。

しかし、そんな頃だった。不用意にかけた一本の電話がきっかけで、私の旅は急遽中止に追いこまれることとなったのだ。

九月二十三日のことだった。午前中に大島さんから旅行者でも狩猟の許可を取得できるかもしれないという話を聞いた私は、夕方、その確認のためにカナックの警察に電話をかけた。カナックの警官とは、以前に極夜探検の計画について説明していたので、満更、知らないわけではなかった。受話器の向こうで聞き覚えのある声が出たのを確認した私は、「シオラパルクにいる日本人のカクハタですが」と言った。

「旅行者でも狩猟許可をとれるという話を聞いたので、その確認をしたいのだけど……」

するとこう警官はこう言った。

「ああ、そんなことより、君の滞在許可が切れているとヌークのほうから連絡があったぞ」

何の話か分からなかった私は、え？　と問いかえし、「ヌークのほうに許可申請しなきゃいけないの？」と頓珍漢な質問をした。

「そうじゃなくて、君はもうそこに住むことはできない。日本に帰らなければならないんだ」

「……なぜ？」

「七月に延長許可を申請しなければならなかったのに、それをしなかった」

警官は、今はは仕事があるから、またあとで連絡するよと言って電話を切った。私は頭が真っ白になった。日本に帰らなければならない……？　ここまで準備をして、あと一カ月で極夜が来るというのに、今更……？　このときは彼の英語をよく聞き取れず、もしかしたら聞き間違いかもしれないと思った。電話を待ったが、その日はかかってこなかったので、やはり、そこまで深刻な話ではないのではないかと気をとりなおした。あの警官もいい加減なところがあるようだし、このまま電話はかかってこないかも知れない。一カ月間かかってこなかったら、そのまま今の話は聞かなかったことにして出発してしまおう。そう思っていた。ところが、その思惑は翌朝あっさり裏切られた。カナックの警察から電話がきて、前日と同じことを告げられたのだ。

警官の話の概要は次のようなことだった。グリーンランドは大きな自治権が認められているとはいえ、デンマーク王国に所属しており、外交や警察などの行政権はデンマークにある。デンマークでは外国人旅行者の滞在期間を三カ月間しか認めておらず、三月下旬に入国した私は六月下旬の時点で許可期限をすぎているので、今すぐにでも出国しなければならない。そんな内容の通達がすでにデンマーク移民局から届いているらしい。

はっきり言って、今更、何を言っているんだと頭にきた。

もちろん正式な滞在期限が三カ月間だということは知っていたし、それは計画段階で一番頭を悩ませた点でもあった。そこで日本にいたときにグリーンランドの旅行事情についいて詳しい知人に相談したところ、実際問題としてグリーンランドの警察は滞在期限

については そこまで厳密なことを言わないので、一応、計画書だけ送っておいて形の上ではお伺いを立てたことにして、そのまま現地に留まるのが現実的だと助言をうけ、その言葉に従うかたちでグリーンランドの警察には今回の極夜探検の計画書を、春や夏のデポ設置旅行のことや十一月までシオラパルクに滞在することも明記したうえで、送っておいた。すると七月に、その計画書を見たカナックの、今、電話に出ているカールという警官から電話があり、いくつかの事務的な問い合わせを受けた。そのときわれわれは次のような会話をかわした。

「シオラパルクを出発したあとにグリーンランドには戻ってくるのか」

そのとき、グリスフィヨルドを目的地にしていた私は、「戻ってこないよ。カナダに行く」と答えた。

「じゃあ、出発するときにこの電話に一報だけ入れてくれるとありがたい」

「分かった。ところで緊急時の連絡先はどこになる？」

「カナックの警察で大丈夫だ」

そう言ってカールは土日祝日の緊急連絡先も教えてくれた。随分親切な警官だと驚いたぐらいだ。このときのやり取りで、私はグリーンランド警察が今回の計画を了解し、十一月まで村に滞在することを認めたのだと理解した。実際、このときのカールの返事は、私の探検に非常に好意的な口ぶりであったし、それとは別個にライフルの所持申請も警察には出していたのだが、それについても三カ月をはるかに上回る期間の許可証を発行してくれたのだ。それが出発までまもなくというこの段階で出国しろだと？　ふざけんな。こっちはこの計画にどれぐらいの努力をして、いくら金をかけたのか分かってんのか。ちょっとおかしいんじゃないのか？　ほとんど逆ギレした私は下手くそな英語で反論をまくし立てた。

「七月の段階で計画の問い合わせを受けたときは、そんなことは一言も言わなかったじゃないか」

「そうだけど、あのときはまだデンマーク政府の決定が出ていなかったんだ」

カールによると、デンマーク移民局から通達が届いたのは七月のやり取りのあとだったという。彼はすぐ私に電話をしたらしいのだが、そのとき私はカヤックで村を離れていたため電話に出ることができなかった。そして八月からカールは夏休みとなりしばらく公務から離れ、職場に復帰する頃には日本人旅行者にたいする行政処分のことなどすっかり頭からなくなっていたらしい。私が狩猟許可などという余計なことで電話をかけるまでは。

「おれがこの計画の準備にどのぐらいの時間とカネを費やしてきたか、あなたは知っているだろ？　カヤックで二カ月もかけてデポ運んで。今頃そんなこと言われてもどうしようもないよ」

「分かっている。でもしょうがないんだ」

「もし出国したら、すぐに戻ってくることはできるんだろうか」

「三年間は入国できない」

「三年！」

「そう文書に書いてある」

金槌で後頭部をぶん殴られたような衝撃だった。三年間も入国できなかったら、今回運んだデポはすべて無駄になり、事実上、極夜探検はご破算となる。目の前が真っ暗になった。ただ、連絡しなかった自分にも瑕疵があると感じたのか、カールの態度は引きつづき好意的ではあった。

「不服審査請求をすれば特別な許可が下りるかもしれない」と彼は言った。「それも文書に書いてある」

私は彼の好意的な態度に甘える、というかつけ込むことにした。

「ぜひその特別許可とやらの内容が知りたい。それに、これまでの事情を、あなたのほうから担当局に説明してくれないか」

彼は通達文書を日本語に翻訳するので、それまで待機してくれと言って電話を切った。

三年間入国できない以上、私には今更帰国する気など起きなかった。何としてでも村に留まり、極夜が訪れる前に、浜に定着氷が張って橇を引けるようになった時点で、すぐに出発して旅を強行するつもりだった。かりに一カ月出発が早まっても、イヌアフィシュアクまで行けば英国隊のガソリンがあるのだから、麝香牛でも狩って食料を調達してテントで待機していればいい。村を離れさえすれば警察もさすがにヘリで追いかけるようなことはしないだろう。妻に電話で相談すると、「とにかく手続きに時間をかけて、日本に帰ると言って準備するふりをして、村に居座るしかないんじゃない」と私の尻を叩いて気合いを入れなおすようなことを言った。すでに多額の予算をかけた計画なんだから、結果を残すまで（つまり本を書いて作品化して旅に費やした支出を家計に取り戻すまで）、絶対に日本に帰ってくるなという強硬な意志表示だと私は受けとった。

いろいろな思いがあった。この極夜の探検は私の人生のもっとも充実した時期のすべてを費やした計画だった。私には、人生で充実した仕事ができるのはそう長いことではないという人生観があった。若いときは、体力はあっても経験や知識が伴っていないので、思考が浅いし発想も乏しい。言葉も生まれてこない。一方、年齢を重ねると経験と知識に厚みが出るので、思考や言葉に深みは増すものの、それと反比例するように発想に体力が追いつかなくなっていく。おそらく発想や思考と体力がつりあった調和のとれた状態は、三十代後半から四十代頭までの五年間だろう。極夜の探検はまさにその五年間にあたっていたし、自分でも今が充実期の五年間で、かつ、その後半にさしかかっているという認識があった。極論を言えば、人はその充実期の五年間に生涯最高の仕事を成しとげられるはずであり、そこで何をしたかで人生の価値は決まる。この極夜の探検は私にとって、まさにそうした人生最大の表現活動となるはずであり、もしそれが中止などということになれば、人生最大の表現を逃すことになり、何のために生きてきたのか分からなくなる。だから絶対に強行しなければならない。私はそこまで思いつめていた。

　翻訳は時間がかかるらしくカールからの返事はなかなか来なかった。そのあいだに私は通達を出したデンマーク移民局に電話をかけて打開策を探ったが、不条理なことに電話だけは独立国扱いなのか国際料金がかかるらしく、自動音声案内や問い合わせの待ち時間などですぐにプリペイドした料金がなくなって埒が明かない。とにかく準備だけは進めておこうと、ひきつづき橇と毛皮品の製作をつづけているうちに、頭にのぼっていた血もすこしずつ引いていった。日本の支援者は強制送還されると事態を悪化させるだけなので、それだけは避けたほうがいいという意見だったし、山崎哲秀さんや村で警察職務を担当するイラングアも、もし私が強行したら警察はヘリで追いかけてくるだろうと言った。たしかに逮捕されて強制送還となると、グリーンランドに入国できなくなるし、山崎さんら日本人の他の活動に迷惑もかかるだろう、と考えているところに、カールから、三年間入国禁止というのは勘違いで一年間だったと伝えられた。その情報で強行するという意思はぐらりとゆらぎ、入国禁止措置が一年間なら来年冬に延期するのが現実的ではないか、というふうに私の考えは穏やかなものに修正されていった。

　カールから翻訳が終わったと連絡がきたのは十月一日だった。通達の発行元はデンマーク移民局で、聞いていたとおり、グリーンランドから強制出国処分とし、今後、一年間の入国禁止にするという内容だった。デポさえ無事なら、一年間の中断をはさんで来年に延期することは可能である。しかし、できるなら今年のうちに実行したいと私は望んだ。延期すればこの一年の間にアウンナットにデポした物資がまた無断使用されてしまう恐れがあったし、何より、このとき私はとても拡張的な気分になっていて、自分の世界が完全に形成されたと感じていたからだ。かりに来シーズン以降に再び挑戦できることになったとしても、一度この環境を離れてしまえば、それぞれの道具や土地につながっている私との関係性は寸断されてしまい、極限的に膨張したこの世界形成感が失われてしまう。それが悔しくてならない。何とか今の感覚を維持したまま極夜探検に突入したかった。

　通達を何度も読みなおしたが、可能性はひとつしかないように思えた。処分はあくまでグリーンランドからの出国であり、日本に帰国しろという内容ではない。だとすればカナックでパスポートに出国スタンプを押してもらい、なるべく早く村を離れてカナダに向かえば処分にしたがったことになる。ピム島にデポがないので、極夜中にカナダに行くのは無理だろうが、北極海往復が終わってイヌアフィシュアクで時間をつぶして四月まで待てば、白夜となって行動は一気に楽になるので、英国隊のデポを食いつないでグリスフィヨルドに行くことは可能だろう。これなら書類上の体裁がととのうのでグリーンランド警察の面子（メンツ）もたつし、私も予定どおり探検を実行できることになる。これこそいわゆるウィンウィンの関係だ。カールに電話でこの考えを伝えると、「すぐにカナックに来て話し合おう」という極めて前向きととれる発言をしたので、私は一発逆転の希望をもってカナックに向かうことにした。十月四日のことだった。

翌日、銀行の金庫のように重たい警察署のドアをあけると、奥の机にカールが座っていた。カールは北欧神話に出てくる戦神トールのように胸板のあつい大男で、握手をした手は、これさえあれば橇作りの鉋がけの手間もずいぶん省けるだろうにと思うほど頑健だった。彼から早速要求されたのは、通知を受け取ったことを了承する文書にサインをしてほしいということだった。その文書には出国から一年以内にグリーンランドに入国した場合は罰金刑か三年以下の禁固刑に処すとの内容も記されていた。

話をするうちに、どうも先日電話で話した内容がうまく彼に伝わっていないらしいことがのみこめてきた。彼が私にカナックに来てもらいたかったのは、カナダ行を話しあい事態を打開する道筋を見つけるためではなく、単にこの書類にサインしてもらいたいためのようだ。私は地図を見せながら、この前の電話の内容を蒸し返した。

「出国するのには同意するが、カナダに出国したいんだけど」

「行けばいいじゃないか。アイスランドを経由すれば問題なくカナダに行ける」

「そうじゃないよ」と私は言った。「おれは探検をつづけたいと思っているんだ。カナダに行くのは飛行機じゃなくて、正規の出国手続きを経たあとに歩いてカナダに行くということさ」

「しかし、イミグレのほうはすぐにでも出国してもらいたいと思っているんじゃないのか」

「だから、パスポートに出国のスタンプを押してもらえれば、イミグレとしても出国扱いになるじゃないか」

「たしかにスタンプはわれわれが持っている」そう言ってカールは少し考えこんだ。

「よし、分かった。君の言い分をヌークの警察の本庁に訊いてみよう。今日中に電話で返事をするよ」

「できれば好意的に説明してもらいたいんだけど」

「分かっているさ。君が多額の予算と時間を費やしてきたことは、理解している」

とはいえ、この日の彼の対応をみると期待はできそうになかった。書類だけで判断するヌークの役人が特例を認めるとは思えない。私はカールが自分の裁量で「その手があったか」と両手をうってパスポートに判子をぽんと押して、ヌーク本庁とデンマーク移民局に「彼は滞りなく出国しましたよ」と電話で報告して、にこっとウインクすることを期待していたのだ。だがそうはならなかった。

その日のうちに電話連絡がこなかったので、翌日、ふたたび私は警察署に向かった。五分ほど待たされて彼の部屋に案内されると、カールはくるりと椅子を回転させてこちらを向いた。

「昨日、例の件をヌークに照会したんだが……」

私は唾をのみこんだ。

「冗談を言っているのかと言われたよ。彼らが言うには、君は飛行機のチケットを購入して国外に出ないといけない。つまり、国外退去を確実に実行しなければならない。それができないなら、われわれがそれをおこなうということだ」

彼は強制的な語感のともなうmake sureという言葉を使った。このまま出国しなければ強制送還するという意味かもしれない。分かったよと言って私は警察署を出た。この面談で私の希望は打ち砕かれ、私は極夜探検を一年延期することを決めた。そしてその日のうちに日本に帰国するための航空券を予約した。

シオラパルクに戻ると、夜はますます長くなり、夕方になると空は青紫色にいろどられて町の明かりが美しい光をなげかけた。村の前の海にも蓮の葉氷ができ始め、浜の定着氷もゆっくりと厚みをましていた。本格的な冬ごしらえなのか、村人たちは連日ボートで沖に出て海豹狩りに精を出し、浜には解体された海豹の不要な脂や内臓が転がっている。

帰国の飛行機までには、まだしばらく時間があったので、私は来年、シオラパルクに戻ってきたらすぐに極夜探検に出発できるよう、残りの時間のすべてを準備のつづきにあてた。テントやコンロやスキーや防寒着などの装備、それに残りの食料もすべて段ボールや大型バッグに梱包し、ノートにリストをまとめた。ヌカッピアングアが家のコンテナをまるまるひとつ貸してくれるというので、その好意に甘えることにし、ブルーシートを敷いて濡れないようにすべての装備をそのなかに運びこんだ。イヌアフィシュアク・デポ、アウンナット・デポに次ぐ、三つ目のヌカッピアングア・デポの完成だ。ウヤミリックの世話は十一月に村にやってくる山崎さんにお願いして、運動不足にならないよう彼の犬橇チームの一員として使ってもらうことにした。

延期中の最大の懸案は、アウンナットのデポが去年のドッグフードのように、春に白熊狩りに出た猟師に使われてしまうことだった。シオラパルクの村人は私の事情を知っているのでその心配はないが、問題はカナックの、まだ分別のない若い連中だ。そのことを大島さんに相談すると、白熊狩りが始まる前にカナックの猟師組合に手紙を出して、手をつけないよう正式に計らってくれると約束してくれた。

「カヤックで運んだんだからね。ヘリで輸送したわけじゃあないから。そんなのがなくなったら、たまらないもんね」

その言葉には感謝のひと言しかなかった。

残りの日々をひたすら橇作りにささげた。補強や傾き調整をおえた二本の板をならべ、高さが一ミリとずれないようふたたび正確に鉋をかける。そしてハンドドリルで等間隔に穴を開け、そこにロープを通し、板の上に渡した横桁（げた）をイヌイット式の結び方でがっちりと結えていく。横桁のとりつけが終わると橇をひっくり返して、鉋をかけた板の底面にプラスチックのランナーをビス止めする。最後にナパガヤという橇をとりまわすための取っ手をロープでがっちりと結えた。

完成したのは十月十日の夜だった。先端で美しい流線形をえがいた全長百五十センチの橇が、白色の室内灯に蠱惑（こわく）的に照らされるのを眺めながら、私はひとつのモノを作り終えた感慨にひたった。そして今回の旅で散々てこずらされた動物から名前を借りて、この橇をアーワック号と命名することにした。イヌイット語で海象を意味する言葉だ。海象は私にとって特別な意味をもつ存在となっていた。その海象という名をもつ橇とともに、来年こそ極夜の旅をおこなうのだ、とそんな感傷的な気持ちになっていた。先端のカーブのあたりに赤いマジックペンでAUVEQ（アーワック）と書きこんだとき、七カ月間の長い旅は終わりをつげた。

12

日本に戻ってきたのは十月二十一日だった。成田空港の到着ロビーで妻の顔をみつけて手を振ると、出迎えの人々の足の間から、一歳十カ月になった娘がひょっこりと顔をみせた。いくぶん戸惑い気味の表情でテクテクと歩いてきた娘に腕をひろげると、彼女はかろうじて私の顔を覚えていたようで、おとうちゃん……とはにかみながら私の腕にとびこんできた。

日常の時間はわりとスムーズに淡々と始まった。不在だった七カ月間の時空を飛び越えて、三月に出発した時点とダイレクトに再接続されたかのようだ。まるで日本での日常と北極での非日常という別々の二つの時間がパラレルに存在しており、その二つの時間を行き来しているといったような感覚だ。非日常の世界から日常の世界に戻ってくると、日常の世界の時間は私のなかで出発時点でとまったままなので、自分の感覚としては都合よく出発時点にもどってくることができる。

もちろん一歳の子供を妻にまかせて七カ月も不在にしていたわけだから、その間、何も変化がなかったわけではない。娘は成長して言葉を随分話せるようになっていたし、それよりも妻が、私の目から見ると、明らかに育児ストレスがたまっているように見えた。私たちの娘はやたらと活動的でわがままいっぱい動き回るくせに、甘えん坊で常につきっきりで面倒を見てもらわないと気がすまない結構面倒くさい性格で、そんな娘と二十四時間、接しているうちに、妻は時折、苛立ちを隠せないようになっていた。だが、そんな妻のストレスも、私が帰宅して育児の五分の一ぐらいを分担するようになると次第に和らいでいき、二週間もするともとの落ちついた様子に戻っていた。

そうやって以前と変わらない日常は回復していった。私は原稿執筆を再開し、妻の育児ストレスが収まった頃合いを見計らって、趣味である冬山登山にもでかけた。十二月の頭には、夏の間に妻が家の引っ越し先を決めていたことから、西武線沿線から都心の集合住宅に引っ越した。年末の娘の二歳の誕生日には家族三人で山形の温泉地にでかけ、正月は友人と冬山にこもり、その後も以前と同じように登山と執筆をくりかえしていた。そんなことをしているうちに桜の木々に新芽が目立つようになって、グリーンランドでは白熊狩りの話が出てくる季節になった。私は大島さんや山崎さんに、白熊狩りに行く人がいたらアウンナットのデポには手をつけないようにお願いするため、改めて連絡をとった。二月頭頃にきた山崎さんからのメールによると、今年の冬は村の前の海氷の結氷状態はよく、何人かが白熊狩りに行くような話をしているとのことだった。私は落ち着かなかったが、三月以降のメールによると、その後は暖かい日がつづき海氷の状態も不安定になったらしく、白熊狩りに行くという話も聞かなくなったという。どうやらこれでデポが使われる心配もなさそうだと、ひと安心した。

そんなふうにデポの心配が去り、グリーンランドのことなど半分忘れて日常生活に没入していた、四月下旬のある日のことだった。

朝九時頃、いつものように目を覚まして寝室から居室にいくと、めずらしく箪笥(たんす)の上で私の携帯電話がふるえていた。こんな早い時間に誰だろう？　不思議に思って手に取ってみると、＋299から始まる国際番号が携帯に表示されていた。

299はグリーンランドの国番号だ。私はてっきり山崎さんからの電話だと思った。ちょうどその頃、山崎さんの帰国の時期が近づき、私の犬の世話を村の誰にひきつぐかメールで連絡をとりあっていたところだったからだ。あるいは山崎さんじゃなかったとしたら、カナックの警察からだろうか。もしかしたら警察が冬の極夜探検の計画について何か面倒なことを言ってくるのではないか……。

いずれにしても電話が来るということは、何かよくない緊急の連絡ではないかと思い、私は少し緊張して携帯の通話ボタンを押した。

電話の主は、意外にも山崎さんでも警察でもなかった。

「どうも、大島です」

大島さんの太くてしっかりとした声が聞こえた。

大島さん？　正直言って、私は相当おどろいた。大島さんがわざわざ電話をかけてくるということは、何かよほど緊急の事態が発生したということだ。私は唾をのみこんで、どんな話を聞かされるのか待ちかまえた。

「あの、シリウスってあるでしょ。沿岸警備隊ね」

「……ええ」

シリウスとはグリーンランド東岸から北岸を犬橇で巡回警備しているデンマーク軍の部隊である。

「彼らがこの前、シオラパルクにやってきてね、普段はここまで来ることがないんだけど。その際にアウンナットの小屋に立ち寄ったんだって。そしたらね、おたくのデポが白熊に食い荒されていたみたいね」

愕然とした。

「え……、本当ですか」

「本当。名前を書いた札か何か残しておいたでしょ。シリウスの連中がそれを見て遠征隊のデポだって分かったみたいで、それで連絡したほうがいいんじゃないかということで教えてくれたみたいね。ぼくも写真見せてもらったけど、ひどいね。小屋の入口の板なんかはぎとられていて、食べられそうなものは全部やられちゃってるね」

「なんでまた……」

「なんでだろうね。これまでも生肉なんか置いておいても、やられたなんて話は聞いたことがなかったけどねぇ」

「……灯油なんかは無事なんでしょうか」

「分かんないね。食料を漁っているあいだに踏んづけちゃったりしたら、ダメになっているかもね。シリウスの人らの話だと、フンボルト氷河のほうなんか足跡だらけで、あのへんは白熊の数がだいぶ増えているみたいね……」

終わった……。

七カ月かけた準備のすべてが無駄になった。極夜探検は一気に先行きの見えない混沌に追い込まれた。何も考えることができず、私はただ、呆然としたまま電話に耳を押しつけていた。

謝辞

本書で記した旅を実行するにあたり、次の方々から多大な支援と協力をいただいた。お名前を記し、ここに感謝の意を表したい（順不同）。

大島育雄さん、山崎哲秀さん、山口将大さん、大瀬志郎さん、渡辺興亜さん、吉村愛一郎さん、甕三郎さん、清野啓介さん、伊藤達生さん、街道憲久さん、荻田泰永さん、馬場茂さん、池田錦重さん（故人）。

また特殊六分儀の製作ではタマヤ計測システム株式会社、防寒着など衣類の提供ではデサントジャパン株式会社、寝袋やカヤックの艤装に関しては株式会社モンベルにご協力いただいた。


連載の際には文藝春秋「オール讀物」編集部の山田憲和さん、武田昇さん、笹川智美さん、また単行本化は「ナンバー」出版部の藤森三奈さんに担当していただいた。この場を借りてお礼申し上げたい。

ありがとうございました。

二〇一八年十二月　角幡唯介

文庫版あとがき

本書の旅は二〇一二年から三年間なので、もう十年近く前の話になる。陳腐な感慨だが、もう十年かという気もするし、いっぽうでまだ十年か、という思いもある。第一部の天測放浪はひどく昔の話という気がするが、第三部のカヤック行はまだそれほど時間がたっていない感じがする。パートナーだった山口将大君とはいまも年に一、二回、カヤックや登山で顔をあわせているからかもしれない。

私はいまもグリーンランドのシオラパルクを拠点に活動している。行動範囲は本書で何度も登場する北のエリア、つまりアウンナットやイヌアフィシュアク近辺から、現在ではもっと遠くまで拡大しており、毎年のように、はるか北のフンボルト氷河やヌッホア（ワシントンランド）まで足をのばしている（興味のある人は地図で探してみてください）。毎年おなじ場所ばかり通っているため、シオラパルクの村人のなかには、この北方エリアを「ヌナ・カクハタ（角幡の土地）」と冗談めかして言う者もいるぐらいだ（悪い気はしない）。

と同時に、変化したことももちろんある。たとえば旅のスタイル。当時は犬（ウヤミリック）を連れているとはいえ、基本的には自分で橇を引いていた。でも、いまは十数頭の犬に橇をひかせる犬橇だ。村で十数頭の犬を飼っているため、冬から春にかけての半年はシオラパルクに滞在し、夏から秋にかけて日本にもどるという、いま流行りの二拠点生活みたいなことをつづけている。

テーマも変化した。極夜というテーマは『極夜行』の旅で完結し、それ以降は〈狩り〉と〈漂泊〉が旅の主題となっている。本書でも麝香牛や兎を狩るシーンが描かれているが、いまは狩猟が完全に旅の中核、もっといえば行動原理にすえられている。

犬橇で狩りをしながら、漂泊的に、そのときどきの状況で行先や展開がかわるような旅。それはすなわちイヌイットの旅、正確にいえばエスキモーの旅である（グリーンランドではエスキモーという言葉に差別的ニュアンスはなく、犬橇、狩猟、旅というイヌイットの文化的エートスを抽出した言葉である。彼ら自身、そのエートスを体現している者をさすときにエスキモーという言葉をつかう）。いまの私は、極地旅行家としての経験と技術を高め、偉大な旅をしていた百年前のエスキモーたちに少しでも近づきたいという思いが強く、欧米の探検家への憧憬は皆無になった。本書の第三部で、浮き氷に行く手をはばまれたときに、その状況を昔の欧米の探検家にかさねあわせる場面があるが、いまの憧れの対象は近代的探検家ではなく、前近代的なエスキモーの猟師たちである。このちがいこそ、この十年の変化をめぐる象徴的なものかもしれない。

十年近くおなじ地域で旅をしていると、当たり前だが、土地勘も深まるし、犬橇や狩りの技術も高まり、旅行家としての能力はトータルに向上する。つまり旅行がそつなく、効率的になり、上手になってゆく。極地旅行家として能力のアップしたいまの私からみると、はじめてシオラパルクにきたときは旅行がまだ下手で、読んでいて無駄なことをやっているなと感じることも多々ある。だが、若くてガムシャラだったからこんな旅ができたんだな、という思いもある。四十六歳になった自分に、氷点下四十度にもなる厳冬期に天測しながら旅ができるかというと、とてもではないが無理だ。年をとると寒さがことのほかこたえるのである。

何より重たい橇をひいて長々と旅をすることが、今はもうできない。というか、やる気がしない。

それは純粋な体力の問題ではなく、精神の内側で燃えあがる炎の大きさの問題である。最近思うのだが、年をとると面白いことしかやりたくなくなってくる。

重たい橇を引いてひたすら歩くこと。この行為自体をとりだしてみると、はっきり言ってしまえば、まったく面白味にかけた行為である。あるのは肉体的な辛さだけ。それでも極地探検家たちがマゾヒスティックに橇を引き、肉体に鞭打ち目的地をめざすのは、達成したときに得られる何かにより、その労苦がむくわれると信じることができるからである。身体を酷使して目的地を目指すことには、シンプルなよろこびがある。プロセスがどんなに長く、そして辛くても、若さと、精神の内側で燃え盛る自己実現の炎の勢いが、過程の辛苦を凌駕する。

だが四十をすぎると、精神の炎は鎮静化し、それだけでは肉体的労苦をカバーできなくなる。自己実現に関心がなくなるため、結果が行為のしんどさにひきあわなくなる。だから行為そのものに面白味がないと、つづけられなくなるのである。多くの橇引き系極地探検家が四十代前半で足を洗うのは、そのせいだろう。

　故あって、たまたま私は四十三歳で人力橇から犬橇にかえたのだが、これは結果的には正解だった。犬橇は技術的な難しさと、それゆえの深みがあるし、犬との関係構築にも非常に頭をなやませる。子犬が生まれたら、この犬は将来どんな犬に育つんだろう、という人間の子育てにもつうじる未来への希望もある。それに、本書でも触れた関係をつうじた対象への自己投影的な憑依感覚、犬橇ほどこの感覚をおぼえる行為はなかなかない。

　犬はこちらの思ったとおりに動いてくれない。私の意図と、実際の犬の動きには乖離があり、逆説的であるが、その乖離がなかなか埋らないところに面白さがある。原理的に考えると、この乖離は永久に埋らないはずだ。だから面白味も永久になくならないだろう。おそらく私は、死ぬまで犬橇の旅をつづけるにちがいない。

　いずれにせよ、私はまだ、今後数年は、通い慣れたグリーンランド北部をめぐる探検をつづけるつもりだ。何度足をはこんでも飽きないぐらい、この土地は、私にとって、汲みつくすことのできない無限の魅力にあふれる土地となった。そして、もし将来的にグリーンランドを離れることがあるとしても、犬橇や狩猟はどこか別の土地で死ぬまでつづけるであろう。

生涯の旅のテーマを与えてくれたのは、シオラパルクの村である。私にとって、本書は、いまの自分につらなる第一歩を記した旅の記録なのである。

二〇二二年六月二十日　角幡唯介

特別寄稿

僕と海象と角幡さんと

山口将大

「ずいぶん乱暴な人だなぁ」

そう思ったのが初めて会った角幡唯介さんの印象で、それは二人で八重山諸島の海を旅しようと、カヤックを受け取りに向かった運送会社の従業員に、返金を迫ってまくし立てる姿だった（このとき送料を誤り10倍近い法外な請求をしたのは運送会社で、あくまで角幡さんに非はない）。沖縄の空港で待ち合わせた僕たちの目的は、極夜のグリーンランドを探検する為に必要な食料や燃料を、事前にカヤックで運びデポする計画にむけたトレーニングだった。琵琶湖でカヤックガイドをしている大瀬志郎さんから「探検家の練習につき合ってやってほしい」と頼まれたのが事の始まりで、ツアーなどではなく実践的な訓練をするには、日頃ふらふらとカヤックで旅ばかりしている僕はうってつけだったのだろう。角幡さんは傑出した探検家として既に知られていたので、その著作を読んでいた僕は、彼に会うのを楽しみにしていた。

トレーニングは石垣島から西表島へと海峡を渡り、島を一周する計画だった。カヤックを始めたばかりではおよそ無茶な話だが、角幡さんは持ち前の並々ならぬ体力で漕ぎ抜く。とはいえグリーンランドのデポ行は助っ人を求めていたようだ。西表の穏やかな海上で「一緒に行こうよ」と僕に声をかけてくれた。デポは本番のための準備でしかないが、カヤックで行なうとなれば立派なエクスペディションだ。そしてグリーンランドは伝統的なカヤックが生まれた地でもある。僕らが旅をする北西部は、現代でも木の骨組みと革張りのカヤックを使った狩猟がイヌイットによって行なわれている稀な地だ。かねてからカヤックの故郷であるグリーンランドや極地の旅に憧れていた僕は、角幡さんからの誘いに二つ返事した。ただ、勢いで言ってしまったものの、彼のぶっきらぼうさと、見返りもない他人のデポ行のためにかかる高額な旅費に「やっぱり、断ろうかな……」という内心を吹っ切ることができず、悶々としながら準備する日々を過ごした。

沖縄でのトレーニングから約半年後、僕は一人で大量の荷物と組み立て式のカヤックを携えて小さなヘリに乗りこんだ。赤や緑のカラフルな家が並んだシオラパルクの高台にある、ヘリポートとも呼べない空き地で角幡さんは出迎えてくれた。

再会したのもつかの間、準備が始まる。組み立てたカヤックにギュウギュウと荷物を押し込んでいると、人懐っこいシオラパルクの住人たちが興味津々でやってきて、思い思いの質問を角幡さんに投げかけている。僕には何を話しているのかさっぱり分からないが、角幡さんは短い滞在の間に村人とのコミュニケーションができる程の言葉を身につけており、優れた語学のセンスを感じさせた。そして人気者だ。僕らが家にいる間、ひっきりなしに村の人たちが訪ねてきた。言葉や文化を超えて、人を引きつける魅力をもっているのだろうか。

村の人たちに見送られ、僕たちは氷の上にカヤックをすべらせ海の旅をスタートさせた。カヤック越しに感じる冷たい海と、極地の荒涼とした景色におののきながらも、僕は初めて漕ぐグリーンランドの海に、静かに感動していた。ボートに乗って猟から帰ってきた村人に「海象（せいうち）が沢山いたぞ、気をつけろ」と忠告されたが、カヤックに乗る僕らにできることと言えば、沖に出て海象の怒りを買わないよう岸寄りを漕ぐことだけだった。突き刺すように冷たい風の中を苦労して漕ぎ進み、そろそろ上陸してキャンプ地を決めたいと思うのだが、岸にはカイグウと呼ばれる定着氷がコンクリートの護岸のように張り付き、容易に上陸はできない。僕らは小川の流れ込みにカヤックを係留し、重い荷物を引き上げた。小高い丘を背景にしたキャンプは快適で、細々としたたき火で炊事をしながら、取り留めもなく話した。

「カナダのツンドラは楽しいよ、動物も沢山いるんだ」

「いつか行ってみたいですね」

沈まない太陽の下、角幡さんの話に耳を傾けながら過ごすのは、日本での不安を忘れる充実した時間だった。

出発から4日目、この日も岸寄りを曇り空の下、寒々と漕いでいた。午後も夕方を過ぎた頃、アレキサンダー岬が沖合に見え、空腹と疲労に倦んでいた僕たちは、ショートカットをしようと沖に向かって舳先を向けた。ひとたび沖にでれば波音は遠ざかり、静寂が訪れる。単調なパドリングに飽きた僕は、何か釣れれば夕食の足しになるだろうと、糸巻きから釣り糸を垂らしながら呑気に漕ぎ続けていた。

「うおっ」

突然、左舷からドン！ という岩に衝突したかのような衝撃を受け、水平線がぐるんと回転した。あやうくバランスを崩しかけたが、反射的にブレイス（パドルで水面を叩く動作）し、転覆を免れた。何が起きたのか分からなかった。岩礁に気づかずぶつかった？ そう思って振り返ってみると、そこには鋭い牙をはやした海象が、まるで手を伸ばせば届きそうな距離でこちらを睨みつけていた。信じられない光景に一瞬言葉を失ったが、気づかず前を行く角幡さんにこの事態を伝えようとして咄嗟に「やられた……！ 海象だ！」と叫んだ。まるで漫画みたいなセリフだな、と恥ずかしくなったが、このときはそれが精一杯だった。

「うわっ！ マジかよ!!」

「島に向かって逃げろ！」

海象の襲撃に気づいた角幡さんにそう叫び、恐怖に駆られてがむしゃらにパドルを振り回した。すでに陸からはるか沖に出てしまった僕たちは、逃げ場のない海の上、まだ数キロ先にあるだろう小島に向かって漕ぐことしかできなかった。だがしかし、何故かいくら漕いでもカヤックが右に曲がってしまう。

「舵が利かない⁉　襲われた時にラダーのワイヤーが切れた？　浸水は？」

「来てる来てる！」

落ち着け、落ち着けと自分に言い聞かせながら必死に漕ぐが、真横を向いた舵は抵抗となり、パドルが派手に水をまき散らすだけでまったくスピードをだすことができない。焦って振り返ると、黒く虚ろな目をした海象がまるで海坊主のように追いかけて来ていた。唯一の武器は角幡さんが持っていたライフルだが、角幡さんはスピードを出せない僕を置きざりにして振り向きもせず、島へ向かって一心不乱に漕いでいく。遠ざかる角幡さんの背中に向かって心の中で、

「置いて行きやがった、このクソ探検家！」

と悪態をつきながら、とにかく必死に漕ぐことしかできなかった（しかしたとえライフルを持ったところで、自分には狙って当てるような技術も自信もなかった）。

汗だくになり息を切らして漕ぎ続け、少しは遠ざけただろうか？　と思ったその時、垂らしていたことを忘れていた釣り糸に、何か大きなものがかかった感触がして強く引かれ、体にぎりぎりと食い込んだ。

「海象がかかった？」

僕は恐ろしくなり、急いで糸巻きを海に投げ捨てた。

「まさか、釣りの仕掛けが海象を引き寄せた？」

そんな考えが頭をよぎったが、信じたくはなかった。

もう追ってはこないだろうか？　手を止めた僕は舵を海中から引き上げ（舵は手元のロープを引くことで仕舞うことができるのに、あまりに慌ててすっかり忘れていたのだ）落ち着いて被害を確認すると、牙に貫かれ左のエアスポンソン（浮力体）が破裂していた。だが幸いにも浸水はないようだ。海象は興味を失ったのかもう追ってくる気配はなく、とにかく角幡さんと合流しようと島へ向かって漕ぎ続けた。島の前で待っていた角幡さんに、自分を置いて逃げたことを咎めようかと思いはしたが、デポの設置が完了するまで二人の関係を悪くしたくはないし、まだ先は長いので黙っておくことにして「やられたぁ」などと言いながら、笑ってごまかした。

辿りついた島に上陸することはできず、岬の付け根の氷河に上陸してテントを張り、ようやく一息ついて恐ろしい出来事を振り返った。野生の動物に襲われたこともショックだったが、このとき不思議だったのは、お互いの記憶の中で、追いかけてくるのは知識として知っていた海象ではなく、ガサガサで土気色の肌をした、悪い夢に出てくる化け物のようにしか思い出せなかったことだ。二人ともパニックだったのか、恐怖心がそうさせたのかもしれない。まだ出発して4日目だというのに、先が思いやられる出来事だった。このあと悪いことに雪が降りだし、凍えながらカヤックの修理を終えてテントに戻ると、角幡さんはパスタを作ってくれていた。

　その後も、潮位を見誤る失態を犯した僕らは、カヤックを流失しかけ、デポするはずのドッグフードを失ってしまう。計画は順調とは言えず、一度村へ戻って態勢を立て直すことになった。次の目的地であるイヌアフィシュアクへ向け、再び村を出発すると海は夏を迎え、2度も漕げば勝手知ったるものだと思っていたが、極地は一筋縄ではいかない。

　その日は朝から寒かった。崖下で日の当たらないキャンプ地は、朝起きるとテントもカヤックも凍りつき、岸には厚い氷が張り詰めた。氷盤のひしめく海に航路を求めて右往左往、苦労の末アウンナットへと続く湾に入ったが、にわかに沖からやってきた霧に囲まれてしまう。微かに見える岸を確かめながら進むが、今度はあまりの冷気に海がメラメラと凍り始め、厚みを増す氷を、勢いをつけたカヤックで砕氷船のように砕きながら進むはめになっていた。この日の行動は10時間を超え、痺れる冷気に手足の感覚を失い、ヒリヒリとした焦燥感に包まれていた。不意に霧が晴れ、虹がかかり幻想的な景色が現れる。

「とんでもないところだなぁ」

　そう言って日焼けした顔を向けた角幡さんが、度重なる氷への衝突に、カヤックの浸水を確かめようと手を止めた時だった。

「うう、うあああ！」

呻くような叫びをあげ、角幡さんがパドルを振りかざした。

「せ、海象だ！」

再びの襲撃に僕らは戦慄した。氷をバキバキと割りながら岸に向かって逃げ出すが、厚い氷に阻まれ、すぐに進退極まってしまった。

「ど、どうしたんですか？」

「パドルで殴った」

「殴ったぁ⁉」

真顔で答える角幡さんにおもわず笑ってしまった。海の中から突然現れた巨大な海象は、角幡さんの反撃にデコピンをくらった小学生のような顔をしたらしい。

「殴って撃退したのだから、もう追ってこないんじゃないですか？」

まったく、人騒がせな海象だ。

現在地も分からないまま、この日は行動を諦めて上陸し、重いカヤックを引き上げた。

「このあたりのはずなんだがなぁ」

つかれた顔を上げると風が吹き、霧の向こうに小屋が現れた。ここがアウンナットだった。

小屋で数日の停滞のすえ、ひしめく浮き氷にカヤックでの前進を諦めた僕たちは、イヌアフィシュアクへは徒歩で向かい、デポはアウンナットの物置小屋に設置することを決めた。苦労して運んだ大量の食料や燃料をスポーツバッグに詰め込み、完璧とは言えなかったが、極夜の旅へ向けてデポを作ることができた。

「とても一人では無理だった、ありがとう」

固い握手で角幡さんにそう言われ、照れくさいが嬉しかった。僕の役目は果たせただろうか。

帰路に就くと、秋の気配を漂わせる海からは氷が消え、今までの苦労は何だったんだと思うほど順調に進み、10日程で村へと帰り着いた。帰国の日程が決まっていた僕はゆっくりとする暇もなく、慌ただしく帰り支度を始めた。その傍らで、角幡さんはヘッドランプの明かりを頼りに、日本から送られた原稿を直している。カヤックの旅が終わった感慨に耽る間も無く、極夜の旅へ向けて気持ちを切り替えたのだろうか。一人帰る僕は一抹の寂しさを感じていた。

窓の外からヘリの音が聞こえ、定刻通りに来たことを恨めしく思いながらカヤックを担いで村の高台へ向かうと、他の荷物を角幡さんが持ってくれた。僕は涙目になってしまい角幡さんの顔を見ることができなかった。村の人たちに見送られながら、「また漕ぎましょう」と約束してヘリに乗りこんだ。極夜の世界へ旅立つ角幡さんと、また会えるだろうか。ローターが回り、ヘリが飛び立った。窓の下に角幡さんが見えて手を振ると、見えているのか振り返してくれた。涙が止まらなかった。

（カヤッカー）

文春文庫

定価はカバーに
表示してあります

極夜行前（きょくやこうまえ）

2022年10月10日　第1刷

著　者　角幡唯介（かくはたゆうすけ）
発行者　大沼貴之
発行所　株式会社 文藝春秋

東京都千代田区紀尾井町 3-23　〒102-8008
TEL 03・3265・1211(代)
文藝春秋ホームページ　http://www.bunshun.co.jp

落丁、乱丁本は、お手数ですが小社製作部宛お送り下さい。送料小社負担でお取替致します。

印刷製本・凸版印刷

Printed in Japan
ISBN978-4-16-791949-8